中公新書 2000

猪木武徳著

# 戦後世界経済史

## 自由と平等の視点から

中央公論新社刊

# はしがき

本書の目的は、第二次世界大戦後から二〇世紀末までの世界経済の動きと変化を、データと経済学の論理を用いながら鳥瞰《ちょうかん》することにある。無謀な試みかもしれないが、全体を大雑把に見るということは、細部を正確に観察するのと同じくらい、時にはそれ以上に重要である。「現尺」の地図は意味がないとしても、詳細な地図を用いて問題を解決しなければならないことはある。しかしそれと同時に、きわめておおまかな地図を念頭においてから、問題とする場所の詳しい地図を見ることも必要であろう。そう考えて、思い切って「粗い地図」を描いてみることにした。

「世界」と銘打つからには地球すべてを覆わなければならない。「戦後」と限定しても、それ以前の経緯を押さえ、それぞれの年に起こった微妙な変化を見逃すことは許されない。しかしこの難題は当然筆者の力量を超える。本書では、戦後世界の経済の歴史を、筆者が知る中で重要だと思う現象に限定し、デフォルメされてはいるが、大筋の流れを語ったことをあらかじめお断りしたい。

類書に見られない特徴をあえて挙げるとすれば、通常の経済論議で陥りやすい誤りや、概念と定義に関する通説の怪しさなどにふれていることである。経済学に進歩があったからには、経済史の解釈にも進歩があって当然であろう。近年あまり評判の芳しくない経済学を研究してきたものとして、経済学の基本部分を擁護したいという気持ちも本書執筆の動機となった。

本書のもうひとつの特徴は、「世界経済の動き」を単に時代順に追いかけるのではなく、それぞれの出来事や現象が日本人の生活や意識とどのような関係にあったのかという点に時折り言及している点である。その意味では、「日本人が書いた戦後世界の経済史」であって、学術的な視点のみにこだわって書かれた世界経済史のテキストブックではない。

本書が対象とする期間は二〇世紀の終わりまでである。しかし最終章では、二〇〇七—二〇〇八年の金融危機とそれがもたらした世界的な大不況の問題についてもふれた。現代の市場経済が抱える基本問題を、具体的に感じ取り理解するためには、「いま、この世界の」具体的なケースを語る方が説得力があると考えたためである。「できる限り具体的に説明する」というスタイルは、本書を執筆するときに終始意識した姿勢である。世界経済の歴史的な流れを抽象化された学術用語で語るのは、えてして無味乾燥な命題の羅列に陥りやすく、読者にとって語られていることのイメージがわきにくい。

具体的に経済というものの力の巨大さと迫力を示す手法として、「事例を語る」というスタイル以外に、統計数字を示すという方法もある。そう考えてかなりの数の統計表を、若い研究者、井出文紀氏（九州産業大学）と松村博行氏（国際日本文化研究センター）の助けを借りて作成した。しかしそれらの大きな数表を刈り込んで、新書版にスマートに収めることができず、結局、重要な数字だけを本文中に書き込むということになった。

滞っていた本書の執筆に踏み切れたのは、中央公論新社の新書編集部の高橋真理子さんに「構成目次」をお渡ししてから七年の歳月が流れてしまったことにわれながら驚いたこと、昨年秋に偶然手にした米国の経済学者、ベンジャミン・フリードマン（Benjamin F. Friedman）の *The Moral Consequences of Economic Growth*（Alfred A. Knopf, 2005）を読んで大きな刺激を受けたことが影響した。同書は、今次の金融危機の発生以前に書かれているが、経済成長とモラルの関係を取り上げており、経済学が、法学や倫理学、道徳哲学から枝分かれした学問であることを改めて想い起こさせてくれた。道徳的な問題に立ち入ることの難しさを意識しつつ、本書の最終章では「資本主義の精神」の問題にも踏み込んだ。ただ、モラルそのものを説くのではなく、人間の欲望を肯定しつつ、それをいかにコントロールし、善い方向へ向かわしめるか、その制度や社会的仕組みをどう作り上げればいいのかという視点から問題を把握すべきだ、との認識に立っている。

現在、われわれが直面する難問の根底には必ず「価値」の選択問題がある。さまざまな価値のうち何を優先させるのか、それらにいかなる順序付けを与えるのかという問いである。社会科学でまず問題とすべきは、「自由」と「平等」という価値であり、この二つの価値の相克をどう解決するのかという問いかけである。本書の副題を「自由と平等の視点から」としたのも、そうした問題意識による。経済的な豊かさ、生命、環境、静謐《せいひつ》さ、効率等々、いずれもこの複雑な技術社会に住むわれわれが大切にしている価値である。これらの価値の間の選択に、自由と平等という視点からいかなる信念と態度で臨めばよいのか、最終的に人間にとって「善き生」とは何なのか、そうした問題を考えるための「よすが」となるものが、いささかなりとも本書に含まれていることを願っている。

# 目次

# 第一章　あらまし

## 第1節　五つの視点

　第二次世界大戦後の世界経済の半世紀余りに及ぶ歴史的な変化をどのように語るのか。十分な紙幅が与えられれば、戦後の各国の経済の動きをただ淡々と仔細に叙述するのがよい。そうした事実の連なりの中から、現象の底流と背後にあるものを読者自らがくみ取るというのが、「解釈の自由」を与えられる読書の楽しみであり、読む者の特権というものであろう。しかし小冊子ではそのような余裕は筆者にも読み手にも与えられていない。したがって、筆者の関心と本書での視点をあらかじめ簡単に述べておくのが有益かと考える。最初に問題意識と基本的な視点を五つほど示しておきたい。

### 市場の浸透と公共部門の拡大

ひとつは、主要な国々における「市場化の動きと公共部門の拡大」、あるいは「経済の政治化と脱政治化のせめぎ合い」という視点である。それは市場化される分野の拡大と公共部門の肥大化といわれる現象を指す。

いかなる経済も、市場部門（民間セクター）と、公共部門、そして市場化されていない私的分野の三つから成り立っている。一般の経済的な「国力」を示すＧＤＰ（国内総生産）などの指標は、前二者によって生み出された経済的な「付加価値」を一年、あるいは年の四半期ごとに集計した数字である。この計算の中では、市場を通さない活動によってもたらされる満足度は算入されない。経済発展によって、例えば家庭内の私的活動（家事とか育児など）の一部が、外部市場を通して調達された労働力に代替され、「市場化されること」によってＧＤＰが大きく膨らむという現象が起こる。従来は家庭内（市場外）の活動とされてきた食事や衣服の縫製が外食や既製服の購入という形をとることによって、これまで家族・友人との好意や必要な交換で済ませていたサービス（用役）が、市場で購入されるという形に変わってくるのである。自宅の庭で飼っていた鶏を「絞め」たり、その卵が食卓にのる、という生活をしている人は近年ほとんどいなくなった。今や、すべての食料は市場で購入される。そしてその市場取引によって発生する付加価値は、国民所得計算に算入されるのである。

さらに、政府の経済活動の領域の広がりは著しい。政府権力の拡大と集中は、戦後世界で起こった政治経済上の大きな変化のひとつであろう。労働法制の整備、社会保障、安全衛生、競争政策、環境政策、都市計画など、われわれの日常生活にかかわるどの問題を取り出しても、法律に基づく政府権力の集中的な行使が観察される。政府の介入、政府による経済活動の拡大は法律による制約として表れるだけではない。電気・ガス・水道、航空・放送・郵便通信サービスなどの公共的なサービスの生産と供給が公共セクターに属する国は少なくない。これらの産業の公的所有も、「行きつ戻りつ」ではあるが、戦後の世界経済の趨勢《すうせい》であることは明らかだ。この点は、公共部門の支出規模の膨張にはっきり表れている。OECD（経済協力開発機構）の統計を見ると、今や先進諸国のGDPの三割から六割が何らかの方法で公的部門を通して支出されている。ちなみに日本は、一般政府（すなわち中央政府・地方政府・社会保障基金からなり、公的企業は含まない）の総支出、財・サービスの経常支出が、GDPに対し過去二〇年間の平均でOECD諸国中最も低いグループに属する。

いずれにしても、政府が、社会保障をはじめ、人々の経済生活の多くの局面でその存在を強く意識させていることは事実である。こうした公共部門の戦後の拡大は数量的に把握できる。例えば、米国の政府部門の大きさを、連邦、州、地方の三つのレベルでの「歳入のGNP（国民総生産）に対する割合」として計算した研究を見てみよう。[1] まず連邦政府についてみると、第二次世界大戦期に入って、軍事支出が急激に拡大したために、それまでの六、七

％程度から、一挙に二〇％台に上昇したことが目立つ。戦後一九八〇年代に入るまでは二〇％を少しきっていたが、その後は二〇％以上を記録し、レーガン大統領時代でも連邦政府の規模が小さくなったことは観察されない。一方、州政府の歳入は、二〇世紀初頭の一％から一〇％へとほぼ一貫して（戦時期を除いて）ゆっくりと増加している。地方政府についても増加傾向は認められるが、その割合は州政府より小さくなっている。ここにも米国の公共部門の拡大と、財政面から見た「中央集権化」がはっきりと認められる。米国では二〇世紀の初頭には連邦・州・地方全政府収入の総計はGNPの一割にも満たなかったのに、二〇世紀末には、四割に迫るウェイトを占めるまでに膨れ上がったのである。

　こうした公共部門の拡大の背景として、経済と政治の複雑な絡み合いが存在しているため、経済的な要因だけでこの時期の経済の動きを説明することは難しい。

　それにしても不思議なのは、経済学という学問の発展と現実の経済の動きとの関係である。経済が自由な競争を謳歌《おうか》していた十九世紀後半には、経済学はポリティカル・エコノミーと呼ばれ、研究者の主たる関心は市場と政府との関係に注がれていた。新古典派経済学の始祖のひとり、英国のスタンレー・ジェボンズ（一八三五―八二）は、国家と市場の役割分担、あるいは国家と労働組合との関係についての優れた論考を残している。経済と政治が分かちがたく融け合っている現実から、純粋に経済的とみなされる要素だけを抽出して分析するのは、思考実験で論理を詰めるための便宜的な手段であった。経済競争の中に政治を読み取り、権力闘争の中に経済的な利害を見透かすのが、十九世紀に新展開を見せた経済学の本領であったといえよう。

ところが、現代のように規制を通して政治と経済の結び付きがますます強くなるにつれ、経済学はポリティカル・エコノミーからエコノミックスへと転身を遂げ、抽象化され、政治学と切り離された自己完結的な「サイエンス」としての存在を強く主張するようになった。これは現実と学問史の間の奇妙な逆説ともいうべき現象である。

本書では、あくまで経済史として、経済学を基軸座標として説明を加えるように努める。しかし経済だけでなく、政治が経済活動の枠組みをどう設定したのかという点にも踏み込んで、長期的な視野から鳥瞰するのが筆者の意図である。

## グローバリゼーションと米国の時代

第二の関心は、世界的な規模での市場の拡大、いわゆる「グローバリゼーション」の進展である。このグローバリゼーションの過程で起きた経済的な変化を、いくつかの局面を区別しつつ見ることにある。

二〇世紀の百年間をとっても、その初めと終わりを比べると、世界経済の主役は入れ替わっている。十九世紀末イギリスの大不況期（Great Depression）を経て第一次世界大戦によって金本位制が停止されるまでは、世界の基軸通貨はポンド・スターリングであった。金本位制が放棄された後も、ポンドは国際通貨機能をある程度保ってはいた。そして第二次世界大戦後も、スターリング地域は維持されていた。しかし二度の世界大戦を経て、結局、国際通貨ポンドは徐々に衰退し、米ドルがその大役を引き継ぐことになった。(2) その点では、戦間期から戦時期は基軸通貨の交替の時期でもあった。戦後世界経済は、パックス・ブリタニカが終わり、パックス・アメリカーナの時代であったといえる。

第一次世界大戦から一九八〇年代までの対外投資残高（ストック）の国別のシェアを見ると、第二次大戦前までは英国が四割以上のシェアを占めたのに対して、戦後は二割を割り、それに代わって戦前は二割程度であった米国が戦後は四割を超えるシェアを占めていることがわかる。この数字にも、英国から米国への経済覇権のシフトははっきりと読み取れる。

そのほかの国々の消長はどうか。フランス、ベルギー、オランダなど、十九世紀まで強い経済力を誇った国々がやや後退し、二〇世紀に入る頃からドイツと米国、そしてやや遅れて日本の経済成長が顕著になった。しかしドイツは二度の世界大戦で、そして日本も無謀な戦争によって多くの富と人材を失う。その後、ヨーロッパと日本が戦争の惨禍から立ち直り、特に日本は強い経済力をあらたに振るい、経済面で欧米と摩擦を起こし緊張関係に入る。が、二〇世紀も終わりに近づくと、米、独、日本の経済力も相対的に低下し、東アジア、東南アジア、そしてインドと中国、ブラジルの経済的脅威が語られるようになった。旧社会主義圏のロシアとベトナムの躍進も著しい。

産業構造も変わった。二〇世紀初頭は、石炭、鉄鋼、繊維から、電気、ガソリン・エンジン、電信電話、化学工業、自動車、航空機へと主役の座がシフトしていく時期であった。そして二〇世紀末には、エネルギー節約技術、コンピューター、テレコミュニケーションズ、宇宙技術、バイオテクノロジーなどが脚光を浴びる。もちろんこの移り変わりは、「主役の交替」であって、古い主役が産業の舞台から消え去ったわけではない。いわば「名脇役」として依然渋い役どころを演じている。

産業構造とそれに伴う雇用構造の変容については次の点も見逃せない。二〇〇〇年段階では、英国をはじめ先進諸国では、第三次産業での雇用が全就業者の七割を占めるようになった。これは一九五〇年代には五割にも達していなかったことを考えると、労働そのものの形態が大きく変わったことを意味している。

このように振り返って見ると、二〇世紀は誰も正確に予想できなかったような、激しく複雑な「変化の時代」であったことがわかる。今後二一世紀の世界経済が、現在と同じような構造を保ちながら、そのままトレンドを引き伸ばしたように拡大発展していくとは考えにくくい。状況は予期せぬ力によって常に変化するからだ。今後の変化の動因のひとつは、いわゆる「グローバリゼーション」と呼ばれる動きである。グローバリゼーションという言葉が、何を指し示すのかについて共通の認識があるわけではない。しかしこの言葉の内実をどう把握するのか、そしてこの変化が世界経済の将来、世界の統治（ガヴァナンス）の形態、モラルを含めた人々の精神世界にいかなる影響を与えるのかという問題は大きい。

二〇世紀の百年間全体の世界経済の動きと変化は、もちろん決して単線的であったわけではない。ひとつの主要な流れと、それに抗するような「大波乱」が重なり合い、多様性に富んだ複雑な動きを示してきた。十九世紀後半から第一次大戦まで、世界経済は金本位制のもとで「グローバル化」が急速に進んだが、経済競争の主役であった列強が交戦することによって大きな混乱に陥る。第一次大戦を契機に、孤立主義、通貨不安、経済不況が世界を覆い、さらにはファシズムと共産主義が台頭し、世界経済は民間市場を規制によって縛り、障壁を設け、分断する方向へと進んだ。

W・チャーチルは一九一四年から一九四五年までを「第二の三十年戦争」と呼び、いわゆる「戦間期」を「第二の三十年戦争」の休戦期間と規定し、ロシア、オーストリア、ドイツの三つの帝国を崩壊させた第一次大戦が、経済的にはグローバル化と逆行するような大事件であったと見ていた。政治の力は、短期的・中期的には経済の力よりもはるかに強力なのである。「グローバル化」が行き過ぎたことによって、逆に保護主義による「ブロック化」へと振り子は振れたのである。

この「大波乱」のスケールは、この間の世界貿易の縮小からも読み取れる。実際、「商品の輸出・輸入の商品総生産額に占める割合」で見ると、世界貿易が第一次大戦前のレベルに戻るのは、第二次大戦終焉から実に四半世紀以上を経た一九七〇年代であった。その後、輸送コスト、関税をはじめとする貿易障壁は大きく低下したが、それでもGDPに対する商品貿易の比率が単線的に上昇してきたという事実は読み取れない。貿易と資本・労働の完全に自由な移動は実現していないのだ。

この点を、商品価格の国際間の格差縮小の動きから見てみよう。一ドル＝三六〇円の時代には、われわれ日本人は高価な輸入品を買うときはかなり慎重になったものだ。その後、米ドルが減価し、商品の生産コストも低下したこともあって、海外の品々は格段に安くなった。この変化は、ウィスキーやワインをはじめ多くの商品についても実感されるから、「裁定」によって国際間の商品価格差は、近い将来完全になくなると考えられがちである。

しかし実際には価格裁定は必ずしも理論通りには進まない。かなりの輸送コストが現実に存在し、生産の「規模による利益」は計り知れない。したがって、いかなる産業も地理的に分散して一様に分布することはなく、集積のメリットが実現する方へ動く。経済取引においいて、「直接会ってフェイス・トゥ・フェイスで情報を交換し取引を行う」ことの経済的な利益は大きいからだ。この集積の利益を阻む最大の障害は「距離」なのである。この「距離の暴虐」(tyranny of distance――J・ブレイニーの言葉)という単純な事実こそ、言語、文化、経済の同質化に対する最大の障壁となっている。

国際価格差がかなり縮小した財もあるが、貿易量を見た場合、二国間の距離が大きければ大きいほど、依然として価格の相対格差が大きい[3](J・フランケル)。世界貿易が「距離の暴虐」に支配されているという事実は、輸送と通信のコストが大幅に低下しても変化することはない。その他にも国際価格の収斂《しゅうれん》を阻害する要因はいくつか存在する。言語を異にする場合、フェイス・トゥ・フェイスで会っても、情報収集や交渉の効率はそれほど高くない。また、歴史的要因も大きい。例えば植民地支配を経験した国は、それぞれの旧宗主国との貿易が依然として盛んである。さらに軍事的・政治的要因が決定的となるケースもある。同盟国間の貿易が優先されることもある。

このように見ていくと、地球が小さくならない限り、言語が同一にならない限り、そして歴史を完全に共有しない限り、国際経済学の美しい「要素価格均等化定理」は現実には成立しないことがわかる。いわゆる「グローバリゼーション」は必ずしも世界の均質化をもたらすものではない。

ただし新しい交通・通信技術によって市場が拡大し、確かにグローバリゼーションが進んだ面はある。グローバリゼーションは、経済取引を組織化し、取引費用を低下させるような新しいノウハウを生み出し、小売、卸売り、広告、金融などの世界に大きな技術革新をもたらした。特にインターネットは、いわゆる需要者と供給者をかつてないほどに近づけた。例えば、古本市場を考えると、そこには取引費用の大きな変化が見られる。かつては、何日もかけて古本屋街を歩き、カタログを調べ、古本を探したものである。しかしインターネットを用いれば数分で、探す本が、どこで、いかなる価格で売られているのかを知ることができる。情報獲得の費用は格段に低下した。

新しい時代の「グローバリゼーション」には、さらにもうひとつ重要な側面がある。それは人口一三億の「大中国」が国際経済システムの中に組み込まれたという点であろう。中国のGDPに対する外国貿易の比率は、開放経済に移行したといわれる一九八〇年段階でも、一二%程度にすぎなかった。しかし一九九〇年代半ばには四〇%へと急激に上昇し、二〇〇三年にはついに五六%を超えるに至った。今や中国と諸外国との経済的な相互依存関係はかつてないほど深く密になった。

第三は、平等や公正にかかわる経済状況は、戦後世界ではどのように変わってきたのかという視点である。所得や富の分配はどう変化してきたのか。この場合、一国内の変化を論ずるのか、国家間の所得格差の変化を見るのかを区別しておくべきであろう。

世界の総人口六三億のうち八〇%がいわゆる発展途上国に住んでいる。しかし、これらの国々で生み出される所得は、全世界の二〇%にも及ばない。この数字が端的に示すように、所得の分配は著しい偏りを見せている。世界銀行の示す数字では、二〇〇三年段階で、いわゆる「低所得経済」に住む二三億の人々の平均所得は年四五〇ドル（なかには年九〇ドルという国もある）。「中所得国」の三〇億人の平均所得は一九二〇ドル、「高所得国」の約一〇億人の平均の年所得は、二万八五五〇ドルである。こうした比較には、先にふれた市場化の程度の問題（途上国では市場を通さない取引によって生活をしているという面）だけでなく、為替相場による比較、購買力平価による比較、それぞれに問題があるため、数字がそのまま現実の豊かさや貧しさを反映しているわけではない。しかし、所得格差の厳しい現実を語るには十分な数字だといえる。

いずれにしても、所得格差の計測や議論は、平均概念を用いるがゆえにその解釈は難しい。例えば工業化以前と以後の世界で、所得格差はどう変わったか、という問題がどれほどの意味を持つのか。区域や地域をどう分けるのか、都市と農村部の格差をどう考えるかは問題だとしても、そもそも工業化以前（出発点での）の最貧国と最富裕国の所得格差を比較しなければならない。一般に現在のところ認められている結論は、第三世界に属する諸国の平均と、先進地域となる国々の平均とを比べれば、かつてはそれほど格差は大きくはなかったということである。工業化以前はどの国も地方も決して豊かでなかったことを考えれば、この結論は意外ではない。すべての大陸で起こった頻繁な「飢餓」を考えれば十分だからだ。この比較を、グローバリゼーションが進行しているといわれる現代世界に当てはめればどうだろうか。第三世界の豊かな地方は先進諸国の平均よりも豊かな場合があるし、そうでない場合もある。したがって所得格差が拡大したか否かの議論は、いつの何を、どの時期の何と比較しているのか、比較の目的は何なのかを意識しない限り、数字と統計の遊びになりかねない。

例えば、中国の経済成長と貿易の拡大は、中国国内の所得分配をどのように変化させたのであろうか。この疑問に答えられるだけの統計データは、これまでほとんど存在しなかった。しかし近年、貴重なデータ収集と、いくつかの興味深い実証研究が生まれて、所得分配の不平等化が、貿易の拡大（グローバリゼーション）によるのか、市場経済への移行によるのか、技術革新によるのか、教育の効果なのかを論ずる手がかりが与えられるようになった。

近年の中国の所得分配の変化は、中国が公式に発表しているマクロ統計で計算すれば、ジニ係数（所得の分布の不平等さを計測する指標で、ゼロと一の間の値をとり、大きいほど不平等度が高い）は一九七八年の〇・一六から二〇〇一年の〇・三二に拡大している。二〇〇二年の中国国家統計局の都市部における家計部門の所得統計では、二〇〇一年のジニ係数は〇・五一にもなり、都市部の家計部門の貧富の差はさらに大きくなっている。一般に内陸と沿海部との格差拡大については指摘されるところではあるが、都市部における所得格差の拡大は特に注目されるべきだろう。

いわゆる「グローバル化」に異を唱える人々は、貿易や直接投資が国内総生産の増大には寄与しても、労働者の権利、食品の安全、環境など、日常生活の上に深刻な悪影響をもたらすだけでなく、所得分配の不平等化を惹き起こすと指摘する。貿易（交易）が国際平和に貢献し、国際間の相互理解を促すという点は、古くから指摘されていることではある。しかしこうした議論は、（貿易ではなく）略奪や「経済封鎖」という厳しい戦略に疎くなった現代人にはそれほど説得力を持つものではない。「反グローバリズム」の論点の中心は、この所得分配の不平等化と環境の劣化問題（これも分配問題という面を持つ）にあると考えられる。

しかし、世界の所得分配は本当に「グローバル化」によって不平等化しているのだろうか。近年こうした所得分配の不平等度の変化を計測する仕事に、多くの経済学者が取り組んできた。しかし時として不正確な概念規定や計算方法によって、議論の混乱が起こることもあった。その中でいくつかの論点を要約的に述べると次のようになる。

まず国家間の不平等化についてはどうか。経済の「グローバル化」によって、豊かな国と貧しい国に両極分解が起こるというシナリオは俗耳には受け入れられやすいが、実際は一人当たり所得の国家間の格差が拡大しているとは結論できない。

一国内における所得格差はどうか。所得分配の問題を「グローバル化」の弊害と考える人々の多くは、国家間の不平等よりも、この一国内の不平等化が問題だと考える。確かに先進国では、一九八〇年代に賃金所得の不平等化ないしは失業者の増加が進行した。英国では学歴間格差やホワイトカラーとブルーカラー間の格差が拡大し、全体的な所得の不平等も米国並みの速さで拡大した。カナダやオーストラリアも同じである。賃金格差が拡大しなかったフランスやドイツでは、そのかわり失業率が低下せず高率でとどまった。

先進国の一部における賃金格差の拡大は、新興工業国との貿易が拡大し（グローバル化し）、これらの国々からの輸入の増加が、先進国内部の低賃金労働への需要を減少させ、その結果、賃金の低下が起こったという推論が有力である。国際貿易理論の「ヘクシャー＝オリーン＝サムエルソンの定理」は、自由貿易は一国内の相対的に稀少な要素が不利益を被り、豊富な要素が利益を受けると主張する。先進諸国では不熟練労働者が不利益を受け、資本と高度熟練労働のサービス価格が上昇することになり、途上国では、高度熟練労働者は相対的に稀少であるから、不熟練労働者の方が利益を受けるというのである。

日本は不熟練労働が相対的に稀少であるから、彼らの所得が低下するという予測もあった。しかし一国内の所得分配がこの「ヘクシャー＝オリーン＝サムエルソンの定理」の予測する方向に動いているか否かについては、実証研究は否定的であると考えてよい。米国でも、熟練労働者と不熟練労働者の間の賃金格差は第二次石油危機以降拡大したが、九〇年代半ばから二一世紀初頭までは格差に変化は見られない。いうまでもなく、所得分配は貿易以外の要因からも影響を受ける。格差拡大の要因分析の研究が、九〇年代に入って数多く発表されてきたが、貿易による影響は多くて全体の三割程度であるというのが一般的な結論である。

また、日本は米国よりもはるかに所得の不平等な国に転落したというショッキングな計算もあった。専門家の結論は、製造業について見ると、高度成長期においては賃金分布は急速に平等化し、その後八〇年代後半に格差拡大の動きは一部あったものの、二〇世紀末までは大きな変化は見られないというのが信頼できる結論である。また、日本の所得格差の拡大の主要要因は、人口の高齢化であり、年齢内の所得格差の拡大はむしろ小さいという点も重要であろう。

このように「格差」と一口にいっても、どのグループの間（性別、年齢別、産業別、企業規模別そして国別など）に注目するかによって、その推計と結論は異なってくる。

一九八〇年代前半と比較して、一九九〇年代後半には、同一の性別、年齢、学歴の階層内部で賃金格差は日本でどの程度生じているかを調べると、概略次のような結果が報告されている。多くの階層内部では格差の拡大傾向は見られず、むしろ「賃金の画一化現象」とでも呼ぶべき格差縮小の傾向が生じている。特に若年層では、性別や学歴を問わず、格差は縮小しており、例外は三〇代後半から四〇代にさしかかっている大学卒の男性層のみである。この例外層は、最近広がりつつある成果主義的な賃金制度の下にあると考えられる大企業ホワイトカラー層だとの推測もある。

所得や富の分配が不平等化すると（たとえそれがその時その時の生産性や能力通りの分配ではあっても）、社会の中にさまざまな摩擦や不安定な現象が発生する可能性が高まる。歴史的に見ても、中間層の厚さ、健全な中産階級の存在は、社会的にも政治的にもスタビライザー（安定化装置）としてきわめて重要な働きをしてきた。「グローバル化」によって今後世界の所得分配がどうなるのか、社会の安定化に資するように変化するのかについて、決定論的な解答があるわけではない。しかし、巨万の富を得る者がいかに増えたかどうかよりも、「ほどほどに所有している人々」が広く厚く形成されているかどうかということの方が、はるかに重要な問いであろう。

第四は世界的な統治機構の問題、別の表現を用いると、さまざまな経済的な困難、摩擦や対立を裁定する「精算所（clearing house）」が世界経済の中で機能してきたか、という問題である。

言うまでもないことだが、国際経済において重要なのは、単に為替レートを通したマクロ経済の反応の問題だけではない。国際的な経済取引の拡大は、経済法や規制のシステム、特許法をはじめ（共同）研究開発のための制度的枠組みなど、国内的・国際的摩擦の可能性を持つ問題に対する国際的な「精算所」機能を不可欠なものとする。

経済構造、特に生産構造の変化は、他のいわゆる「非経済的」側面の変化を必ず連鎖的に惹き起こす。かつてJ・R・ヒックスは十八世紀以降の工業化が、それ以前の経済構造と決定的に異なる点は、「固定資本の規模の飛躍的増大」にあると論じた。確かに工業化の特質は、外見的にも実質的意味においても、生産プラントの規模の急激な増大にあったことは間違いない。もちろん、輸送や通信技術の革新的な技術変化の果たした役割も大きいが、プラント規模の増大が多額の資金を必要とし、企業の法人化を促し、労働需要の内実を（従業員数の多さにおいても、労働の態様という点でも）大きく変えてしまった。ハード面の生産体制の変化が、組織や制度、あるいは経済的な慣行というソフト面での大きな変化をもたらしたのである。そしてさらには、工業化による非農業部門の拡大は、都市化を加速させ、大規模な法人企業こそが、「普通の」生産組織であるとみなされるようになった。この点は、十九世紀後半以降の労働者の就業形態をも大きく変えた。このことは十九世紀前半のヨーロッパの労働運動の担い手が、すべて自営業者であって「雇用される者」ではなかった点にもあらわれている。労働運動は労使関係の問題ではなかったのである。

S・クズネッツ（『諸国民の経済成長』）は、こうした経済構造の変化が社会の「非経済的な」諸制度（ソフト）や人々の意識にどのような変化を及ぼしたのかを論じ、特に経済→非経済という因果の流れを重視した。つまり、経済変動や技術革新に対して、新しい法的、社会制度的な枠組みの革新がどのように進展していくのか、それを社会の主権者がどのように支持し承認していくのかに、一国の経済発展が大きく依存していることに注目したのである。そして経済発展は、主権者による法的・社会的革新の「精算所」機能が国内的にも国際的にもうまく作動してはじめて達成可能なのである。というのは、経済構造の変化は、社会や組織内のさまざまなグループに対してそれぞれ異なった影響を及ぼし、グループ間の不断の摩擦と抗争を惹き起こす。ここで重要なのは、いかに「グローバル化」を騒ぎ立てても、こうした制度的革新の「精算所」、社会的グループの利害紛争の解決機関としては、国家が依然重要な鍵を握っているということである。経済成長の源泉のひとつである有用な科学的・技術的知識は、確かに国民国家の枠を超えるものであるが、その適用を最も経済的利益にかなうように、国家という権力主体が社会制度として調整していく働きが、決定的に重要なのである。

国際連合、ＩＭＦ、ＧＡＴＴなどの例が示すように、いわゆるグローバル・インスティチューションも戦後世界で急速な発達を遂げた。国際連合は一九四五年の発足時にはわずか五一ヵ国がメンバーであったにすぎないが、現在では約二〇〇ヵ国を数える大所帯になった。ＩＭＦ（国際通貨基金）の加盟国の増加も、三〇ヵ国から一八〇ヵ国と全世界を覆うまでになっている。ＧＡＴＴ（関税・貿易に関する一般協定）も一九四八年には二三ヵ国であったのが、ＷＴＯ（世界貿易機関）に衣替えした現在では、一五〇ヵ国を超える加盟国を抱えるまでに至った。しかし、こうした数の増大が、世界の経済的な紛争解決にとって必要なグローバル・ガヴァナンスの安定性を意味するまでには成熟していない。軍事、政治、経済で世界の最強国と自他ともに認める米国は国連に対して冷淡であるし、その国連自体は、自前の財源を持たない、自前の軍隊も持たない、常任理事国がＮＯといえばことが運ばないという連合体である。したがって、こうしたグローバル・インスティチューションは、世界のそれぞれの国の政治的・経済的な利益が絡まった厳しい対立関係、財政赤字の効果をめぐる考え方の不一致、為替政策をめぐる駆け引きなどによって、そのガヴァナンスは常に危機にさらされている。

例えば、いわゆる「グローバル化」に異を唱える人々は、貿易や直接投資が国内総生産の増大には寄与しても、労働者の権利、食品の安全、環境など、日常生活の上に深刻な悪影響をもたらすと指摘する。こうした問題に対して、誰が、いかなるルールに基づいて、対応策を講じていくのか。こうした具体的課題に対して、グローバル・インスティチューションが現実的な解決をすぐに見いだすことは難しい。二酸化炭素（$CO_2$）の排出権問題でも、京都議定書をめぐって世界が割れた（米国が批准しなかった）ことなどはその典型である。

また、WTOへの中国の加盟に典型的に示されるように、国際貿易面での紛争を、中国共産党の決定や国内の政治的な意向によってではなく、ルールに基づく超国家的な機関の調停によって解決していく意思が問われている。これはグローバル・ガヴァナンスと中国国内のガヴァナンスをどこまで両立させうるかという問題でもある。

さらにIMF、世界銀行などの多数国参加型の（multilateral）経済機関がさまざまな意思決定をし、それが実行に移されているが、これら機関の権限と国民国家の主権のかかわり方が重要課題となることは避けられない。例えば、資金面、人材面で日本が国際機関へどのように関与するのか、国家レベルの意思がいかなる形でこれら超国家機関へ反映されるのかについての明確な原則が憲政上存在するわけではない。

特に近年、これら国際機関が果たして世界的な規模で国際公共財を提供しているのかどうかについて、疑義をさしはさむ声もある。そもそもＩＭＦは、世界経済が固定為替相場制度の下にあり資本の国際移動が制限されていた時代に、不況の国際間の波及を食い止めるという目的で設置された。固定為替レートの水準と各国の経済の実勢が合わなくなってきたとき、調整の必要な国に資金を提供することが主要任務であった。しかし、一九七一年、固定為替相場制度を維持できなくなった段階で、ＩＭＦはその本来の任務を終えたといえる。しかし組織がその本来の任務を終えても、その組織が完全に廃止されることはないという現象は、なにも日本に限ったことではない。ＩＭＦは為替相場の安定以外に活動を途上国の開発融資に向け、さらに旧社会主義諸国の市場経済への移行過程にもさまざまな介入を行った。

Ｊ・スティグリッツが指摘したように、ＩＭＦをはじめとする国際機関が、米国を中心とした限られた富裕国の利益に基づいて動いているという批判もかなりの説得力を持つ。理論的な世界はさておき、「世界政府」が存在しない現実世界で、国際公共財の供給をいかに行うかという難問は解決されていないのだ(4)。

過去二十年余のＩＭＦの政策は「失敗」したといわれるが、「では何もしなかった方がよかったのか」「別の政策の方がよかったのか」という問いには、誰も正確に答えられない。そこに問題の難しさがある。例えば開発途上国が自発的に行った政策の失敗、あるいは政府の深刻な腐敗、過剰な軍事支出などが経済に与える負担をどう推定し、その対策をいかに策定すればよかったのか。IMFが採った政策が最悪のものであったとは、誰も証明できないのである。しかしそれでも、IMFの政策がいかなる合意の下でなされたのか、そこに誰の（どこの国の）意見がどのように反映されていたのか、という点は不透明であり、意思決定の原則と手続きは再考されてしかるべきであろう。

このIMFの統治構造がある種の「天下り」の弊害に侵蝕されているという批判もある。専務理事の人選が常に問題となることは新聞でも報道されている通りである。いわゆる「回転ドア問題」だ。米国の財務省から任命されたIMFナンバー・ツーの人物がIMF退職後、米国財務長官が巨大銀行に職を得たとき副会長として招かれたのである。構造的には日本で批判される「天下り問題」と酷似しているが、この「回転ドア問題」は多くの人々の不信と反感を買った。

いずれにせよ、この種の国際機関では、民主的手続きのルールが不完全かつ不透明であり、「公の義務と私利の衝突（a conflict of interest）」を回避するための対策が十分採られてはいない。日本の「天下り問題」をはるかに凌ぐような大規模な「癒着」が起こる可能性が存在するのである。また、IMFの暫定委員会も世界銀行の開発委員会も、強い指導力を発揮するにはあまりに多くの異質な国々を含んでしまっている。一方、世界的な規模の経済問題に対して、G7サミット（主要先進国首脳会議）も一九九〇年代半ばあたりから急速に力を失い、場当たり的な処理策と抽象的な宣言に終始するようになった。そして次第に影を薄くし、ますます儀礼的な会合へと形骸化してしまっている。貿易の不均衡、地域主義への傾斜、成長と安定についての見解の相違によって、メンバー国は互いに政策批判を控え、メンバー外に対しても干渉を自重するようになった。

過去三〇年ほどの間の世界経済の統治力（ガヴァナンス）の弱まりは、米国の政治的・経済的地位の相対的な低下と表裏一体の関係で進んでいる。

## 市場の「設計」と信頼

第五に、市場システムを支える制度がどのようにデザインされ、それがいかなる変容を受けてきたのかという視点から、「資本主義のエートス」を論ずることが必要であろう。この点については、戦後の東欧や中国に出現したソ連型の社会主義計画経済システムのどこに問題があったかを検討することによって理解を深めることはできる。しかし、社会主義計画経済の根本的欠陥を理解することによって問題のすべてが解決されるわけではない。社会主義計画経済の蜃気楼が消え去った後、市場システムにも深刻な欠陥と弱点が存在することが強く認識されているからである。市場システム自体も、重要な政治制度の土台と道徳的前提のもとに成り立っている以上、「市場をいかにデザインするか」という問いはいつの時代でも避けて通ることはできない。人間は常に法や制度を出し抜く（outsmart）ことによって、善きにつけ悪しきにつけ、新しい地平を切り拓いてきたという面があるからだ。

東アジア・東南アジアをも含む激しい競争が広く行きわたり、米国経済の相対的な地位低下が進み、世界経済の統治機構の力が弱まったと述べた。この傾向を国や地域というレベルで、歴史的なタイム・スパンで捉えるとどうなるか。そして国や世界の秩序形成のためには、いかなる解決の糸口が見出せるのか。おおまかな結論を先に述べると、市場経済のインフラとしての「信頼（trust）」をベースにした、自由な経済活動こそ、いつの時代も健全な経済発展にとって必要だということであろう。過去千年余りの日本と西ヨーロッパの歴史を、（経済）権力の所在という観点から大胆に図式化すると、封建領主による分配の経済から市場経済の浸透へ、そして市場への国家介入へ、と捉えることができよう。第一の局面はJ・R・ヒックスが『経済史の理論』で描いた過程であり、第二の局面は、二〇世紀の福祉国家や統制経済を知るわれわれがすでに経験したところである。一九八〇年代以降、国家の役割がやや後退した分野もあるが、それでも国際経済全体の統治問題を別にすれば、国家の役割は依然大きい。

市場経済の浸透という第一の局面は、その後の歴史的な経路に強い影響を与えた。西欧と日本にだけ存在した封建制は、なぜ近代化にとって有利に働いたのか、なぜ日本は封建制の成立から市場主流の経済への脱皮が早かったのか、という重要な問いが存在する。

かつてE・O・ライシャワー教授は、封建制と近代との関係を次のように論じた。[5] 封建制度の下では、法律的な権利・義務関係が重視されていたので、近代の法概念への接続がある程度容易であった。封建領主は土地の所有と地租の徴収に専念していたので、商人と製造業者には広範囲にわたる経済活動が保証されていた。また封建制度の下では、領主階級以外は政治権力から除外されていたので、身分の栄達ではなく目的志向的な倫理観が支配した。この倫理観と強い義務感・責任感が、進取の気性と企業家精神を生み出したと説いたのである。

近年、日本の封建制には「信頼（trust）」を基礎に置く権利・義務の体系が存在したことを改めて指摘する経済学者も出てきている[6]（J・P・パウエルソン）。日本の荘園農民には、ヨーロッパのマナーの農奴のような法的身分拘束はなく、領主に対する地代が保証される限り、その保有権（「職」の一形態）を分割して譲渡・交換・売買できた。この信頼関係をベースにした「自由」こそ、市場経済の発展への契機を含んでいたというのである。

強い権力や強制力が支配する社会では、人々の間の「信頼」は強くなくてもよいし、実際強くはならない。逆に、専制によって強く統治されている社会では、猜疑《さいぎ》心が人々を支配する。他方、弱い権力の下で秩序を保つために「信頼」の果たす役割は大きい。すでに述べたように、法的身分の強い拘束をうけていたヨーロッパの農奴と領主とは、信頼関係というよりも強制力によって結ばれていた。それに対して日本の荘園農民は、地位や土地の保有権(「職」)を分割して譲渡・交換・売買できたため、領主の弱い権力に服し、そのベースに「信頼」が存在していたと考えることができる。

一般に自由な交換や交易は信頼を生み出す。モンテスキューは、商業は野蛮な習俗を匡《ただ》し、人間を温和にして平和に導くと述べた。商業が人々に几帳面さと正義感を生ぜしめ、それが社会の安寧に大きく寄与すると見たのである。A・スミスも同様に商業社会の「徳」を称揚している。交換・交易の発達と信頼とが、「文明の高度さ」を示すと指摘する人類学者もいる。例えば、人から贈与を受けたとする。全く答礼しないのは無礼であろう。現代社会では、「もらったまま」という職業もあるが、それは未開社会以前の習俗ということになる。しかし、贈与されてすぐさま返礼するのが非礼になることもある。相手の気持ちを一定期間大切に温め、しかるべき期間が過ぎてから返礼する方が文明の度合いが高い、「信頼」が行きわたった社会だという。

交換と交易が文明と信頼を生み出すことは確かだが、モンテスキューもスミスも商業社会の欠陥に気付いていた。スミスは市場の拡大や商業の発展は、人々を単純な作業に集中させ、思考範囲と視野を狭くするため、人間を愚かにすると言い切っている。

ここに奇妙なパラドックスが存在する。人類は知恵を用い、知識を開発し、情報を収集・

散布しながら高度の技術を開発して巨大な富を創造してきた。市場は拡大し、貿易のネットは地球を完全に包んでいる。しかしその過程で、われわれの視野は狭くなり短期化し、お互いの信頼感を弱めるような風土を作り上げた。現代の産業社会に生活する多くの国民が、重要な政策課題として「安全」と「安心」を挙げているのも自然な成り行きなのかもしれない。

以上、筆者の本書での視点を五つ述べた。これらは、筆者が本書執筆に際して懐いた基本的な問題関心と言い換えてもよい。すべてに答えが用意されているわけではないが、戦後の世界経済の流れを理解するための要点と考える。次節では、われわれ日本人の経済生活が「世界の中の日本」としていかなる変容を経験したのかを、エピソードを中心に振り返っておきたい。

註

（1）Fishback, Price et al., *Government and the American Economy ; A New History*, The University of Chicago Press, 2007, p.19. 元の表は, Wallis, John Joseph, "American Government Finance in the Long Run," *Journal of Economics Perspectives*, 14 (Winter) 61 - 82. p.65.
（2）金井雄一著『ポンドの苦闘　金本位制とは何だったのか』（名古屋大学出版会、二〇〇四）参照。
（3）ジェフリー・フランケル「経済のグローバル化」、ジョセフ・ナイ、ジョン・ドナヒュー編著、

嶋本恵美訳『グローバル化で世界はどう変わるか―ガバナンスへの挑戦と展望』（英治出版、二〇〇四）所収

（4）Chang, Ha-Joon, ed., *Stiglitz and the World Bank: The Rebel Within*, Anthem Press, 2001.

（5）堀米庸三「封建制再評価への試論」『歴史の意味』（中公叢書、一九七〇）所収

（6）Powelson, J. P., *The Moral Economy*, The University of Michigan Press, 1998.

## 第2節　不足と過剰の六〇年

### 生活と意識

筆者自身一九四五年九月に生まれたこともあり、激しく変化した戦後の六〇余年が自分の記憶の中の生活と重なり合っている。この六〇年は、われわれ日本人が生活と意識の面での不足と過剰を味わった「振幅の大きな六〇年」であった。高度経済成長期と呼ばれた時期は、物資の「不足から過剰」、あるいは意識面での「過剰から不足」への転換点となる特異な時代であったといえる。世界には、いまだ生活面での「不足」から抜け出られずに苦しむ国もあれば、はるか昔から「過剰」を経験している国もある。この六〇年は、人間社会にとって不足でも過剰でもない「中庸の均衡」がいかに難しいかということを教えられた時代であった。その中で、日本人は豊かさや貧しさをいかに受けとめ、外国、そして世界をどう意識してきたのか。その意識にいかなる変化があったのだろうか。世界の動きを見る前に、日本の戦後六〇年を、生活、公共意識、対外観の面から振り返っておきたい。

終戦の前の年の生活について「年表」を見ると、驚くような食生活の状況がリストアップされている。(1) 現代の「飽食の時代」を生きるものにとっては奇怪と映る逸話をまず三つほど挙げておこう。

一九四四年四月二十三日、「食べられるもの色々」という記事が『週刊毎日』(現『サンデー毎日』)に掲載されている。虫の項には孫太郎虫(ヘビトンボの幼虫)、ざざ虫(カワゲラの幼虫で佃煮にする)、クロスズメバチの幼虫とサナギ(醤油の付焼き)、ゲンゴロウ虫(羽・足・頭をもぎ取り、腹だけ醤油煎りにして煮付ける)。「国内も前線と同じく虫けらどもを食べても頑張ろう」というのだ。

一九四四年六月三十日、目玉抜きの魚が出回る。魚眼に多量のビタミンBが含まれていることがわかり、眼をくり取ってあめ型・チョコレート型の強壮剤を作り、航空兵や潜水艦乗組員に供給したためだ。

一九四五年七月七日、戦時下の砂糖の欠乏はよく知られているが、塩の不足も深刻になった。政府は塩不足を克服するために、年間二〇万トンを目標に自給製塩運動を始めていたが、この日の新聞は「人間の小便から塩を採る方法」を紹介している。

また、戦時中の生活の一端を描いたものとして、井伏鱒二『黒い雨』の主人公・重松の妻シゲ子が夫から頼まれて書いた「広島にて戦時下に於ける食生活」と題する手記が印象深い。シゲ子は代用食を作る工夫をいろいろ綴る。例えば、真珠湾攻撃の後、マッチと塩をどっさり買いためておいた（これは日露戦争時代を経験したおばあさんからの知恵だそうだ）。陸軍糧秣廠《りょうまつしょう》や缶詰工場の肉汁を精製して臭みを抜いた肉エキスに、食塩を加えて代用醤油を作る。この代用醤油を一さじ入れた煮物や汁のうまさを忘れることができないという。そして、そのすぐ後に、「でも、二週間ぐらい続けると、一時休みしませんと何故か口が受け付けぬようになる欠点がございました」と無表情に付け加える。

米は朝一日分炊いて、朝飯の残りと夕食分を必ず握り飯にして、布目の荒い風呂敷に包んで風通しのよいところに吊るしておく。防空壕に避難するときのためである。この風呂敷包みの中には、祖先の名前を書き並べた書類も入れておいたという。魚は、配給のものは、平気で焼いたり煮たりしたが、闇買いのものは焼くのを遠慮して煮ることにしていた。隣り近所に匂いが行くのをはばかったためである。酒は、隣組でも戦前は飲まなかった人が、配給制度になってからはみんな飲むようになった。「妙な現象でございました」とシゲ子はいう。

これが当時の日本人の、貧しさの中の気遣いと苦衷を端的に語るエピソードなのだ。一九五一年時点での厚生省の栄養調査では、東京・京都などの大都市の栄養摂取量は一日平均一四〇〇キロカロリー、盛岡・前橋・山口などは一二〇〇キロカロリーで、成人男子の平均的な必要量と考えられる一五〇〇から一七〇〇キロカロリーにはいずれも達していない。同じく、敗戦直後のドイツのカロリー摂取量は一〇〇〇から一五〇〇キロカロリーと推定されているから、日独両国民はほぼ同じレベルで、極度の栄養失調状態に陥っていたことになる。(2)

その後半世紀以上が過ぎ、「飽食の時代」となり、大都会のホームレスも一流レストランの残飯を食べ過ぎて糖尿病を患うほどになったといわれる。二一世紀に予想される「食糧危機」を実感することなく、多くの先進諸国では栄養過多の対策が国民的関心事となってきた。事実、日本では児童の肥満傾向により「インシュリン非依存型」の糖尿病が子どもたちの間に増える恐れがあることと、「インシュリン依存型」の早期発見のため、文部省は一九九二年四月、小・中・高などの学校の健康診断に糖尿病検査を義務化している。

戦後日本の六〇年は、食糧の極端な不足から過剰への転換の時期であった。一方、世界に目をやると、いまだ食糧不足の危機的状況に苦しんでいる国がある。現在、世界の七人に一人、発展途上国では五人に一人が飢餓状態にあり、栄養不足人口がサハラ以南アフリカ、インド、中国には多く分布しているといわれる。食糧の偏在問題はほとんど解決されていないのである。

## 技術力と豊かさ

日本国民が普通に自動車を乗り回す、日本で乗用車を大量生産して御本家アメリカが怒り出すほどに大量輸出する、そんな状況に驚かなくなったのはいつ頃からだろうか。戦後一〇年が過ぎても、まだほとんどの日本人は、自動車はアメリカが作るもの、アメリカ文化の象徴、自分たちの生活とは縁遠いもの、と思い込んでいたのではなかろうか。

ましてや、日本の輸出の主要製品になるとは思ってもみなかったに違いない。事実、一九六四年から始まったケネディ・ラウンドで乗用車の関税が問題になったとき、宮沢喜一通産大臣（当時）は、「日本は自動車を買えばいい」と主張し、通産省の役人から「冗談じゃない、日本はそのうち乗用車を輸出するんですから、そんなことは大臣はいわないでください」とたしなめられたというエピソードが残されている（『宮沢喜一回顧録』）。

馬車の時代を経由しなかった日本の狭い道路事情、都市圏の人口の稠密《ちゅうみつ》さ、乗り合いバスや電車・鉄道などの公共交通機関の存在、いずれをとっても、自動車は日本の産業と生活に合うようにはとても見えなかった。もちろん、戦前、零式《れいしき》艦上戦闘機を開発した日本人技術者の優秀さを知っていた人は、「いつか日本の自動車が世界市場を席巻《せっけん》する日が来るはずだ」と切歯《せっし》扼腕《やくわん》していたかもしれない。しかし、一般の日本人のどれだけが、日本の自動車製造技術が世界を制覇する日が来ると想像していただろうか。金型《かながた》、工作機械、金属加工、組立作業、内装の技術などなど、自動車はモノづくり技術の集大成だ。すべての分野における技術の粋を集めた「文明社会の産業技術」が自動車生産には要求されている。

終戦後一五年で、日本の自動車産業は性能も燃費も欧米の車に遜色《そんしょく》のない国産車の開発に成功した。ケネディ・ラウンドは一九六七年五月に妥結するが、その前年、サニー1000、カローラ1100などの大衆車の販売が始まり、翌六七年からベストセラーとなって日本のマイカー時代の幕が上がる。同じ六七年の六月、日本の自動車保有台数は一〇〇〇万台に達している。前年の六六年三月、日本の総人口は一億人を突破しているから、今から四〇年以上前に日本では人口一〇人に一人が自動車を保有していた計算になる（ちなみに現在の中国の自動車保有状況は、人口五〇人に一台、今後二〇年ほどで、一〇人に一台になるという推計がある）。

日本の急速なモータリゼーションは、「交通戦争」という言葉を生み出すほど、殺気立ったものであった。一九六〇年代後半を平均で見ると、自動車一〇〇〇台当たりの交通事故死者数は米国〇・五人、英国〇・七人、西ドイツ一・七人に対して、日本は三・三人と飛び抜けて多い（『交通安全白書』）。

「交通戦争」と同時に、マイカーは人々の日常生活スタイルを深く静かに、そして大きく変えていった。公害問題だけではない。正とも負ともつかない生活の変化は挙げればきりがない。郊外の駐車場つきの大規模店舗、自動車道路沿いに林立する派手な広告看板は景観を変貌させた。自動車によって就業機会は広がり、病院をはじめ公共施設へのアクセスも便利になり、人々の生活圏は拡大した。しかしそれと裏腹に、自動車を持たないものの生活の不便さは増大した。

自動車は、乗っている人を匿名にし、プライバシー意識を高める作用があるため「デモクラシー」と親和的な乗り物だ。自分や親しいものとだけの自由な空間を作り、人々を私的な世界の殻に閉じ込め、公共的なものへの配慮や関心を薄める。自動車は現代の「デモクラシー」を象徴するような乗り物なのだ。自動車輸送の発展は、公共的な交通手段であるバスや鉄道の凋落《ちょうらく》を招いた。「マイカー」という言葉には、当時の日本国民が抱いた「豊かさ」への憧れの気持ちが込められているとともに、必要不可欠には見えない贅沢《ぜいたく》品を求める国民を「大衆」とみなす視線が感じられる。それは、人々が公共の事柄や政治的なものへの関心を失うという「政治性」を持っていたからだろう。

### 公共精神の過剰から不足へ

デモクラシーや市場経済の土台となるべき公共精神に関しては、世界の相場から見ると、日本の状況には特徴があるのだろうか。ここでも過剰と不足の極端なアンバランスが認められる。戦前の日本における教育の基本精神を述べた『教育勅語』は、戦後になると最も不人気な文書のひとつになった。「朕惟《ちんおも》フニ、我ガ皇祖皇宗《こうそこうそう》」に始まり、「……此レ我ガ国体ノ精華ニシテ、教育ノ淵源、亦《また》実ニ此《ここ》ニ存ス」までの最初の二つの文章は、ある種その時代の「挨拶」のようなものだったのかもしれない。しかし戦後生まれの私には違和感がある。ただしその後の中間部はもっともだと感じる内容だ。特に「公益」について述べた箇所は、戦前その過剰さが問題となっただけに、戦後の公共意識の衰弱ぶりと比べると隔世の感を覚える。

「進デ公益ヲ広メ、世務《せいむ》ヲ開キ、常ニ国憲ヲ重《おも》ジ、国法ニ遵《したが》ヒ」という箇所は、戦後最も稀薄になった公共精神の重要性を説いたものである。昭和天皇に『教育勅語』を講じた東宮御学問所の御進講掛・杉浦重剛《じゅうごう》は、この公衆の幸福をはかり、世に必要な事業を興して、一般国民の生業を開いた例として、新田開墾・水利灌漑《かんがい》などの事業を行った野中兼山《けんざん》、甘藷《かんしょ》栽培に成功し凶作の年に多くの人命を救った青木昆陽《こんよう》、玉川上水を開削し江戸に飲料水と消火用水を供給した（一六五四年）玉川清右衛門《せいえもん》の話を挙げて称揚している。

しかし、こうした公共への奉仕を賛美する精神は戦後急速に衰退した。特に「国益」という言葉は半ばタブーになったような時期があった。「個人」こそが一番大事であり、国家に対する個人の優先を強く説くことが社会正義の一大原則となった。利己主義が個の尊重と混同されかねないような世論が、ポピュラー・センティメントと化したのである。

民主制はどこの国においても、個人を原子のようにバラバラにし、人々を家族と友人との生活の殻の中に閉じ込めてしまう。一八三〇年代にアメリカの民主制を論じたA・トクヴィルは、「利己主義は人類誕生とともに古く、その有無は社会形態とは関係ないが、民主制に固有な個人主義は、静穏な思慮ある感情であるが、同胞の群れから孤立させ、家族と友人との世界に引きこもらせる」と指摘した後、「利己主義はすべての徳の芽を枯らすが、個人主義はまず公的な徳の源を涸らし、ついにはすべての徳を攻撃し破壊して、最終的には利己主義に吸収されてしまう」と論じた。

平等化が進むにつれ、自足できる程度の知力と財力を手に入れた人々は、誰に対しても義務を負わず、また誰をも当てにせず、常に自分はひとりだと考え、自分の運命はすべて自分の手中にあると考えるようになる。かくてデモクラシーは祖先を忘却させ、子孫のことをその思いから消し去り、同時代人からも人を切り離し、自分を心の殻の中に閉じ込めてしまうのである。

公の利益のみの追求から私の利益のみの追求へと、ここでも極端から極端へと戦後六〇年で大きく振り子が振れたのではなかろうか？

## アジアの興隆

日本人の、そして世界の東アジアへの視線もこの六〇年で大きく揺れ動いた。優れた日本研究者であったマリウス・ジャンセン教授によると、東アジアの前近代史には「国家間の平等関係」という認識はほとんどなかったという。(3) 例えば雨森芳洲《あめのもりほうしゅう》と申維翰《シンユハン》との対話では、日本人も朝鮮人も相手国をあまり高く評価していないことを嘆きあっている。朝鮮は、文化と教養の高さで日本人を感銘させるようなエリートによって統治されてきた。その朝鮮への日本人の態度が、十九世紀に「見下すような方向へ」と急変する。その原因のひとつは、日本では明治初期の欧化と工業化という波の中で「過去が放棄されつつあった」時期に、朝鮮の日本への「他者」意識の方が逆に「過去への忠実性」と強く結び付けられたからだ、とジャンセン教授はいう。三五年間の植民地統治を経た後も、この日本人の朝鮮観に大きな変化はすぐには生じなかった。

しかしソウル・オリンピック（一九八八年）を経て、韓国経済が確実な成長を遂げると、韓国人の自信が日本人だけではなく、世界が韓国人を見る目を変えた。中国に対しては、日本が直接大規模に接触を始めたのは明治以降のことであった。それまでの日本の中国イメージは理想化されたものであったため、かえって日中関係が平穏でありえたという面がある。

その後、日本の中国侵略が進み、力で支配するものがおのずと抱く被支配者への蔑視が強まっていく。

しかし敗戦によって、日本は中国市場を一挙に失う。このことが戦後の日本経済にとっていかなる影響を与えたのかの評価は難しい。市場を失ったという直接的なマイナス効果と、あらたに市場を開拓せざるを得なかったというプラス効果の比較は、簡単ではないからだ。終戦後の内乱と共産党政権の樹立によって中国市場から切断され、中国向けの繊維や雑貨の市場を失ったことによって、むしろ日本は重化学工業化を力強く推し進めることができたとも考えられる。

ここにも日本人の中国観に強く影響を与えた要因が存在する。一九七四年一月に日中貿易協定が調印されるまで、基本的には日本経済は中国を必要とすることなく、日本の太平洋ベルト地帯からアメリカとの関係を強めることによって力強い経済成長を遂げた。そして中国との貿易関係が正常化された後に日本経済が経験した国際競争は、中国を決して日本の「縁起のいいパートナー」とはしなかった。このように日本人の東アジア観は、戦後大きく揺れ動いたのである。

以上のように戦後六〇年の日本人の生活、公共意識、対外観を「過剰と不足」という視点から大雑把に捉えると、そこには共通して揺れの激しさ、振幅の大きさが認められる。こうした変化の「激しさ」は、ことを経済的な要素に限定すると、日本の国内だけにとどまるものではなかった。戦争の破壊と悲惨から立ち直ったドイツをはじめとするヨーロッパ諸国も、同じような不足と過剰を経験しているのだ。世界経済も激しく揺れ動き、変化した。日本はその余波・余震を受けたという面もある。こうした変化を経済の基本要素である人口、エネルギー、食糧、技術に注目して世界の大転換を次に通観しておこう。

## 人口・エネルギー・技術の変化

「第二の三十年戦争（一九一四―一九四五）」が終わった後、二〇世紀の後半の五〇年は、地球的規模の世界大戦や大革命はなかったものの、激しい地域的な戦争や紛争、そして革命、脱植民地化による新しい国家の分離独立などが相次いで起こった。その点では、特に平穏な時代であったというわけではない。しかしこの時代の大きな特色は、未曾有《みぞう》の経済的膨張と繁栄である。第二次世界大戦後の特に二、三十年間で起こった経済と社会の変化は、おそらく過去のどの時代よりも激しく、スピード感に満ちたものだった。この時期の経済成長率の高さが、世界的に見てもいかに突出していたかは、アンガス・マディソンの推定値からも明らかである。(4) 一九五〇―七三年の経済成長率が、ヨーロッパと日本で特に高かったことがわかる。

一般に経済的な変化はゆったりとしており、政治のように際立った事件性のあるものは少ない。したがってその時代の人間、変化の渦中にある人々は、その変化に気付かないこともある。後で振り返ると、生活が驚くほど変わっていたという驚きを経験する。二〇世紀後半のそうした種類の変化のベースとなった要素を、まずはじめにおおまかにたどっておこう。

## 人口の増大、高齢化そして少子化

四五年前、筆者が大学に入学してはじめて読んだ経済学の入門書には、世界の人口は約三〇億人と記されており、その多さに驚いたものだ。現在は六七億七〇〇〇万人という。国連の *Demographic Yearbook* で一九五〇年から二〇〇〇年までの全地球上の人口を見てみると、約二五億人から六〇億人に増加しているから、五〇年間で二・四倍に増えたことになる。これは同じ二〇世紀の前半の増加ペース（五〇年間で一・五倍）とは比較にならない速度である。そして一口に二・四倍といっても、物理的変化としてイメージするだけでも、まことに大きな変化といえる。人口が増えながら空間的に広がったという面もあるが、「都市化」のように「人口が集中し、人口密度が高まった」という面がより重要な意味を持っている。十八、十九世紀のヨーロッパや日本で進んだ「都市化」は、さらに二〇世紀の米大陸やアジア地域にも広まり、さまざまな問題をもたらした。この点については後で述べる。

この人口増加の内実を見ると、さらに重要な変化に気付く。移民を多く受け入れた北米大陸やオーストラリアを別にすると、十九世紀に工業化を進めた欧州は、二〇世紀に入ると人口増加の往時の勢いはもはやなく、激しい増加を示したのはアジア諸国であった。アジアの人口は一九五〇年から一九九〇年の四〇年間で一四億から三二億であるから「倍増」以上である。そして二億二〇〇〇万から六億八〇〇〇万に増えたアフリカと、一億六〇〇〇万から五億三〇〇〇万になった中南米は、増加率ではアジアの「倍増」を凌いで、なんと「三倍増」を記録している。

こうした増加の原因を探るためには、（移民などによる社会増加を別にすれば）自然増加、つまり出生率と死亡率の動きを見なければならない。ヨーロッパで何が起こったかを国連の*Demographic Yearbook*で見ると、フランスやオーストリアでは戦後の五〇年間で、それまですでに低かった出生率がさらに低下し、死亡率もわずかではあるが下がっていることがわかる。米国の出生率は、やはりフランス同様低下している。米国で人口が全体として増加したのは、主として出生率の高い移民のためである。ちなみに二〇世紀末の時点で日本は、出生率も死亡率も世界で一番低いグループに属している。まさに「少産少死」のトップを行く国になった。

他のアジアやアフリカの国々はどうか。出生率は少し低下したものの、バングラデシュの三九・一パーミル、インドの三〇・〇パーミルは、十九世紀後半のヨーロッパ諸国より高率である。そして一九五〇年から一九九〇年までの間で、さしたる低下は見られない。ナイジェリアやザイールなどのアフリカ諸国の出生率も、この四〇年間でほとんど変化せず、五〇パーミル前後で推移している。出生率ではなく、これらの国々の死亡率が大きく低下したことが、アジア・アフリカ諸国の人口増の根本原因なのである。

それではなぜ、どういう形で、死亡率低下が起こったのか。その最大の要因として、乳幼児死亡の低下と平均余命の伸びを挙げることができる。特に前者の変化は大きい。乳幼児死亡率は生まれた子供が五歳までに死亡する確率を意味する。通常は出生一〇〇〇に対する死亡数で表される。フランス、オーストリアですら、一九五〇年時点ではそれぞれ五五・六パーミル、四六・二パーミルという高い乳幼児死亡率を示していたが、一九九〇年段階では、いずれも一〇パーミルを割るまでに低下している。乳幼児死亡率は、インド（一八五パーミルから九六パーミル）やインドネシア（九五・二パーミルから七五パーミル）でも高いが低下傾向は明らかだ。しかし一九九〇年段階でナイジェリア、ザイールなどの乳児死亡率が、一〇〇パーミル（新生児一〇〇〇人のうち一〇〇人が出生後一年以内に死亡）という高さなのは、これらの国々で新生児が健康児として生き延びることの難しさを示している（それに対して日本の乳幼児死亡率は五パーミルで世界最低であり、いかに生まれ落ちた新生児が、良好な栄養と衛生・医療環境にあるかがわかる)。この点を二〇〇六年、二〇〇七年の最新のデータで見ると、パキスタン(七六・七パーミル)、インド(五七・〇パーミル)、バングラデシュ(四五・〇パーミル)などの乳児死亡率の高い国と、香港(一・七)、日本(二・六)、フィンランド(二・七)のように低率の国との間に大きなギャップが続いていることがわかる。

このように、第二次大戦後の世界人口は、アジア・アフリカを中心に急激に膨張・増加した。その増加は、これらの地域における出生率の高止まり、そして医療・衛生・栄養の改善による乳幼児死亡率の低下が主な原因であったといえる。こうした変化は、人口の年齢別構成をも大きく変えた。特に顕著なのは高齢化である。ヨーロッパ諸国の人口高齢化は、十九世紀末以来、徐々に進行したが、日本のように戦後特に速いスピードで高齢化が進行した国では、さまざまな社会制度や経済政策上の問題を生み出した。

合計特殊出生率で見ると、二〇世紀初頭では、先進諸国は現在の倍ほどの数字が記録されている。例えば一九〇〇年では、米国の白人は三・五六、黒人は五・一六であるのに対して、百年後の二〇〇〇年はそれぞれ二・〇五、二・一三と大きく低下した(5)。また、同時期の米国について平均寿命の変化を見ると、白人が五一・八歳から七七・四歳へ、黒人は四一・八歳から七一・七歳へと百年間で大きな伸びを見せている。

## 資源と食糧

人口の増加に対して、資源や食糧の状況はどうか。世界の穀物生産が一九五〇年から二〇世紀末までに増加したことは事実であるが、一人当たりで見ると一九八〇年あたりをピークにしてその後減少に向かっている。食糧生産が人口増加に追いつかないのである。土地は人間にとって最も重要な自然資源であるが、地質の劣化が次第に激しくなり、食糧生産に深刻な影響が出始めている。工業用地、都市化による住宅用地の増大、道路や公共交通網の発展により、食糧生産のための土地拡大の限界が明らかになってきた。

水資源も、かつては「自由財」(free goods) の代表とされてきたが、近年では場所や用途によっては高価な稀少財となった。アフリカ諸国をはじめとして、農業用の水不足に悩む国は、河川工事、海水の淡水化事業、井戸の掘削、人工降雨による気象調節などが試みられているが成果は思わしくない。

資源と食糧が一部の国や地域で大量に不足し、サハラ以南アフリカのように飢餓に苦しむ人々が多数おり、他方、先進工業国では余剰が存在することは先に述べた通りである。こうした偏在とアンバランスがますます明らかになり、世界的な問題として顕在化してきたところが、戦後世界経済の大きな特徴のひとつといえよう。

歴史を振り返ると、二〇世紀に入り石油が産業活動のベースになったという事実、世界の貿易構造が変化したこと、あるいは人口爆発と都市化が急速に進行したという事実が、食糧問題と表裏一体の関係にあることがわかる。例えば産油国における変化を見ると参考になる。チュニジアは数百年、あるいは一千年以上の間、ローマに対する穀物供給地の役割を果たしたが、石油輸出国となった現在は、自国の穀物消費量の半分も国内で生産していない。イラクも古代バビロニア以来、農業に適した豊かな土地であった。それが石油の輸出が盛んになった今では、自国の穀物消費の三分の一しか生産できない状態になってしまった。

実はこうした現象は、石油だけでなく、途上国の他の一次産品との関係でも起こっている。つまり途上国は穀物以外の、より収益率の高い輸出用の食糧その他の一次産品の生産に精を出し、その結果、穀物の輸入国に転じた。経済的な効率のために貿易依存度を高めることによって、経済の自給自足性を弱めることになったのである。

食糧の需給バランスが崩れた最大の原因は、都市化を伴う人口の増加にあった。特に一九三〇年代から始まる途上国における人口爆発には目を瞠《みは》るものがあった。人口成長率が年一%を超えるという現象は、どの時代の欧米諸国にも見られなかった。事実西ヨーロッパでは、十九世紀以降人口が倍になるのに百年間を要したのに対して、第二次大戦後の第三世界では、年率二・三%という高い率で、わずか三〇年で人口が倍増したのである。

人口抑制という問題に関して、国家的政策を発動することとの難しさと愚かしさは改めて強調するまでもない。途上国へ人口制限をすすめることは、第三世界に対する「帝国主義者の陰謀」だといわれたこともあった。しかし共産主義国家の建設をめざした途上国の中には、厳格な家族計画政策を自ら導入した国もある。中国やキューバはその最たる例であろう。家族計画政策の結果、中国やキューバの人口増加率は確かに低下した。しかし途上国全般についていうと、先進国側から人口の抑制を注文されることには、承服しがたい不満があるはずである。その証拠に、一九七四年ブカレストで開かれた国連の世界人口会議では、産児制限反対のカトリック勢力と開発途上の社会主義勢力の「ねじれた連携」が結ばれた(Bairoch)。一九九六年十一月にローマで開かれた世界食糧サミットでも、ヴァチカンとアラブ諸国は「ローマ宣言」に対して態度を留保している。

## エネルギーの転換

「仕事能力を有する資源」としてエネルギーは、人的資源に次いで経済活動にとって重要な要素である。そのエネルギーも水力・石炭から石油・天然ガス、そして原子力へとその主力は徐々に交替した。二〇世紀末からは、風力・オイルサンド・廃棄物などがエネルギーとして注目を集め始めた。しかし二〇世紀のビジネス文明の核はやはり石油であろう。現代人が「拝油教徒」、ガソリンスタンドが「世俗の神殿」と呼ばれることも故なきことではない。先に述べた食糧問題も、石油がエネルギーの主役となったことと関係があった。石油が石炭を追い越して、主要エネルギー源の地位を奪うようになったのは、第二次世界大戦後である。特に石油生産において米国の果たした役割は大きい。現在から見ると、「石油は中東」というイメージが支配的であるが、一九五〇年時点で見ると、全世界の石油生産の半分を米国が占めていた。しかしその後徐々にペルシャ湾周辺諸国が産油国として石油市場の主役となり、米国は石油輸入国に転ずるほどになった。

現代経済の血液という点では、この石油とマネー（通貨）は似ている。石油は現代人の生活のあらゆる側面に登場するようになった。一九〇八年、T型フォードが発表され、低価格乗用車が広く普及し始めたことは、ガソリン需要を飛躍的に増大させ、石油価格を高めた。これは決定的に重要な変化である。しかし、石油の価値は強力なエネルギー燃料という点だけにあるのではない。石油化学製品は日常生活のあらゆる部分に浸透したのである。

例えばポリプロピレンは耐熱性が高く軽い。耐衝撃性や電気特性に優れているため、自動車用部品、文具、テレビやラジオのキャビネットなどに用いられている。ポリスチレンは食品類から生鮮食料品のトレイ、冷蔵庫の保存・箱詰めの枠材に使われ、塩化ビニール樹脂もパイプ、床材、雨どい、雑貨のほか、卵や果物のパックに利用されている。合成ゴムは自転車用タイヤ、履物に、合成繊維にいたっては、衣類の全種類（肌着から外出着まで）において天然繊維に代替しうる状態となった。

ダニエル・ヤーギンの『石油の世紀』（原題：*The Prize*）は、この石油をめぐる一大叙事詩であるが、この本の中で、石油を持たない日本とドイツという二〇世紀前半の新興産業国家が、それぞれ東インド諸島とコーカサスの石油資源を求めながら勢力拡大に努め、結局敗退せざるを得なかった事情、あるいは現代のわれわれにとって比較的馴染み深いオイル・ポリティックスの話が語られている。一九五九年あたりから国際石油資本と産油国の利害対立が表面化し、六〇年九月にイラン・イラクなど石油産出五ヵ国がバグダードで石油輸出国機構（ＯＰＥＣ）を結成、産油国の石油資源支配が確立するが、それ以後、現代産業社会の血液である石油はさまざまな政争の原因や道具となってきた。後にふれる一九七三年秋の石油危機は、その代表的ケースである。

ヤーギンの『石油の世紀』には意外なエピソードもたくさん盛り込まれている。日本の養殖真珠が、クウェートの石油採鉱のきっかけを作ったという話もその一例である。御木本《みきもと》幸吉は長い苦労の末、一九〇五年に真円真珠の養殖に成功し明治天皇に献上した。この養殖真珠が、クウェートはじめペルシャ湾沖で採取、輸出されていた天然真珠を完全に市場から駆逐し、三〇年代には「クウェート経済は荒廃し、輸出利益も急落、商人は破産、船は浜に揚げられ、水夫は砂漠に戻ってしまうといったありさまだった。アハマド首長とクウェート政府は、新しい収入源を必要としていた。石油採鉱待望論が起きたのはちょうどこの時だった」（邦訳上巻四九六頁）とある。筆者は一五年前、バーレーンの歴史博物館を訪れたとき、館内の展示パネルで同様の記述を読んだことを憶えている。日本の技術革新が、意外なとき、意外な地域に甚大な影響を及ぼしていたのである。

### 科学の発展と技術革新

二〇世紀後半の科学技術の飛躍的な進歩の主役は、コンピューター技術の中核をなすマイクロエレクトロニクスとバイオテクノロジーであった。それに加えて、二〇世紀は交通や通信手段の発達によって、生活のスピード感が格段に変化した世紀でもあった。フォードのモデルTが開発されたのは一九〇八年であったし、ライト兄弟が人類初の動力飛行に成功したのも二〇世紀初頭の一九〇三年であったから、二〇世紀の交通手段の革新はまさに劇的であったといえる。電信電話の発明と実用化は十九世紀であるが、その普及は二〇世紀初頭からであり、通信に関する基礎的な革新も二〇世紀の初頭であった。

しかし、そうした原理的発明がイノベーションとして産業の中で商品化され、それが普及しながら徐々に使用者と生産者の共同的努力によって改良を加えられていく過程は戦後の二、三十年であった。例えば一九五〇年時点の旅客機と、一九九〇年時点での旅客機の輸送力や航行速度を比べてみると、同じ「旅客機」といってもその能力には格段の変化がある。

一九五〇年時点では、まだジェット輸送機は登場していない（第一号はイギリスのデハビランド・コメット1型機で、五二年五月定期航路に就航。しかし事故が多発したため本格的なジェット輸送は一九五八年十月のボーイング707とコメット4の大西洋ルート就航が最初）。したがって東京からニューヨークまで最短時間で行くには、プロペラ機で、乗り換え時間を含むと五〇時間以上かかった。しかし現在は、東京―ニューヨークの直行便で一三時間ほどで飛べるようになったから、所要時間は四分の一ほどに短縮されたことになる。東京―大阪間の鉄道も事情はほぼ同じである。一九五〇年時点で大阪から特急「はと」「つばめ」に乗ると八時間で東京着。現在は「のぞみ」で二時間半ほどであるから、これも三分の一に短縮された。

こうした時間距離の短縮は、人間の生活のさまざまな局面に大きな影響を及ぼすことになる。昔は断念せざるを得なかった出張や旅行が低い時間コストや経済コストで実行されるようになったため、便利にはなったものの、健康にかかる負荷は大きくなった。

以上見てきたように、戦後の六〇年間は、まことにスピードあふれる変化の時代であった。高層ビル群のように、高く、大きくなったものもある。すべてが（人間の心の動きも含め）速くなり、軽くなり、小さくなった。

科学と技術は人間の生活を変えた。しかしこの科学と技術の関係は複雑だ。科学の強みがそのまま技術的優位を示し、経済的な力となりうるという単純な関係にはない。しかし科学者の業績が、産業技術の発展への大きな可能性を開くことは確かだ。その意味では、科学分野での成果の、時代ごと、あるいは国ごとの変移を見ることには意味がある。科学と技術の世界的な覇権、あるいはリーダーシップが戦前と戦後でどのようにシフトしたのか。この点でもヨーロッパから米国へのシフトが明確に読み取れる。一九〇一年以来の科学分野（物理学、化学、生理学・医学）のノーベル賞受賞者を国別に見る（Whitaker's Almanac）。一九四五年までを集計すると、ドイツ（三六）、イギリス（二四）、フランス（一五）と欧州勢が強い。米国は一八人である。第二次大戦前から始まったヨーロッパでのユダヤ人迫害や米国での待遇の良さが影響し、少なからぬ数の科学者が米国に渡ったこと、戦後の賠償としてドイツ圏からロケット学者が米国に渡ったことなども影響して、戦後は二〇〇八年までを集計すると米国が科学分野で二一〇人のノーベル賞学者を生み出し、圧倒的な強さを示している。[6] 経済と科学の中心はヨーロッパから米国に移ったのである。

註

（1）下川耿史・家庭総合研究会編『昭和・平成家庭史年表1926—1995』（河出書房新社、改訂版、一九九七）

（2）Milward, Alan S., *The Reconstruction of Western Europe, 1945–51*, London Methuen, 1984.

（3）マリウス・ジャンセン『日本と東アジアの隣人』（加藤幹雄訳、岩波書店、一九九九）

（4）Maddison, Angus, *Dynamic Forces in Capitalist Development : A Long-Run Comparative View* (Oxford University Press, 1991), p.49.

（5）Haines, Michael, "Fertility and Mortality in the United States," *EH.Net Encyclopedia*, edited by Robert Whaples.

（6）「国別」という言葉を、「出身地」とするか、受賞時の「国籍」と考えるのかによって数が変動することは言うまでもない。科学分野での共同研究というスタイルが普及したこともあり、戦後は受賞者数が飛躍的に増加している。

# 第二章　復興と冷戦

## 第1節　新しい秩序の模索

**終戦と復興**

戦争のもたらす破壊と悲惨は人間の精神と生活のすべての局面に及ぶ。第二次世界大戦は、戦闘行為で一六〇〇万人の人命を奪った。戦闘行為以外の政治的な「粛清」等を加えると、死者の数は優に三〇〇〇万人を超えると推定される。第一次大戦の死者数が九〇〇万人と報告されているから、第二次大戦の破壊力の凄まじさが推し量られる。[1]日本も日中戦争・太平洋戦争によって多くの人的・物的資産を失った。梅村又次ほか『長期経済統計　2　労働力』（第五章「軍隊と戦争被害」）によると、人的な被害は、厚生省の一九六四年の推定では軍人軍属の死没者一九三万二三〇〇人となっている（この中には在郷死者は含まれず、台湾人、朝鮮人は含まれている）。一般市民の死傷者六七万人、障害者は九・五万人という多くの犠牲者を生み出した。国富については、船舶の八〇％、建築物の二五％、家具家財二一％、工場用機械器具三四％、生産物の二四％、再生産可能な物的国富の四分の一が失われたという推計がある。

また、戦争の影響を、あえて広く社会経済的な制度の変化という広い視点から捉えると、次のような点も見逃せない。日本の場合、戦時中に急速に進められた重化学工業化が戦後復興の基盤になった例はある。事実、重化学工業では、戦後に残存した生産設備が一九三七年段階よりも多かったことは、この事実を示している。生産における請負制、所有と経営の分離、金融機関の系列化、戦時体制の下で充実された社会保障制度など、戦時下で生まれたシステムが戦後の日本を支えたという面は否定できない。しかし全体としてみれば、第二次世界大戦が経済面でも甚大なる損害をもたらしたことは否定すべくもない。

こうした側面を世界経済的な視野から見るとどうだろうか。当時の先進国で自国が戦場となったのはヨーロッパであった。ロンドン、ロッテルダム、ワルシャワなど被害を受けた都市は多かった。ベルリン、ハンブルク、ドレスデンなど、ドイツの主要都市はほとんど壊滅的ともいえるような被害を受けた。ドイツ国内が戦場となったのは、ナポレオン戦争以来のことであった。しかし生産能力に関しては、ヨーロッパが戦争によって受けた被害は、日本の場合に比べると意外に小さかった。もちろん、交通システムなどのいわゆるインフラストラクチャーは大きな打撃を受けた。住宅が爆撃と戦火で焼失し、発電装置、橋、工業機械が大きな被害を受けたことは確かである。しかしこれらのインフラの復旧には総じて時間のかからないものが多かった。アーベルシャウザー（一九七五）の計算によると、生産能力という点からすると、一九四七年段階のヨーロッパの水準は一九三七年レベルとほぼ同じであったという。ただ、戦前から米国で長足の進歩を遂げていた新しい大量生産方式が、戦争によってヨーロッパ諸国に導入されるのが遅れたという負の影響は大きい。

例えば自動車工業を見てみよう。ドイツ軍に協力したために、戦後国有化を強いられたフランスの自動車製造会社ルノー社のケースが重要である。国有化はフランスの自動車工業の競争力を奪ってしまった。創業者のひとりルイ・ルノー（一八七七―一九四四）は、一八九八年にVoituretteと彼が呼んだ自動車の製作に成功している。戦間期におけるルノーの「右翼的な」言動はよく知られていた。フランスがナチス・ドイツに占領され、工業生産がドイツ軍の管理下に置かれ、ドイツのダイムラー・ベンツ社から管理職ポストに人が送り込まれてくるようになると、ルイ・ルノーは深刻な失語症に陥る。しかし一九四四年、フランスが解放されるとルイは戦争協力者として逮捕され、しばらく後に病死する。ルイ・ルノーの死後三ヵ月経って、ルノー社は国有化されるが、この死者の企業に対する政策措置が法律上妥当であったのかを争う裁判があったわけではなかった。戦争がフランスの自動車産業の運命の歯車を狂わせたのである。戦争がなければ、フランスの自動車産業は米国に対して十分優位に立てたと考えられるのだ。

終戦直後のヨーロッパの貿易、外貨準備、金融は壊滅的状態にあった。貿易システムは崩壊、外貨は枯渇し、銀行は国債購入を強いられていたため貸し出しもできないような状態に陥っていた。ナチス占領下のヨーロッパでは、教会の鐘がドイツに搬送され武器生産に使われていた。日本でも国家総動員法に基づいて、一九四一年八月三十日公布（施行同年九月一日）の「金属類回収令」によって官民所有の金属類の回収が実施された。寺社の鐘楼や仏具も供出された（複線の鉄道線路が供出のために、単線運転となった伊予鉄道の例もある）。こうした出来事は文化破壊という面での戦争被害を示すものであった。

注意を要するのは、物的設備の破壊はヨーロッパ全土に均等に起こらず、集中していたということである。したがって強い爆撃を免れた地域（例えば北イタリアの工業集積）は、生産を再開するのにそれほどの時間はかからなかった。平均すると、ベルギー、フランス、オランダの生産能力は戦争前の四割、ドイツとイタリアは二割程度とされたが、いずれの国の国民も国内のイデオロギー対立を超えて一体感は強く、復興に向けて勤勉に働いた点は日本と同じようである。

ここで、戦前の一九三八年レベルを一〇〇として、西ヨーロッパの生産指数の変化を見ておこう。ドイツ（三四）、次いでオーストリア（五五）の終戦直後の状況がいかに厳しかったのかがわかる。ただ、一番厳しかったドイツも、戦前の水準に復帰するのに六年も要していない（Brown and Opie〔1953〕）。これは日本が戦前の生産水準に戻るのに一〇年ほどかかったのに比べるとかなり早かったといえる。電気、ガス、水道の回復は数ヵ月後に実現したものの、鉄道、電話、郵便、すべてが長らく麻痺状態にあったことを考え合わせると、ドイツの復興が「経済の奇跡（Wirtschaftswunder）」と呼ばれたのも決して大げさではなかったことがわかる。

### モルゲンソー・プラン

ドイツが復興を果たすまでに、戦後のドイツをいかなる国として再出発させるのかについて、連合国側に厳しい議論があった。実際には一九四五年のポツダム協定によって連合国の基本政策は定められた。しかしそれ以前には、ルーズベルト大統領の指示のもとに米国財務長官ヘンリー・モルゲンソー・ジュニアが作成した「モルゲンソー・プラン」と呼ばれる対独処理計画が存在した。この「計画」は、修正を受けながらも、第二回ケベック会議（一九四四年九月十六日）でチャーチル英国首相の承認を得る。基本路線は、「ドイツが重工業を保有している限り世界平和はあり得ず、戦争終了後もドイツの潜在的な戦力となりうる産業を破壊するための努力をする」というものであった。

モルゲンソーによる原案（Suggested Post-Surrender Program for Germany）の具体的内容は、次のように要約できる。

(1)ドイツ降伏後、ただちにドイツを非軍事化する。東プロイセンと南シュレージエンをポーランドへ、ザールとライン河西岸地域をフランスに割譲、残った地域は北ドイツと南ドイツに分割し独立国とする。

(2)冶金・化学・電気などの工業施設を破壊、もしくは戦勝国に引き渡し、鉱山を閉鎖する。

(3)ドイツを農業国にする。

(4)ルール地域を国際管理下に置く。

このプログラムは、米国政府内部での反対意見やルーズベルト大統領の急死（一九四五年四月十二日）による政局の変転もあり、そのままの形では実現しなかった。しかし現物賠償による工業設備の撤去、ドイツの技術水準を抑えるために科学技術に関する研究活動を停止させるなどの措置は実行に移された。

またヤルタ会談の決定に従い、ソ連と英米からの賠償要求は、それぞれの占領地区および在外資産の撤去によってこれに充てることになった。この「厳しい懲罰的な対独政策」は、復興過程におけるドイツ経済の立ち直りという視点を全く欠いていたため、戦後の東西対立が長く続く原因ともなった。

一九四六年三月、英国のチャーチル前首相（当時）が米国ミズーリ州フルトンの大学で行った演説で、「バルト海のシュテッティンからアドリア海のトリエステまで、ヨーロッパを横断する鉄のカーテン（Iron Curtain）が降ろされた」と演説したのは、ヨーロッパでの戦線が終焉してからまだ一年も経っていないときであった。

## マーシャル・プランの意味

戦後ヨーロッパの苦難を見ていた米国はいかなる政策対応をしたのだろうか。第一次大戦後のさまざまな政策的失敗（ドイツの賠償問題、国際金本位制復帰の問題など）を痛感していた米国国務省は、あらたな世界情勢の進展をにらみながら、リーダーシップを取る必要を認識していた。米国の中には、米国は孤立主義の伝統を守り、フランスと英国の復興はそれぞれの植民地を利用することによって達成すればよいという見方もあった。

一九四七年段階では、生産力の回復と失業率の改善という目標は十分には達せられない状況にあった。特に食糧不足は最も緊急の問題であったにもかかわらず、交通網が十分には復旧していなかっただけでなく、「鉄のカーテン」の降りた東欧諸国からの食糧供給に依存することはできなくなっていた。

ドイツの情勢は特に厳しかった。ドイツの購買力が回復しないということは、ドイツへの穀物や食糧の輸出で自国の経済を一部支えていたイタリアやオランダの経済回復も困難なことを意味した。ヨーロッパ内では、食糧の相互交換のネットワークはできていたものの、ドイツがこのネットワークに参加することに対して他の諸国の態度は厳しかった。

他方、いわゆる「冷戦」は深刻な様相を呈し始めていた。ヨーロッパの復興はドイツの工業力の回復なしには望めないだけではなく、ドイツに（ヨーロッパ全体にも）共産主義の力が浸透し始めているという暗黙の認識と危機感があった。そうした状況で提唱されたのが「マーシャル・プラン」（欧州復興計画）である。国務長官ジョージ・C・マーシャルが一九四七年六月五日、ハーバード大学の卒業式に際してハーバードヤードのメモリアル・チャーチで、「ヨーロッパの復興と再建を促進するための経済援助を米国が行うこと」を明らかにしたのである。単なる人道主義から出たというよりも、国務省内のウィリアム・L・クレイトンやジョージ・F・ケナンなどの、後の「ソ連封じ込め派」の戦略思想が背景にあった。「自由主義経済国家としてのヨーロッパの経済復興なしには、ヨーロッパの政治的な安定はあり得ない」という現実的な認識である。具体的な数字は盛り込まれてはいなかったものの、ヨーロッパ諸国が自発的に会合し進んで復興のプランを立案すれば、米国はそれに対して資金面で協力できると語ったのである。このプランが米国内では不人気であることは事前にわかっていたので、ヨーロッパのメディアに向けた大々的な記者会見が行われた。

この提言を受けてトルーマン大統領は、一九四七年七月まで米国の対独政策の基本となった米国統合参謀本部（JSC）命令1067を無効にして、JSC1779に代替した。JSC1779は「秩序ある繁栄のヨーロッパは安定的で生産力のあるドイツの経済的な貢献を必要とする」ことを強調している。戦前のドイツが、すでに石炭・鉄鋼から運輸機械・電気機器に至る主要産業を「フルセット」で持つ工業先進国であったため、そのドイツの技術力・人材を無視した欧州復興はあり得ないという点に異を唱える者はいなかった。ドイツが必要としたのは競争的な環境だという認識を欧米諸国は共通して持っていたのである。

一九四七年七月十二日、[2]ヨーロッパ諸国は会合を開き、復興計画を策定する。このマーシャル・プランは、ソ連とその同盟国にも提示されたが、ソ連は結果的にはこれを断る。具体化したプランの内容は、一九四七年七月から四年間、約一三〇億米ドルの経済・技術援助をOEEC（Organization for European Economic Cooperation 欧州経済協力機構）のメンバー国に与えるというものであった（このOEECは主要な援助調整機関であるが、後にOECD〔Organization for Economic Cooperation and Development〕に転身することになる）。マーシャル・プランは一九四八年四月三日トルーマン大統領によって法律として署名された。経済協力局（ECA—Economic Cooperation Administration）が設置され、このプランの管理と執行がとり行われる。

マーシャル・プランの援助資金は主に米国の物資の購入のために使われた。ヨーロッパ諸国が戦争中に外貨準備を使い果たしていたために、このプランによる資金提供がほとんど唯一の外国からの物資の購入の原資となった。スタートの当初は、食糧と燃料、次いで所期の目標通りの復興物資、そして一九五〇年に朝鮮戦争が勃発してからは、西ヨーロッパの共産化を脅威と感じた米国政府は多くの軍事物資を西ヨーロッパ諸国に輸出することになる。一九五二年半ばまでに支出された一三〇億米ドルのうち、二六・二％は原料と半製品、二四・六％は食糧、飼料、肥料、一四・六％は機械、車輛、設備、そして一四・六％は燃料であった[3]。

支払い方法は次のような過程を経て行われた。ＯＥＥＣが配分を調整する。米国側の経済協力局（ＥＣＡ）が財を引き渡す。米国側の供給者は、ヨーロッパ復興プログラムのバランスから引き落とされたドルでの支払いを受ける。ヨーロッパ側の受け手は、贈与としてこの財を受け取るのではなく、一括か分割でその国の通貨で支払う。支払われた額は、その国の政府の資金として預金され、この資金がさらなる投資資金としてマーシャル・プラン参加国によって使用されるという仕組みである。元々ドイツについては、資金は「米国に返還される」という考えで進められていたが、ドイツの「再工業化」への投資資金として利用された。

マーシャル・プランはこの他にも、「技術援助プログラム」としてヨーロッパの技師や経営者を米国に招き、米国の産業事情を直接観察してもらうというプロジェクトを実施した。また、米国の映画産業に関しても興味深いエピソードがある。マーシャル・プラン以前は、米国政府の政治的な力で経済的な援助の代わりに（フランスの映画産業には迷惑なことだが）アメリカ映画を上映するというような政策を採っていた。しかし、マーシャル・プラン以降五〇年代に入ると、米国の映画産業は国内ではテレビの普及に押されて、次第に興行成績が低下し始める。テレビに対抗するために大型スクリーンが導入され、独立プロの時代に入っていた。独立プロの映画製作資金は、メジャー各社が海外に持つ「凍結ドル」であった。これはマーシャル・プランによって米国では使えないドルである。名画『ローマの休日』はパラマウントがこの「凍結ドル」を利用して作った映画なのである。オープニングの字幕に、「この映画はすべてイタリア・ローマで撮影され、録音された」と大きく出てくるのはそのことを示すためである。

## マーシャル・プランの効果

マーシャル・プランの政治的・経済的効果はどのようなものだったのだろうか。先に見たように、一九四八年から五二年は、ヨーロッパ経済が未曾有の成長を示した時期であった。

マーシャル・プランが事実上終了した一九五二年頃には、多くの国々で戦前期の生活水準が回復した。この回復・経済成長とマーシャル・プランとの間にどのような因果関係があるのだろうか。回復の契機となったのか、あるいは成長のスピードを高める効果があったのか否か、それを正確にテストする方法はない。一般に結論としていえることは、マーシャル・プランが戦後ヨーロッパの経済復興の最大の要因とはいえないまでも、復興のスピードを速め、ヨーロッパに政治的な安定をもたらしたということは事実であろう。西ヨーロッパへの共産主義の影響を弱めたこと、マーシャル・プランによって形成された貿易のチャネルがその後の冷戦期の通商関係を堅固にしたことも確かだ。

この点を言い換えると、マーシャル・プランによる援助をソ連・東欧圏が拒否したことは、ヨーロッパがここではっきりと二分されたことを再確認したことにもなった。ソ連はマーシャル・プランを拒否した代わりに、「現物賠償」という形で、特に東ドイツから大量の産業機械を押収して自国に搬送した。この総額は、マーシャル・プランによる一国の平均援助額をはるかに上回ると推定される。ソ連はコメコン（COMECON—Communist Economic Community 経済相互援助会議の通称）による東欧諸国との貿易圏の形成で対抗したが、この対抗関係は、ソ連が原油を東欧諸国へ供給し、東欧諸国が産業機械、農産物、工業製品、消費財を輸出するという構造を定着させることになる。

マーシャル・プランのもうひとつの側面として、欧州統合の動きへの足がかりとなったという点がある。OEECを、欧州統合への最初の調整機関と捉えることも可能である。実際は、後に述べるように欧州石炭鉄鋼共同体（ECSC—European Coal and Steel Community）がドイツを加えた機関として（英国を除いて）発足する時点（一九五一年）が、戦後の欧州統合の（再）出発点とみなされる。しかし、OEECの人材とノウハウがECSCに流れたことから見ても、マーシャル・プランとOEECの果たした役割は大きい。現代でも、東欧の体制転換後の復興支援やアフリカへの経済援助が、マーシャル・プランを引き合いに出して論じられることが多い事実を考えると、この「欧州復興計画」の政治的・経済的意味は大きかった。

ドイツももちろん、この援助計画の恩恵を受けた国であるが、ドイツの場合はこの援助だけでは再生できない深刻な国内問題を抱えていた。それは深刻なインフレの進行と、通貨改革の問題である。このドイツの苦闘については節を改めて論じる。

日本に対しては、米国は朝鮮戦争が始まるまで、積極的な復興プログラムを提示したわけではなかった。しかし朝鮮戦争の勃発は、米国の対日政策を大きく転換させる。この転換と、朝鮮戦争の特需自体がどれほど日本経済の復興から成長への転換を早めたのかについては、議論は分かれる。少なくとも特需自体の効果は、いわれるほど大きくはなかったというのが経済史家の結論である。

ちなみに、マーシャル・プランに対するヨーロッパ知識人の意見は多様であったことも付け加えておこう。市場機能に強い信頼を置く自由主義経済論の旗手、W・レプケは、戦後ドイツの「奇跡の復興」を成し遂げたエアハルト経済相の理論的助言者でもあった。レプケは、彼の理論から考えると、マーシャル・プランのような巨額の資金援助は、旧来のシステムを保守しようとする方向に働き、自由市場への移行をむしろ妨げる要因になると主張した。[4]経済史家の中でもこうした見方を採るものがいる。実際、フランスやイタリア、ベルギーなどは、援助資金が流れ込む前から復興の兆しがあったと指摘する。市場が経済回復を可能にしたのであって、援助ではないと強調するのである。特に外国からの経済援助は援助される側の政治を腐敗させるだけで、害にこそなれ益にはならないと強調する研究者が近年は目立つ。[5]しかしいずれの極論も、「そういう要素はある」ことを指摘しているのであって、あれかこれかという形での「正解」の選択はあまり現実的ではない。

## 貿易の枠組みと国際通貨体制

戦後の国際経済の枠組み、特に貿易と国際通貨体制はどのようにして生成したのだろうか。この点について見る前に、戦間期の為替制度にどのような欠陥があり、その結果いかなる事態が発生したのかを説明しなければならない。

第一次大戦を契機として多くの国は金本位制を離脱した。戦費の調達のためには、金本位制（固定相場制）の下では中央銀行から十分な信用供給が受けられないからである。やがて戦争が終わり、主要諸国は徐々に金本位制に復帰するが（日本や米国、英国など）、旧平価で金本位に復帰した国では激しいデフレが生じ、金本位制の硬直的、かつデフレ・バイアスがはっきりと現れ始めた。一九三〇年代には、この世界的な不況を背景にして為替レートの競争的な切り下げ、貿易縮小、為替規制による輸入制限、二国間での報復的な関税措置の応酬が激しくなり、自由貿易は大きな打撃を受けたのである。

こうした深刻な状況に対処するため、早くも一九四一年八月、F・ルーズベルトとW・チャーチルは北大西洋の戦艦上で協議し、戦後の世界秩序に関する「大西洋憲章」に署名している。つまり大戦が終わる四年前、そして日本が真珠湾を奇襲する四ヵ月前に、すでに米英は、あの世界大戦の終焉とその後のシナリオを検討していたのである。その主要な内容は、保護貿易主義で分断されてしまった世界貿易を、いかに自由で多角的な通商システムとして改革するかであった。

その後一九四四年七月、米国ニューハンプシャー州の保養地ブレトン・ウッズにおいて、四四ヵ国の代表が集まり、連合国通貨金融会議が開かれた。この会議で、英米の主導の下、戦後の国際通貨制度の枠組みとして「ＩＭＦ協定」（一九四五年十二月発効）が合意され、経常取引における通貨取引の自由化と多角的決済制度の確立のための、調整可能な固定相場制度を確立することになった[6]。管理通貨制度の下における国際通貨の供給と、国家間の短期的な経常収支のインバランスの管理という二つの任務を責任を持って担当する国際通貨基金（ＩＭＦ―International Monetary Fund）が創設されたのである。このＩＭＦを中心として、その加盟国は自国の通貨の金に対する平価を設定し、原則として通貨価値を平価の上下一％の変動幅の中に固定することを義務付けられたのである。

より具体的には、「介入通貨」である米ドルに対する変動幅が一％であるから、米ドル以外の通貨間の許容最大変動幅はプラスマイナス二％ということになる。こうしたブレトン・ウッズ体制のポイントは、ほとんどすべての国が米ドルを「介入通貨」とし、米国だけが金との交換性（convertibility）を保証することで、為替レートの安定化を図ったところにある。米ドルと金との交換性を信頼し、米ドルを準備通貨とすることによってブレトン・ウッズ体制は成立したのである。この点は、一九六八年三月の金の二重価格制度の発足、および一九七一年八月十五日のドルの金との兌換《だかん》停止（「ニクソン・ショック」）、固定相場制の廃止によって変動相場制への移行によって、ＩＭＦの歴史的役割は終わったという点を理解する上でも重要である。

ブレトン・ウッズの会議で、もうひとつの国際機関の創設が決められた。荒廃著しい敗戦国の復興のための長期資金の融資、貧困に悩む途上国の発展のための援助資金の供与を目的とする国際復興開発銀行（IBRD―International Bank for Reconstruction and Development 通称 World Bank）である。これらの二つの国際機関が実際に所期の任務を開始するのは戦争が終わってからであり、それもただちに有効な政策効果を発揮し始めるというものではなかった。しかしIMFは徐々にその力を示し始め、管理通貨制度の下での戦後世界経済の主要な調整機関としての役割を一九七三年まで果たすことになる。しかし一九七三年のブレトン・ウッズ体制の崩壊により、IMFと世界銀行の役割分担も以前ほど明確ではなくなる。

もうひとつの重要な世界経済レジームの構成要素は、同じくブレトン・ウッズ会議で提出された、公正な貿易のルール策定のための国際貿易機構（ITO―International Trade Organization）である。当初の原案から見るとかなりの後退を示したものの、ITOは、一九四七年にGATT（General Agreement on Tariffs and Trade）という形でその枠組みが生まれる。参加国は、最恵国待遇を他国へ拡大して貿易における差別をなくすこと、関税の引き下げ、数量制限の縮小、通商政策の事前協議、などを含む協定（具体的には「一般規定」と「譲許表」の二つの部分から成る）である。GATTの枠組みの中で、その後の関税引き下げ交渉は行われることになるが、一九四八年一月一日の発足当初はわずか二三ヵ国がメンバーとなった。その後一九七〇年には実に七七ヵ国がこの協定に参加した（このGATTは一九九五年、WTO〔World Trade Organization〕に衣替えしている）。

註

（１）Howlett, Peter (ed.), *Fighting with Figures: A Statistical Digest of the Second World War* (London: HMSO, 1995), pp.viii, 39.

（２）“Pas de Pagaille” *Time Magazine*, July 28, 1947.

（３）Hogan, Michael J., *The Marshall Plan: America, Britain, and the Reconstruction of Western Europe, 1947–1952*, Cambridge University Press, 1987.

（４）Röpke, Wilhelm, *A Humane Economy: The Social Framework of the Free Market*, Gateway Edition 1960, p.2.

（５）Alesina, Alberto and Beatrice Weder, “Do Corrupt Government Receive Less Foreign Aid ?” *American Economic Review* 92(4): September 2002.

（６）IMFと国際通貨体制の歴史に関する綿密な研究書として、Harold James, *International Monetary Cooperation since Bretton Woods*, IMF, Oxford University Press, 1996. がある。

## 第2節　ソ連の農業と科学技術

冷戦期に入ってからのソ連経済の特質は、一般国民の日常生活と密接な関係にある農業の不振が一方にあり、他方、国威発揚のための科学技術の開発では米国を凌ぐほどの力を持つという奇妙な「アンバランス」にあった。まず、終戦時のソ連経済の状況とフルシチョフの時代の農業について見ておきたい。

スターリンは、すでに一九三一年二月四日の有名な演説の中で、次のように述べている。「我々は先進諸国に五〇年から百年の後れを取っている。このギャップを一〇年で縮めなければならない。我々がこれを達成しなければ、彼らがそれを我々にやらせるであろう」。この言葉は、ナチス・ドイツがそのほぼ一〇年後にソ連に進攻したことを考えれば、予言的なものであった。一九三〇年代のソ連は、軍事産業と鉄鋼、非鉄金属、燃料・動力、化学工業、機械製造などの重化学工業で急速な成長を遂げ、技師や熟練労働者の育成に力を注いだ(Davies〔1998〕)。

しかしソ連の第二次大戦による損害はきわめて大きかった[1]。戦時下には重化学工業の重要な地域は三分の一ほど占領された（結局数百万のソ連兵がドイツ軍の捕虜になったといわれるから、いかにソ連の軍事力が質的に劣っていたかがわかる）。戦争による人命の損失は、軍民双方で（正確な統計は存在しないが）二〇〇〇万人から二六〇〇万人といわれる。それ以外にも、二五〇〇万人が家を失い、農地や重化学工業設備の多くが破壊され、国富の三分の一が失われたと推定されている。

しかし、ソ連政府は戦争終結の翌年、一九四六年ただちに、第四次五ヵ年計画を発表している。この計画案は、従来通り重化学工業と軍事技術の発展をめざすものであり、原子力エネルギーの開発を重視していた。同時にスターリンは同じ年に憲法を改正し、政治機構と経済制度の改革に着手しながら人事刷新も断行している。そのスターリンが一九五三年三月に死去した後、党の主導権を握ったのはN・フルシチョフであった。フルシチョフは一九五六年二月にスターリンを弾劾する長い演説を行い、ソ連経済はレーニンの基本に戻るべきであると宣言した。いわゆる「非スターリン化」である。

しかしこのフルシチョフの「新政策」によって、ソ連経済がただちに大きく変質したわけではなかった。農業が常に「危機」的状況にさらされ続けてきたのは、集団農場制が農民に十分な働きがい（インセンティブ）を与えなかったからである。農民の多くは、一、二エーカーの私有地の農作にすべてのエネルギーを使い、そこでの生産物を市場で販売するという「市場」システムの方に強いインセンティブを持っていた。こうした私有地農業はソ連全耕作地の三パーセントにすぎなかったのに、ソ連全体のミルクの二割、肉の三割以上、果実や野菜のほとんどを生産していた（McCauley〔1995〕）。

フルシチョフの農業政策のいずれも（北カザフスタン、南シベリア、南東ヨーロッパ・ロシアなどの「処女地開墾」プロジェクト、とうもろこし増産計画、ミルク・バター・食肉生産米国追い抜き作戦）、所期の目標を達成することはできなかった。その結果、食糧不足はソ連経済の常態となり、一九六〇年代には、穀物をオーストラリア、カナダ、米国から輸入するまでに至る。これは穀物生産大国ソ連にとって屈辱的な事態であった。輸入穀物への支払いの外貨も不十分であったから、輸入代金を金塊で払うというようなありさまだった。

それでも一般市民の生活は、革命後の混乱と停滞に苦しんだ一九二〇年代以降、はじめて目に見えて向上し始めた。国民の医療・衛生面での環境条件は改善を見せ、粗死亡率は一九四〇年の一八パーミルから一九五〇年には九・七、六五年には七・三まで低下している。乳幼児死亡率は、医療・衛生など健康面の社会的条件の最もわかりやすい尺度といわれる。一九四〇年には一〇〇〇の出生に対して一八二であったが、一九五〇年には八一、一九六五年二七へと大幅な低下を示した。[2]

スターリンの死後二、三年のうちに、いわゆる強制労働収容所制度（Gulag System）は大幅に縮小された。「収容所」に軟禁状態にあった人々の数は、スターリンの死の直前の一九五三年一月時点では五〇〇万人を超えていたが、一九五九年には一〇〇万人を割り、いわゆる「反革命分子」といわれる人々の収容者数も、五八万人から一万人程度に大幅に減少した。

## スプートニク・ショック

ソ連経済の厳しい実態と「非スターリン化」による政治的混乱は、西側世界においてもそれとなく察知されていただけに、一九五七年十月四日のソ連の人工衛星「スプートニクＩ」の打ち上げ成功は、二重の意味で西側諸国にショックを与えた。ひとつはソ連の科学技術の実力を過小評価していたという事実認識の誤りに対するショック、もうひとつは、ソ連の宇宙開発技術とそれと密接に関連するミサイル開発に米国が敗北したというショックである。

九六分一二秒で地球を一周する八三・六キログラムの人工衛星「スプートニクＩ」には「ビーッ」という音を発信できる二つのラジオが備えつけられており、この発信音がワシントンＤＣで最も大きく受信されるようになっていた。米国の政治家の中には、この音は偽れるアメリカの繁栄を嘲笑する音だと発言するものもいたといわれる。

　この「スプートニク・ショック」も醒めやらぬ一ヵ月後、今度は「ライカ」という名の犬を乗せた五〇八キログラムの「スプートニクII」の打ち上げにもソ連は成功する。「ライカ」は宇宙で死亡するが、動物が「打ち上げ」のショックに耐えうること、そして無重力状態でも生きられることを証明した意味は大きかった。さらに一九六一年四月、人類としてはじめてソ連のユーリイ・ガガーリンが宇宙飛行に成功し、西側諸国を驚かせた。

　それに対して米国の宇宙開発プログラムは、一九五八年一月三十一日に、一四・一キログラムのジュピターC改良型四段ロケット「ジュノーI」に搭載した「エクスプローラーI」を地球軌道に乗せることによって、かろうじてソ連への追い上げに成功した。しかし米国が完全な優位に立つためには、一九六九年七月二十日のアポロ11号による人類初の月面歩行まで待たねばならなかった。

　ソ連のミサイル開発技術に後れを取ったという事実は、米国の科学技術研究や教育に関する政府の政策に大きな影響を与えた。宇宙開発技術のレベルそのものが、社会経済発展の指標であると考えられていたから、ソ連のスプートニク打ち上げの成功は、米国をはじめとする西側諸国に強いショックを与えた。そこで各国とも、科学者、技術者などのハイ・タレント・マンパワーの人材養成に乗り出すことになる。一九五八年七月二十九日、アイゼンハワー大統領は、「一九五八年全米航空宇宙法（the National Aeronautics and Space Act）」に署名し、NASAが設立された。五〇年代末から六〇年代は、米ソのロケット打ち上げ競争があたかもスポーツかショウのごとく続くのである。

このスプートニク事件（米国では「スプートニク・クライシス」と呼ばれた）は、米国の科学研究や理科教育の内容を大きく変えることにもなった。例えば「教育の経済学」の誕生はそのひとつであろう。一九五〇年代後半からの経済成長は、経済学者も驚くほどの高いレベルのものであったが、その高率の経済成長を説明するためには、どうしても労働の質の向上を無視することができないことが明らかになった。人材、つまり人的資本こそが経済の成長を左右する最大の要因である、という認識が強まったのである。それゆえ「スプートニク・クライシス」以降の米国は、教育と人材育成に多くの予算を振り充てるようになる。集合論、関数概念、ダイアグラムなどを中心とする新算数（New Math）と呼ばれる教育方法が小学校段階で導入された。全米科学財団（National Science Foundation）の支出金も、一九五九年度分は一・三四億ドルへと一挙に一億ドルの増額となり、その一〇年後には五億ドルに達するようになる。一九六三年時点の米国の技術者数は、世界的な水準から見ても、飛び抜けて多い。スプートニク・ショックから六年を経て、米国が科学技術の研究開発に投じたリソースと人材育成への熱意がいかに強く大きかったかがわかる。

註

（1）Harrison, M., "The Second World War," in Davies, R. W., Harrison, M. and Wheatcroft, S. G. (eds.), *The Economic Transformation of the Soviet Union, 1913-1945,* Cambridge University Press, 1994.

（2）これらの数字は、R. W. Davies, *Soviet Economic Development from Lenin to Khrushchov*, Cambridge University Press 1998, pp.67-70. による。

## 第3節　通貨改革と「経済の奇跡」

ドイツが敗戦によってオーデル・ナイセ以東のシュレージエン、ポンメルン（ポモジェ）、東プロイセンをポーランドと一部ソ連に割譲し東部領土（これは「東ドイツ」となった地域よりも面積が大きかった）を失っただけでなく、政治経済体制の全く異なる二つの国家に分断されたという事実は、戦後の経済成長に大きな影響を残した。しかし戦後の出発時点での東西の差は、経済条件に関する限りそれほど大きくはなかった。[1] 旧西独地域は非農業地としての森林や草原が多かったものの、ルールという工業地帯と石炭の埋蔵量の多いザール盆地を持っていた。それに対し、旧東独は、土地の広大さと人口密度の低さ、（褐炭は存在するが）天然資源の貧弱さを特徴としているものの、南部にはかなり重厚な工業の集積があった。ひとつ留意すべき差異は、旧東独地域は（ベルリンやドレスデン等の例外もあったが）旧西独ほど戦時爆撃の被害が甚大ではなかったということである。ただ東西両ドイツとも、その人的資源の損害は大きかった。戦争による人命の損失だけではなく、戦後の「知的賠償」と称される人的資源の喪失も含む。ドイツ人の科学者や技術者が、戦後数多くソ連と米国で研究に従事することを余儀なくされたという事実の意味は大きい。

ソ連の占領地区となった東地域は、戦後ただちに土地改革と国有化・集団化が実施され、西独とは全く別の道を四〇年以上歩み続けることになる。もっとも、東ドイツ企業の国有化と集団化は、製造業や商業・貿易では早くから実施されたが、建設業の人民企業、農林業の協同組合化が進むのは一九六〇年代に入った頃からである（London〔1966〕の中の K. C. Thalheim 論文）。一九六三年から七〇年までの間は、税制やボーナス制を用いた労働への刺激策など多少の分権的要素を含む「新経済システム」が導入されたが、チェコの「プラハの春」の影響もあって、政治的理由から東独の分権的色彩を持つシステムは終了している。しかし一九九〇年のドイツ再統一の時点では、東独は西独地域に比べて経済的混乱と深刻な環境問題を抱えていたものの、消費水準から見て、東側の社会主義国の中では最高の経済状況に到達していた[2]。ひとつの重要な要因は、東ブロックの社会主義諸国の中で、東独は、特に貿易面で有利な地位を占めていたことにある。一九五七年のローマ条約調印で翌年発足した欧州経済共同体（EEC—European Economic Community）では、西独からの要請によって東独は特別の地位を与えられ、西独と東独の貿易は「国内交易」とみなされ、関税その他の税制上の障壁は設けられなかった。

ナチス支配下のドイツ帝国と、戦後の旧西独との間には経済体制面で大きな断絶が存在するが、ナチス以前のワイマール共和国のドイツと戦後のドイツ連邦共和国の間には一定の連続性が存在する。「労使協議制」の一形態である「経営協議会」(Betriebsrat)や共同決定制などはその例である。他方、戦後の社会経済システムの中でも、ワイマール時代とは異なった制度ももちろん数多くある。同じ労使関係の例でいえば、労働組合の組織原理が宗教や政党イデオロギーによる分割ではなくなったことが挙げられる。これは社会党・共産党、カトリック・プロテスタント等によって組合組織が依然分かれているフランスと異なる点である。

## 通貨改革

ソ連占領地区では、すでにかなりの量の生産設備や鉄道が当局によって「賠償」という形でロシアへと運び去られていたが、西側の占領諸国は、逆に、ドイツ経済と西ヨーロッパの復興のためにはむしろ工場施設を温存し、生産を刺激し、いち早く西側占領地域内だけでも経済統合を進めるべきだとの判断を持っていた。米国と英国の占領地域が、一九四六年末に「二国ゾーン」(Bizonia)と呼ばれる統合を行い、続いてフランスがこれに加わり「三国ゾーン」（Trizonia）となった。

この過程ですでに東側のソ連占領地区からの難民が西側に流入していたため、戦後三年間で、米国の軍政府は、西側占領地区の食糧の三分の二を調達せねばならなかった。一九四八年時点では、強制労働と重点的な食糧供給で東部地区は一時的には驚異的な復興を見せた。一方、西部地区の「三国ゾーン」（Trizonia）での経済復興は緩慢で、英米占領軍の苛立ちは次第に大きくなった。

ナチス体制の下で流通していたライヒスマルク（Reichsmark）は、激しいインフレーションの進行によって完全に信用を失っていた。ドイツの終戦直後の経済が事実上物々交換体制（タバコが価値尺度と交換手段の役割を果たした）になっていたため、生産・流通過程を効率化するためには一刻も早い通貨改革が必要だという点で、西側占領諸国の認識は一致していた。しかし紙幣の印刷をどこで、いかなる政府権限の下で行うかについて、ソ連側との合意は得られなかった。全ドイツ一斉の通貨改革は無理だと判断した「三国ゾーン」（Trizonia）統治側は、ソ連占領地域を除く通貨の改革がドイツの分断を決定づけることを知りつつも、あえて通貨改革の断行に踏み切る。紙幣印刷をアメリカで行い、それをフランクフルトの（元）ライヒスバンクに送るという措置が採られた。

通貨改革の最大のポイントは、いかなる規模の貨幣供給量を既存の価格・物量とバランスさせるかという点にあった。大戦中に通貨量は約一〇倍に膨張しており、他方、物量は一九三八年水準と比べて約半分になっていた。この点を考慮して貨幣量の収縮方法をデザインした一九四八年四月十八日の「ホンブルク案」(Homburg Plan) は、占領政府側によって修正を受ける。英仏は独立した中央銀行を「三国ゾーン」に置き、レプケの思想の強い影響を受けた自由主義者ルートヴィッヒ・エアハルトを責任者に据えた。エアハルトは、社会民主党(SPD) のイデオローグであったG・クライシッヒの反対意見を論破して統制撤廃を断行し、同時に低所得層への減税策も含めた通貨改革に着手する。通常見過ごされがちだがこの減税策の威力は大きかった。

通貨改革の主内容は、現金通貨および銀行預金について、新しいドイツ・マルク (Deutsche Mark) を一〇：一の比率でライヒスマルクと交換するというもので、現金通貨と銀行預金の半分 (自由勘定分) までをただちに交換することを約するものであった。残った一〇分の一相当分は、後日、そして一〇分の〇・五は投資用資金として引き当てられた。残りの、全体の一〇分の三・五は、通貨改革のリスクを考えて切り捨てられている。その結果、実際の交換比率は一〇〇：六・五ということになった。この改革によって戦後西ドイツ経済における信用・金融の秩序が確保された。

こうした信用基盤の回復は、価格統制の停止を可能にし、自由市場での取引によって消費者需要に基づく資源配分を可能にした。家計の消費財の価格はただちに市場価格に戻り、続いて工業製品、機械類などの価格も自由化された。労働者の働きぶりも変化し、工業生産も急激に増大し始める。物価統制と配給制がいかに経済を停滞させていたのかが明らかになった。このことは、物価統制の廃止のスピードが緩慢であったフランス占領地域では生産の回復が鈍かったことにも現れている。西独の「経済の奇跡（Wirtschaftswunder）」は通貨改革によってその基礎が準備されたのである。同様の通貨改革は、オーストリアでも産業の国有化を伴いつつ断行された（通貨単位はシリング）。

このビッグ・バン的な改革によって通貨供給は収縮し、公的・私的負債の構造が明確に再編された。基本的には債権者・貯蓄者には大きな不利益をもたらし、企業家・ビジネスマンが固定的な所得で生活する者の犠牲のもとで利益を得たことになる。包括的な社会保障制度が導入されたので、こうした不利益は労働意欲をそぐことにはならなかった。むしろ通貨価値の安定は、長時間労働を刺激したほどである（銀行にとって打撃は大きかった。預金という負債は一夜にして九割以上減少したが、ライヒスマルク表示の証券で持っていた資産はほとんどすべて消失したからである）。

物資が極端に不足し大インフレの可能性があるときに、価格統制を外すことには大きなリスクが伴う。適切な通貨供給量を推定し、一挙に統制を外すことはひとつの賭けであったに違いない。この間の状況は、エアハルトの次の文章の中に生き生きと描かれている。[3]

「闇市場がまたたく間に消えた。店のウィンドウは品物で一杯になり、工場の煙突からは煙が出始め、通りはトラックで一杯になった。至るところで廃墟の沈黙がビル新築の騒音に取って代わられ始めた。回復の状況が驚きだとすれば、その迅速さはさらなる驚きであった。経済生活のあらゆる側面で、通貨改革の日に時計がトキを打つようにすべてが始まったのである[4]」

## ドイツの分断

この通貨改革について事前の説明もなく、了解も求められていなかったソ連は、「ポツダム協定」違反としてこれに激しく反発し、一九四八年六月二十四日、西側占領地区と西ベルリンとの間の河川、道路、鉄道を完全に遮断するという挙に出た。ソ連側の真の意図は、ソ連占領地区で印刷されているインフレ通貨の流入を阻止しようとするこの西側の通貨改革をストップすることにあった。こうしたソ連側の強い報復によって、西側諸国がベルリンから撤退するという可能性も計算に入っていた。しかし西側は逆に強い結束の下で、一年以上もの間、米空軍と英国のＲＡＦ（Royal Air Force）が中心となって西ベルリンへの大規模空輸作戦を展開し、陸の孤島と化した西ベルリンの三〇〇万人の住人と西側占領軍の軍人へ、食糧をはじめ厳冬のベルリンに必要な石炭などの基礎物資を輸送し続けた。西ベルリンへの飛行回数は合計三〇万回を超え、ピーク時で一日八〇〇〇トンの物資が空輸されたという。まさに常軌を逸した「大空輸」作戦（Operation Vittles と呼ばれた）の成功である。

このような劇的な手段が採られる中で、西ドイツ各地域は憲法の伝統に従いつつ各代表を選出し、敗戦後四年を経てついに一九四九年九月に「ドイツ連邦共和国」を成立させた。その直後、それを待っていたかのごとく、ソ連は同年十月、「ドイツ民主共和国」を成立させた。

西ドイツは、マーシャル・プランとその大規模の受け入れ機関であるOEECに完全に組み込まれることによって、経済復興の道をまっすぐに歩み始める。ヨーロッパ連合がそのまま成立するという形にはならなかったが、いくつかの重要な経済制度が、西ヨーロッパにおいてOEECによって生まれたことは注目すべきであろう。欧州支払い連合（EPU—European Payments Union）はそのひとつである。これは戦後のヨーロッパ貿易増進のボトルネックであった「外貨（特に米ドル）不足」を解消するための制度で、米国からの五億ドルの基金をベースに一九五〇年九月に創設されたものである。EPUによって欧州域内の貿易がスムーズに進むようになった。欧州域内の貿易の進展によって、ヨーロッパは徐々に米国やその他の国々への経済的依存度を弱めることが可能になったのである。欧州内および欧州外との貿易量の増加によって、一九五八年に通貨の交換可能性の回復と多角的貿易が達成される。これを機にＥＰＵは解消された。そしてＯＥＥＣが一九六一年にヨーロッパ一八ヵ国に米国・カナダを加えＯＥＣＤ（Organization for Economic Cooperation and Development）へと発展的に解消するのである。

すでにふれたように、マーシャル・プランがどれほどドイツの「経済の奇跡」に効果があったかは必ずしも明らかではない。しかし朝鮮戦争、そして一九五〇年代の熟練工の東独からの流入は、いずれも西独経済にとっての好条件を与えたことは確かである。しかし回復過程（谷が深ければ山が高くなる）という意味で、西独が圧倒的な高成長を示したのは、一九六〇年までの一〇年間であった。一九五一年、一九五五年の経済成長率は一〇％を超えており、一〇年間を平均すると、実質成長率は八％になる。六一年からは成長率は低下し、特に一九六七年には大きな景気後退があったため、六〇年代は四・四五％と成長率は半分近く低下した。しかし、一九七三年の第一次石油危機までは、西ドイツはほぼ順調な成長経路をたどったことになる。一九七一年から八〇年までの一〇年間の平均年成長率は二・七四％と、さらに低下する。他の欧州諸国と比べると、ドイツは、銀行と産業界との密接な関係、安定的な物価、消費者信用の制限、投資奨励、税制などによって、低インフレ・低失業の高成長を達成したというのが通説である。ただし、各々の制度と政策がどの程度、戦後ドイツの経済成長に貢献したかを測定することは難しい。

失業率統計を見ると、一九五〇年にはまだ一九〇万人近い失業者がいたことが記録されている（失業率八・一％。これは、ヒットラーが政権の座につく前年の一九三二年の五六〇万人〔失業率二九・九％〕に比べると格段に低い）。しかし五年後の一九五五年には失業率は四・二％に低下し、それ以後、六〇年代から石油危機までの一五年間は、実に一％を切る労働市場の逼迫《ひっぱく》ぶりを示し続けたのである。これはまさに「完全雇用」の状態にあったということである。しかし一九七三年と七九年の二つの石油危機を通して、ドイツの失業率は、他のヨーロッパの先進国同様、急激な上昇を示す。一九五〇年から一九八〇年までの西独の製造業労働者の名目賃金と実質賃金を（一九七六年をベースとして）指数化すると、この三〇年間で名目賃金はほぼ九倍、実質賃金は三倍以上になったことがわかる（Statistisches Bundesamt〔308〕）。

一九五〇年代と六〇年代の欧州経済全体の復興、特にドイツの「経済の奇跡」は労働力需要を拡大させ、ドイツを労働力不足型経済へと転換させた。こうした事情は、フランス・スイス・ベルギーでも同様であった。ドイツをはじめこうした国々は、ポルトガル・スペイン・イタリア・ギリシャ・ユーゴスラヴィア・トルコ・北アフリカから多くの移民労働者（ドイツではガストアルバイター〔Gastarbeiter〕と呼ばれる）を受け入れ、自国の労働力不足を補った。これら労働者たちの一部は、一時的・季節的な労働力として受け入れ国の経済の中に組み込まれたが、多くの労働者は、永住者として同化することになる。

この間の動きのうち、ドイツの経済と社会の変化を象徴するような指標を二つほど取り上げておこう。ひとつは西独における社会保障関連の支出の大きさである。それをGNPとの比率で見ると、一九七〇年代に総額・比率ともに社会福祉関係の予算が大幅に膨らんだことがわかる。教育に関しても同様なことがいえる。特に高等教育における学生数は一九七〇年代の一〇年間で、総数は倍増している。従来のドイツは、大学生はエリートであり進学率も米国に比べ低かったが、七〇年代に大学進学率が急上昇し、高等教育の門戸が多くの若者に開かれたのである。

### マルクの切り上げ

通貨改革後の旧西独の金融政策を通観すると、金融政策と通商政策（特に為替レート）が「物価安定」という点で不突合を起こすと、連邦銀行の政策当局者は概してデフレ圧力をかける方を選んできた。日本に比べてGNPの輸出依存度がはるかに高かった西独は（六〇年代後半の平均で見ると日本は一〇％弱、西独は一八％）、貿易収支の大幅な黒字の解決策として、マルクの切り上げというデフレ策を選んだのである。これは大幅な貿易収支の黒字という似た状況にあった日本が、拡張的なマクロ経済政策を選んだことと対照的である。日本は一九六八―七三年まで黒字が続いた際、米国・IMFからの円切り上げのプレッシャーがあったにもかかわらず応じなかった。

一九六九年末のドイツの平価切り上げ（九・三％）をめぐる政府と連邦銀行の対立を見てみよう。一九六六年後半からドイツの不況は始まるが、それ以前に金利はかなり高水準に達していた。一九六六年十二月、エアハルト首相が辞職した後、一九六七年、ドイツは戦後初の大型不況を経験する。連邦銀行は割引率を引き下げる。ところが、一九六八年の資本流入と貨幣供給の膨張に対して、一九六九年、連邦銀行総裁K・ブレッシングは、「輸入インフレ」を防止するために〔経済諮問委員会〔SVR〕と経済相シラーと同じ視点から〕平価切り上げを主張した。しかし平価を決めるのは、連銀ではなく政府である。キージンガー首相やシュトラウス大蔵大臣はこの切り上げ策に猛反対する。[5]

シラー経済相は、為替の変動、国際資本移動、貨幣供給のコントロールこそが自由主義経済の核心をなすレジームであると考えていた。財政政策は不況対策として用いるというシラー経済相の政策思想は、一九六九年十月の連邦選挙でも、切り上げという点で国民からの支持を受けた。[6]選挙に勝利すると、ただちに政府は、巨額の資本流入に対してドイツ・マルクを一時的にフロートさせるという連邦銀行の勧めに同意した。その結果、マルクは上昇したため、新政府は結局マルクを切り上げて為替を固定させることになる。この過程で、フランス側の切り下げと、ドイツ側の切り上げとの駆け引きがあったことは言うまでもない。

他のヨーロッパ諸国の国際収支の状態はどうだったのだろうか。一九六〇年代前半のイタリアと六〇年代後半のフランスはともに国際収支の赤字問題に苦しんでいた。イタリアでは多発する労働争議による賃金の大幅な上昇が消費支出を増加させ、利潤への分配率の低下は投資を停滞させた。輸入の増加は国際収支の大幅な悪化を招いた。しかしイタリア政府はリラの切り下げを回避し、引き締め政策のデフレ効果を耐えようとした。一方フランスは、すでに一九五八年にフランの切り下げを行っていたため、六〇年代は国際収支問題を回避できたかに見えた。ド・ゴール大統領は、フランス・フランを第二の国際準備通貨に位置付けたいという野望を抱いていたといわれる。しかし一九六八年の「学生の反乱」あたりから、ド・ゴールの国内政治と政策への不満が爆発し、投資と輸出を優先させる政府の経済政策への反発が労働者の間で強まっていく。

その結果、フランスでも賃金の大幅な上昇によって混乱を解決するという手法が取られた。イタリアの場合と同じく、賃金の上昇は輸入を大幅に増やし、フランスの外貨準備を著しく減少させることになった。中央銀行の金利引き上げ、緊縮予算など、金融財政政策面での手は打たれていたため、フランス政府に残された手段はフランの切り下げであった。しかしド・ゴールは通貨切り下げを認めようとはしない。一九六九年六月にポンピドゥーが新しい大統領に選出された段階で、ドイツのシュトラウス蔵相は「フランスを欧州統合に背を向けさせてはならない」という配慮から、ドイツ・マルクの切り上げによって、フランスの苦しい立場に手を貸す形で先に述べた「マルク切り上げ」を断行するのである(7)。

他方、一九六〇年代を通して国際収支問題を終始引きずり続けたのは英国であった。一九五〇年代から、英国政府の需要管理政策は、第三章で述べるように輸入増加という形で国際収支に過大な圧力をかけ続けていた。しかし英国経済の供給面、特に労働組合の賃上げへの強いプレッシャーをいかに調整するかという問題は未解決のままであった。教育訓練、研究開発への税制面での優遇措置、投資優遇税制など、さまざまな政策手段が動員されたが、英国経済が力強い成長力を示すことはなかった。労働党政権は、過去にも平価切り下げを行ってきたこと、ポンドの価値低下が世界の金融センターとしてのロンドンの信用を傷つけることを恐れながらも、一九六七年十一月、ポンド切り下げを断行する。

このポンド切り下げは、ブレトン・ウッズ体制終焉の予兆であったと見ることができる。米ドルに次いで外貨準備用の通貨としての役割を果たしていたポンドが、切り下げを回避できなかったことの意味は大きかった。一九六〇年代に入ると、国際資本移動も以前にもまして活発になり始めており、ブレトン・ウッズ体制の終わりがそう遠くないことを感知させた。

註

（1）Zank（1984）は一九四五―一九四九年の時期の西独とソ連占領地区との経済状況を比較している。一九四五年の終戦直後の時点をとれば、東のソ連占領地区の方が経済のパフォーマンスはましであったとしている。Roesler（1991）も初期の東独の計画経済のパフォーマンスに一定の評価を与えている。

（2）一九八五年時点での東独の一世帯当たりのTVセット、冷蔵庫、洗濯機の台数を見ると、それぞれ〇・九三、〇・九九、〇・九二という水準に達している。Berghahn（1987）p.293 の Statistical Tables を参照。

（3）Erhard（1949）p.13. この訳は Lacksman（1978）からの重訳である。

（4）同じ光景は Wallich（1955）にも描かれている。

（5）Yeager（1976）(pp.500–515) による。

（6）切り上げに関して、CDUとSPDの連立政権内は分裂していたが、SPDとFDP（自由民主党）の連立政権が成立した。

（7）Eichengreen（2007), pp.238–242.

# 第三章　混合経済の成長過程

## 第1節　日米の経済競争

日本の約二倍以上の人口と二五倍の国土を持つ大国米国が、技術開発や貿易において日本と厳しいライバル関係になることを、第二次大戦が終結した時点で予想した者はいなかった。しかし二〇世紀も最後の四半世紀に入る時点には、米国と日本は激しい競争関係を通して国内総生産が世界第一位と第二位の経済大国として肩を並べるようになる。日本は、スイス、ルクセンブルク、ノルウェーなどヨーロッパの小国を別にすれば、一人当たりの国内総生産に関して米国やドイツを抜いて世界第一位に躍り出たのである。

米国は、第二次大戦が終わった段階で人口は世界の六％にすぎなかったが、総生産では約半分を占めるほどの超経済大国になっていた。もっとも、すでに十九世紀末に米国経済は世界最大規模を誇っており、第一次大戦も大恐慌も、米国の政治と経済には致命的なマイナス要因とならなかった。他の工業諸国も一九三〇年代に同様な辛酸をなめたわけであるから、相対的には米国経済の低迷度合いは軽微であったといえる。

第二次大戦中に米国経済はかなり高い成長率を示した。一九三八年時点を一〇〇とすれば、戦後三年経った一九四八年の米国の実質ＧＮＰは一六五で、いかなる国よりも高い値を示している。英国（一〇六）、フランス（一〇〇）、ベルギー（一一五）などの数値と比べてこの高さは例外的ともいえる（ちなみに敗戦国のドイツは四五、イタリアは九二、そして日本は六三である）。米国は第二次大戦をはさんだ一〇年間で、六五％も成長したのである。

一九五〇年代に入っても米国経済は成長を続けたが、ヨーロッパ諸国や日本の成長率が米国を大きく上回ったため、米国経済の凋落論が囁《ささや》かれる。こうした悲観論が生まれたことには一理あるが、事態はそう単純でも一面的でもなかった。確かに二〇世紀末の時点で米国の総生産が全世界の二五％という数字は、第二次大戦終結時の五〇％という数字と比べると、米国経済の相対的ウェイトは低下している。しかしいまだに生産総額世界第一位の国であり、技術の重要分野では米国がリーダーシップを発揮していることには変わりはない。ただいくつかの産業分野、特に米国が圧倒的優位を誇った産業において、一九六〇年代以降に日本の激しい追い上げにあった。

米国がテクノロジーの面で抜きん出た優位を保持した時期は、「第二次大戦後の二〇年間」

と考えるのが妥当であろう。この二〇年間で、他のOECD諸国も、米国のテクノロジーを採り入れて、急速に技術力を伸ばした。ここで重要なのは、米国以外のOECD諸国が、米国同様にテクノロジーのフロンティアに近づいたということである。テクノロジーのレベルが相互に接近し始め、国と国との間で経済的・技術的環境が似てくると、先端のテクノロジーを移入しやすくなる。こうしたOECD諸国間のテクノロジー水準の接近は、米国にとっても大きな利益をもたらした。その最大のポイントは、「米国発」の技術がヨーロッパや日本に移転され、ヨーロッパや日本で労働節約的あるいは資源節約的技術改良がなされて米国へ再移入されるという点にあった。

しかし同時に、米国と他のOECD諸国との間で技術水準が接近したことは、いくつかの分野で激烈な経済競争を生み出し、その結果、米国の技術面での優位性を奪い去るというケースも発生した。そして日本とヨーロッパの生産性は上昇し、一九七〇年代に入ると米国は生産性の相対的低下に苦しみ、再び米国経済の危機が囁かれることになる。米国の製造業の中でそれまで主導的な位置を占めてきた鉄鋼業と自動車産業の衰退を見ておこう。

### 鉄鋼業の場合

鉄鋼は二〇世紀の経済発展の中心的位置（日本では鉄鋼は産業の「コメ」と呼ばれた）を占

めた産業である。一九五〇年時点をとると、米国は世界の粗鋼生産の四六・六％にあたる約一億トンを生産していた。しかし三〇年後の一九八〇年時点では、生産総量は約一・一億トンで微増したものの、世界シェアでは一五％に激減する。アメリカの鉄鋼業界は日本、ヨーロッパ、カナダ、ブラジル等からの安価で良質な鉄鋼の輸入攻勢に苦しみ、結局、世界におけるシェアを大きく低下させたのである。

鉄鋼業界では二つの大きな技術革新が一九五〇年代に現れている。ひとつはオーストリアで開発された酸素上吹転炉法（ＢＯＦ―basic oxygen furnace）、もうひとつは連続鋳造法（continuous casting）の大型プラントである。これらの技術革新に対して、米国の鉄鋼業界は一九五〇年代に抜本的な新プラントの建設で対応しようとはせず、旧技術に固執しつつパッチワーク的な技術改良で生産性の向上を図ろうとしていた。ＢＯＦは、米国では一九五四年に小規模な McLouth Steel がデトロイト工場で導入（五四万トン）し、次いで一九五七年に、Jones & Loughlin が六七万トンの設備を稼動させただけであり、米国内で酸素上吹転炉が主流になるのは一九六〇年代に入ってからであった。こうした新技術導入の遅れの原因は、ひとつに米国内ではすでに大手鉄鋼会社が平炉（open hearth furnace）建設のために巨額の投資をしてしまっていたということ、そして製鋼設備のための資金調達が困難だったということがあった。その結果、一九四六年段階で全米の粗鋼生産能力の八八・四％を平炉法が占めていた。しかし一九五五年段階でも、依然八七・八％のままという遅れを示すことになった。

それに対して日本は一九五六年頃から、平炉を廃棄し、連続処理が可能な転炉の建設を選んだ。その結果、米国より三割ほどのコスト安で、連続処理の転炉を用いて日本は国内生産の五割以上の粗鋼を生産できるようになった。鉄鉱石や石炭・コークスを輸入しつつ、国際市場でも低価格で良質の鉄鋼を輸出し始める。米国の経営者側はこうした技術的劣位を察知せず、外国の粗鋼は、低賃金労働とダンピング、不公正貿易慣行によって米国鉄鋼業を脅かしている、という理由で政府に保護政策を求め、それを実現させる。一九七七年段階で、日本は年間二〇〇〇万トンの生産能力を持つ二五の溶鉱炉を所有していたのに対して、米国はこの規模の生産能力を持つプラントはゼロという状態になった。

もちろん米国の鉄鋼業の凋落を、経営者の「技術的要因の軽視」だけに帰することはできない。ティファニー（一九八九）が指摘するように、政府の対応、BOF技術の導入に反対した労働組合にも責任はあった。しかし経営側が自社の技術面での立ち遅れを直視せず、免税措置や連邦補助金の導入のためのロビー活動の方に多大のエネルギーを注入した責任は大きい。当時の連邦政府が、鉄鋼産業に大きく肩入れして保護政策を展開したのは、朝鮮戦争以後の冷戦の深まりと大きく関係していたという指摘もある。

このような労・使・政府の対応の結果、一九五九年、二〇世紀に入ってはじめて、米国は鉄鋼に関して輸入超過国に転ずる。そして一九六四年には日本が新技術のBOFで四四％生産していたのに対し、米国はわずか一二％という状態になったのである。その時点で米国の鉄鋼生産能力の半分のシェアを占める鉄鋼トップ六社が、いまだいずれもBOFを所有していない状態であったから、こうした数字は当然といえよう。その後、米国鉄鋼業は外国との競争によってますます後退し、ヨーロッパと日本に対して米国市場での「割り当て」を行う自主規制（Voluntary Restraint Agreement）を求め（一九七五年には廃止）、続いてトリガー価格制度が導入された。

少し先を急ぐことになるが、一九八〇年代の米国鉄鋼業の悲惨な状況を付記しておこう。鉄鋼業は一九八〇年には六〇万近い労働者を雇用していたが、九〇年には半数以下の二八万人にまで減少するという苦しい雇用調整を強いられた。この間、鉄鋼業の職種の構成内容はかなり変化した。生産ラインの労働者はもちろん、ブルーカラーの監督職、メンテナンスや検査員などの熟練工や監督的職務の人々も減少した(1)。雇用調整の対象から外れたのは、高度専門職種に分類されるエンジニアぐらいであろう。

一九八〇年代に閉鎖された事業所、ベツレヘム・スティールのケースを見てみよう(2)。ベツレヘム・スティールが一九八三年にニューヨーク州のプラントを閉鎖して三年後、ニューヨーク州労働省は、州の失業保険受給者でもある二八三九名の同社旧従業員の特性とその後の動向に関する調査を行っている（約四五％〔一二九五名〕の回答率）。この調査報告書は六〇―七〇年代の米国鉄鋼業の雇用調整面での苦難の様子を次のように雄弁に語っている。

①まず失職したベツレヘム・スティールの従業員は驚くほど高齢化していたということである。八〇％が四五歳以上で、年齢の中位数は五二・〇歳、これは当時のニューヨーク州の労働力人口の年齢の中位数三八・四歳と比べると、いかに高齢化が進んでいたかを示す。衰退産業の労働力が高齢化するのは当然であるが、アメリカの場合はさらに別の理由が加わる。それはベツレヘム・スティールをはじめ多くのアメリカの鉄鋼業は、一九七三、七四年の生産のピークを過ぎた後、幾度もレイオフを強いられてきたため、先任権制度によって勤続年数の短い従業員、若い従業員がプラントを去り、勤続の長い高齢者が残ったからだ。したがって、実に従業員の七五％が勤続二五年以上となっている。産業構造の転換による雇用調整は、高齢者にも及んだことがわかる。

②従業員の八二・〇％はブルーカラーであるが、閉鎖時のベツレヘム・スティールの従業員は学歴において、ニューヨーク州平均と比べて著しく低かった。高卒より低い学歴（すなわち中卒ないしは高校中退）が四三・八％を占め、高卒者四三・〇％とほぼ同じ割合を示していた。

③こうした特性を持つ従業員は、工場閉鎖によってその後どのような就業経験をしたのだろうか。要約的にいうと、九〇％以上が求職活動をしたが、結果としては半数以上が職にありつけず、調査時点でいまだ求職中ないしは、市場からリタイアしてしまったと報告されている。就業した者は、かなり精力的かつ集中的に求職活動をしており、学歴の高い層（高卒以上）の就職率が高いことが注目される。入職した産業で見ると、週三五時間以上働いているグループは製造業が一層高く、週三五時間未満の（いわゆるパートタイマー）労働に従事している者はサービス業が一番多い。職種で見ると「専門的・技術的・監督的」職種が一層再就職率が高い。

④就業していないグループは、高齢で学歴が低く、求職活動をあまり熱心にしなかった層という予想通りの結果が読み取れる。

鉄鋼業の衰退は、米国における主役産業の交替劇であったが、この報告書からも明らかなように、労働力の厳しい調整（解雇や再就職のための訓練）という激しい痛みを伴う過程であった。労働力の調整が特に労働力全体のどの層に集中するのか、そしてこの負担がその層（あるいは企業内システム全体）にどのような困難をもたらすのかをこの調査は明確に示している。

## 自動車産業界をモデルとする労使関係

近代の製造業技術を総結集してつくられる乗用車に関しても、日本と米国の間の熾《し》烈《れつ》な競争があった。自動車そのものの考案も実用化も、その初期の歴史はフランス・英国といったヨーロッパの国々を主な舞台として展開された。しかしガソリン・エンジンの性能向上を中心とした製造技術、および大量生産方式は、二〇世紀の米国で花開いた産業技術である。自動車産業は米国にとって二つの点で「国民的産業」であったといえる。第一に、周辺産業を含めると生産、輸出、雇用面で米国経済を支える重要な位置を占めてきたということ（自動車関連産業の就業者は労働力の一七％という推計もある）、第二に、自動車産業における労使関係が、米国の雇用労働者と使用者の関係を規定するモデルケースと考えられてきたということである。この労使関係の枠組みは、「デトロイト条約」と呼ばれ、レーガン政権以前の米国の産業界の代表的な体制と考えられてきた。まず前者から、「日本との競争」という側面に注目しながら見てみよう（以下の数字はいずれも *Statistical Abstract* 各年参照）。

二〇世紀初頭のT型フォード以降の大量生産方式は、その後の自動車の製造技術と普及において決定的役割を果たした。しかしその自動車も、米国が技術的に優位にあったのは一九六〇年代までである。一九六〇年代段階で、米国は乗用車六〇〇万―七〇〇万台を生産し、世界の約五割のシェアを確保していたが、二〇年後の一九八〇年時点では、生産台数はほぼ同じ水準を維持しているものの、世界の生産シェアとしては約二割に転落している。先に述べた鉄鋼業と似たような衰退のパターンである。

自動車業界は「ビッグ・スリー」と呼ばれるGM、フォード、クライスラーの三社が、一九三〇年代から戦後を通して安定的な寡占体制（戦後は国内生産の九割以上）を形成していた。と同時に、「ビッグ・スリー」の寡占体制の継続は、多くの群小自動車メーカーを市場から駆逐してきた。しかしその寡占体制も、次第に輸入車によって崩されていく。一九四六―五〇年平均では、米国内の自動車市場は、九九・八％が国内車によって占められていたが、一九七六―八〇年平均では、八〇％に後退している。

米国の乗用車の輸出は一九六〇年と一九七〇年の間に、一二億ドルから三六億ドルに増加しているが、同じ期間に、それまで少なかった輸入もそれ以上の高率で六億三三〇〇万ドルから六〇億ドルに増加している。その結果、米国内の乗用車購入のうち輸入車が全体の三分の一を占めるに至る。その輸入車の多くは日本車であった。

米国市場に輸入車が浸透する過程で、いくつかの注目すべきコスト低減と品質の向上が日本側に起こっている。その第一は、プレス工程が自動化されたことである。第二は、材料の在庫管理の方法が進み、生産ラインの組み方も向上したため、材料歩留まりが改善され、材料費が著しく低下したこと。第三は、下請部品メーカーの設備の自動化が進み、部品の専門メーカーとなり、大きく生産性を上昇させたことが挙げられる。

さらに一九七〇年代にも、日本の自動車製造業は、いくつかの技術開発に成功し、世界市場での需要を大きく伸ばしている。ひとつは、排出ガス低減や騒音防止のための研究開発が進み、日本が世界で最も厳しい環境規制基準を満たす技術国となったこと。そしてNC工作機械、自動検査機などエレクトロニクス技術を基礎とした最新鋭の設備が開発導入されたこと。さらに、七〇年代初頭には、溶接工程にロボットが導入され、続いて車体、鋳造、鍛造、塗装部門もロボット化される。その結果、デザインの好みは別として、燃費の良さ、故障の少なさも含めて、日本の自動車産業は世界のトップレベルの技術を誇るに至る。その結果、一九八〇年には、アメリカを抜いて年産一〇〇〇万台という世界第一位の自動車生産国になるのである。

米国の「乗り遅れ」にはもうひとつの重要な側面があった。それは米国自動車メーカーが消費者の需要のシフトを十分読み切れなかったという点である。一九七〇年前後から増加した米国への輸入車のほとんどは、いわゆる「小型車」であった。この小型車の浸透によって米国自動車産業は衰退したともいえる。アメリカ自動車業界は小型車への需要のシフトに対応するための技術転換を迅速に行わなかったからである。この消費者の需要シフトには、はっきりとした経済的要因があった。それは一九六〇年代中葉からのインフレーションの進行によって、米国の消費者の実質所得が目減りしたため、国内産の車ではなく、インフレの影響のなかった外国車へと消費者需要がシフトしたのである。フォルクスワーゲン、トヨタ、ダットサンなどが、実質所得に見合った経済車として米国民に好まれるようになった。

そこへ一九七三年の第一次石油危機が追い打ちをかけた。ガソリン価格が急騰し、消費者にとって、燃費（燃料ガロン当たりの走行マイル数）が自動車購入の際の重要な選択基準となり始めた。そして結局七〇年代末には、米国の自動車メーカーも超小型車の生産を開始せざるを得なくなる。他方、米国市場では、ガソリン価格が再び低下したこともあって、大型車需要は依然として継続する。と同時に、七〇年代末から外国の自動車メーカーが大挙して米国で生産を始め、自動車産業界自体が、一種の国際的なコングロマリットと化し、関税をはじめとするさまざまな保護政策をくぐり抜ける戦略を採り始める。

ちなみに航空機産業でも、高い開発コストと高いリスクという技術に伴う固有の性格ゆえに、米国の一国優位性は崩れ去った。これは鉄鋼や自動車のように、単に技術面でのリーダーシップを失ったということではなく、技術開発自体に伴うコストとリスクの大きさが米国の一国優位性を奪ってしまった例である。こうしたケースは、航空機産業だけではなく、「開発コストが高いだけではなく、急速なテクノロジー発展があり、リードタイムが長く投資コストの回収に時間がかかる産業」に同様に観察される。このような性格を持つ技術は、陳腐化が早く起こってしまう。さらにプロダクト・サイクルの短い製品の開発も、同じような理由で大きなリスクを伴うために、一国だけでその技術の優位性を保つことは困難なのである。

一九七〇年代から、米国の主要産業は世界市場の中でシェアを次第に縮小し、日本やヨーロッパ、あるいは八〇年代後半からはアジアの新興工業国（NICs）と貿易摩擦を引き起こす。この点については第五章第3節で述べる。

## 「デトロイト条約」から「ワシントン・コンセンサス」へ

自動車産業が、米国の経済界に与えた第二の重要な影響は、労使関係における交渉の形態である。全米自動車労働組合（UAW—United Auto Workers）委員長のW・P・ルーサーは、一九五〇年段階で、「ビッグ・スリー」の経営側と五年タームの契約を結ぶことに成功する。その内容は、組合側は経営者側に対してストライキを打たないことを約束し、疾病、失業、年金の給付などと引き換えに、それまでの交渉権を手放す、そして有給休暇を増やし、賃金を生計費の変動に調整する（COLA—Cost-of-Living Adjustment）というものであった。この契約はその後の自動車産業の労使関係を長い間にわたって規定してきたスキームであり、米国の他産業にもモデルとして取り入れられた。

「デトロイト条約」は、その後レーガン大統領が登場するまでの三〇年ほどの米国の所得格差の拡大を防ぐ枠組みとして作用した。経済史家のP・テミンは、一九七〇年代の停滞期までは米国内の所得格差が拡大せず、雇用者所得が、学歴を問わず、一様にすべて上昇していることを示している。八〇年代のレーガン政権による規制緩和（deregulation）の時代に入るまでは、「デトロイト条約」が十分機能したのである。アメリカの中産階級は増加し、社会的移動も盛んであった。賃金（雇用者所得）の分配率は上昇したのである。(3)

一九七九年八月、カーター大統領によって連邦準備制度理事会議長にポール・ヴォルカーが指名された。そして翌年、そのカーターを大統領選で破ったのがレーガンであった。彼らは緊縮と規制緩和を実施し、大幅な減税政策を打ち出す。ここで従来の「労・政・使」の三者の交渉枠組みによる労使交渉の場から、「政」が退場することになる。ヴォルカーの緊縮政策でインフレは終焉するが、「デトロイト条約」の終焉によってその後労働側は交渉力の弱い位置に置かれる。一九八一年に一三・五％であったインフレは、一九八三年には三・二％へと終息に向かったものの、利子率は高止まりのまま（ピーク時は二一・五％）であったため、実質利子率は上昇し、米ドルの証券需要を増やし、ドル価値の上昇を招いた。その結果、米国の輸出はますます困難になってゆく。高い利子率はすべての産業の利潤率の高い投資機会を制限して、人々を企業買収などの「テイク・オーバー・ポリシー」へと走らせたのである。

元来、シャーマン反独占法などの影響もあって、米国の労働者の労働組合組織率はヨーロッパに比べて低かった。ノリス・ラガーディア法やワグナー法が制定された一九三〇年代でも、わずか六、七%、ピーク時の一九五〇年代中葉でも二五%を記録したにすぎない。その後、公共部門での組織率が上昇したものの、全体としての数字は低下の一途をたどっている。組合組織がヨーロッパのように中央集権化しておらず、政党による系列化もない。あくまでローカル・ユニオンの権限の下で、企業単位での賃金交渉が進むのが普通であった。それでもレーガン政権の登場までは、全国レベルの交渉が実質的な意味を持ったのである。

この点で、「デトロイト条約」の終焉は規制緩和に走るアメリカ経済に「ワシントン・コンセンサス」と呼ばれる市場重視型の枠組みを与えたことになる。この点については改めて第五章第4節で論じる。

註

(1) U.S. Department of Labor, Bureau of Labor Statistics, *Career Guide to Industries*, September 1992.

(2) New York State Department of Labor, *Bethlehem Steel : Impact Study*, July 1988.

(3) Levy, Frank and Peter Temin, "Inequality and Institutions in 20th Century America,"

Working Paper 07-17, May 1, 2007, Massachusetts Institute of Technology, Department of Economics.

## 第2節　雇用法とケインズ政策

戦後、ヨーロッパやアジアへの経済援助に多額の財政支出を行ってきた米国政府が、国内で直面していたのは、インフレや失業に対して政府がいかなる「責任」を引き受けねばならないのかという経済政策の根本にかかわる問題であった。この問いは、単なる米国内の政策選択問題にとどまるものではなく、米国が基軸通貨（先に述べたＩＭＦの「介入通貨」）である米ドルの供給国としての役割を世界経済の中で担うことになった点と強く関係している。この論理を説明しておこう。

### 基軸通貨国の責任

現代のリベラル・デモクラシー国家の国民は、政府が財政政策や金融政策を発動して、インフレを抑制し失業をなくすること（いわゆる「マクロ安定化政策」）は政府の当然の任務と考えている。しかし、一九四〇年代まではこれは決して「理の当然」ではなかった。事実、一九八〇年代のレーガン政権の下では、この「マクロ安定化政策」への疑念が再び強まったことがある。

大恐慌期の米国の財政金融政策は無力であっただけでなく、財政は拡大せず（一九三七年には政府支出は削減されている）、連邦準備制度理事会の金融対応はマネー・サプライが減少するといった、ほとんど逆効果とも言えるような政策が打たれた。雇用の拡大のための政策はほとんど効力がなく、強力な効果を発揮したのは戦時の政府支出の増大であった。実際、一九三九年には約一七％であった米国の失業率は終戦の時点では二％に低下している。第二次大戦期の軍事支出が雇用増大にきわめて効果があったということは、実に説得力の強い経験的事実であった。一九四六年二月にトルーマン大統領によって署名された雇用法（Employment Act）は、こうした歴史的経験から生まれた法律で、世界ではじめて完全雇用（full employment）という用語を使用しようとした公式文書であった。この法律は、最初、Full Employment Act として提示され、連邦政府は完全雇用を達成するために、その権限においてあらゆる手段を講じなければならないと規定するものであった。完全雇用は米国民に保証された権利であると謳われていたのである。しかしこの full employment という用語法には強い疑義と反対意見が出された（実際は修正を受けてこの表現は employment opportunities, including self-employment, for all who are able, willing and seeking to work となった）。完全雇用は、大戦後に兵役を解かれて労働市場に参入した者が多かったため、労働力の供過剰（失業者）が発生し、軍事支出も削減されるために大不況が到来することへの「歯止め」として用意された政策目標であった。[1] ちなみに英国の一九四四年の雇用政策白書（Employment Policy White Paper）では、財政赤字によって政府が高い安定的な雇用を維持することにコミットするとしている。

こうした政策目標について見ると、裁量的財政政策が本格化するのは一九六〇年代である。それ以前は、税制の「自動安定化装置」が景気対策の主流であった。すなわち景気の悪いときには税収が減り、景気が良くなれば税収が自然に増加するという関係によって、景気の刺激と抑制が自動的に作動するメカニズムである。そして裁量的に行われる財政政策は、経済安定化以外の目的でなされるケースがほとんどであった。例えば一九四八年の所得税減税は、不況対策というよりも、低い所得税（小さな政府）への米国民の強い嗜好のためという側面を持っていた。この減税はトルーマン大統領の抵抗を無視したものであった。トルーマン大統領がこの減税に反対したのは、すでに始まっていた冷戦の戦費の調達をどうするか、そして減税自体が持つインフレ圧力への不安からであった。さらに一九五七年から五八年、一九六〇年から六一年の不況においても、「不況対策」という目的を棚上げし、アイゼンハワー大統領は、インフレ懸念から緊縮的な金融財政政策の方を望んだほどであった。

にもかかわらず、何ゆえに米国は、財政・金融政策によって経済の循環的浮沈を可能な限り避けることを余儀なくされるようになったのか。一九四六年の雇用法は、基軸通貨供給国としての米国の世界における責任を果たすための政策として生まれた。大戦中の米英の通貨交渉の主眼目は、米ドルが世界の基軸通貨としての役目を果たすなら、米国経済を安定化させることが不可欠であるという英国側からの強いプレッシャーが存在した。その要請に応ずるために、米国は小さな政府の伝統から離れて、国際収支バランスをコントロールしなければならない。つまり輸入超過によって「適度に」ドルを世界経済全体に注入し続けなければならなくなった。この「適度に」というデリケートな調整技術には、後に第五章第１節でふれるある種のディレンマが含まれていた。

他の国々が米ドルを獲得できるよう、米国が安定的な輸入水準を維持するためには、輸入を含めた有効需要の水準を一定程度安定的に維持しなければならない。もし、これができないとすれば、米国は世界の他の国々の「ドルを稼ぐ能力」を制限し、それゆえドルにバックアップされた世界の通貨価値を持続する能力をも制約することになる。米国はドル不足による「不況」を外国に輸出することになるからである。ＩＭＦは新しい通貨協定を取り決め、戦後世界は米国財務省から直接にドル供給を受けることを期待した。

実は一九四六年の雇用法（Employment Act）は、こうした諸外国の米国への要求に対する米国側の「ジェスチャー」でもあった。外国からの圧力なくしては、米国が法律によって「失業を阻止するよう経済をコントロールすること」を決めるなど、およそ想像を超えていたといわざるを得ない。こうした経緯で米国は、ケインズ政策の採用を余儀なくされたのである。この姿勢は、基本的に政権の政治的立場や政策思想にかかわりなく継続する。事実R・ニクソン大統領は、一九七一年一月四日のテレビ・インタビューで「私も今や経済学ではケインジアンです」と答えたほどであった。

しかしその後の事態は、必ずしも米国のケインズ主義宣言の公約通りには進まなかった。米国は連邦政府の財政政策によって失業もインフレも完全に解消することができなかったのである。一九六五年にフランスのド・ゴール大統領が金本位制への復帰を唱え始めたのは、この米国のドル管理（すなわち総需要管理）の「無能さ」への反発からであった。米国の国際収支は大幅な赤字を計上し、世界にドルを「たれ流し」続け、自国のインフレを外国へ輸出するようになる。こうした事態によって、一九七一年八月、当時の米国大統領ニクソンは、米国の金とドルとの公定価格による交換停止を宣言する。これがブレトン・ウッズ・システムの崩壊の始まりであった。

## 米国のインフレーション

すでに一九六五年あたりから、米国ではインフレーションが問題化し始めていた。このインフレは結果として一九八二年頃まで持続し、この間米ドルの価値を三分の一ほどに下落させるほど執拗なものであった。平均すると年率六・五％のスピードで米国の物価は上昇し続けたことになる。このインフレーションの最大の原因は、一九六四年から六八年までの間、L・ジョンソン大統領によって推し進められた福祉プログラム「偉大な社会（Great Society）」実現のための巨額の財政支出である。第二の原因は、一九六四年から米国政府がベトナム戦争に長期にわたるコミットをしたこと（最大時で五〇万人の地上軍の投入）により派生した財政負担である。これら二つの政策選択はインフレの原因となったと同時に、この高率のインフレによって、これらの政策の財政負担を政府が結果として軽減したという側面もあった。これらの財政支出を増税によってまかなうという方法もありえたからだ。

ケインズの理論からすると、こうした財政赤字によって物価も安定しうるのは有休資源（例えば失業者）が存在する場合である。しかし一九六〇年代中葉の米国はすでに資源の完全雇用状態にあった。したがって財政赤字による政府支出の拡大はインフレーションを招かざるを得なかった。政府が需要拡大策を採れば利子率は上昇する。この利子率の上昇が経済を冷却しないためには、貨幣供給を増やさなければならない。しかしこの貨幣供給の増加は、資源が完全雇用に近い状態にあればインフレにならざるを得なかった。

## 「偉大な社会」

J・F・ケネディの「ニューフロンティア」を継承したジョンソンの「偉大な社会」プログラムは、公民権、貧困、教育、文化芸術、交通、消費者保護、環境など、多岐にわたる社会問題をカバーしていた。米国経済が好調のときになぜこのようなプログラムが打ち出されたのか。この時期の米国で評判になった数冊の本が、「政府の役割」を強調することになった。当時ハーバード大学の教授であったK・ガルブレスが著した『豊かな社会』(*The Affluent Society*)という本が発刊されたのは一九五八年であるから、スプートニク・ショックの翌年であった。ミサイル・ギャップは米国社会の社会経済構造への自省を政府と国民に促したが、ガルブレスの著書は、この自省に(期せずして)具体的な内容を与えることになった。その論旨は次のようなものである。

米国社会はその豊かさをもって全世界から羨ましがられるような成果を発揮してきた。アメリカの家庭は、パワーステアリングで冷房のきいた自動車、携帯用のアイスボックスなど一昔前にはとても考えられなかったような豊かさと便利さを享受している。しかしこれらの豊かさも、広告などで無理に創り出された欲望を満たすようなものがほとんどである。それに対して公共サービスはどうだろう。学校教育、低所得世帯の住宅、公共交通機関、どれをとってもその質の劣悪さは否定できない。ガルブレスの指摘は、こうした公共政策の貧困を一方的に断罪するものではなく、同時に米国の偏った社会政策の問題点（例えば貧困水準を下回るような最低賃金など）をも具体的に指摘している。そして米国の豊かさの中に、どうしても自力でそこから脱出できない貧困層が存在することを強調するものであった。

この本の指摘をさらに発展させ、ケネディ・ジョンソン両大統領を「貧困への戦い（War on Poverty）」の宣言へと導いたのは、一九六二年に公刊されたM・ハリントンの『もう一つのアメリカ——合衆国の貧困』である。この本の中で、ハリントンは、実は米国社会の中に四〇〇〇万から五〇〇〇万の人々からなる「見えない国（invisible land）」が存在する、というショッキングな指摘を行った。この「見えない国」では、食糧、衣料、住宅のいずれにおいても厳しい状況に人々がさらされているという。住宅政策ひとつを見ても、政府の政策の対象となっているのは、中流以上の「見える」階層の人々であって、米国の真の貧困は、実は属する組合もなく、声を代弁してくれる政党もない、「見えない」階層の貧困であることを示したのである。もちろんこうした米国社会の貧困について福祉に携わる人々は実態を知っているものの、彼ら自身、何の社会的・政治的力を持っていないから、貧困の悪循環の罠に陥ってしまった人々を救い出す方策が存在しないということになる。

　これらの著作は、米国社会の豊かさの「光」の裏に、同じくらいの強さの「陰」があることを知らしめた。こうした認識が米国の政治家にも浸透し始めたことが、ジョンソン大統領の「偉大な社会」プログラムにつながったと考えられる。とにかく「前進、前進」で繁栄を続けてきた米国の豊かな経済と社会にも、「深刻な経済問題」があることを政治家や識者たちは自覚し始めたのである。

「偉大な社会」プログラムの中で最も予算を必要としたのは、所得のいかんにかかわらず高齢者と障害者を国民健康保険でカバーする高齢者医療保障と、年齢にかかわらず貧困者を公的健康保険でカバーする医療扶助の二つの政策である。前者は、一九六五年七月三十日にジョンソン大統領のサインで立法化された。これは画期的なことであった。連邦政府の社会保障の下での健康保険は、一九四五年トルーマン大統領の時代に導入が試みられたが、全米医師会（American Medical Association）のロビイストの猛烈な反対活動で頓挫している。ジョンソン大統領が、ミズーリ州インディペンデンスのH・S・トルーマン記念図書館においてトルーマン夫妻の前でこの高齢者医療保障法に署名したことには、こうした前史があったからだ。

　後者の医療扶助プログラムの方は、連邦政府から各州に一人当たり州所得に応じて補助金を出して、貧困者に医療サービスを供給することを目的としていたが、このプログラムを悪用した過剰医療の「イカサマ」が大問題となり、一九八〇年のレーガンとカーターの大統領選挙における論争の対象ともなった。

　この高齢者医療保障と医療扶助の二つのプログラムが医療サービスへの需要を拡大し、政府支出の中に占める割合と総額を大幅に上昇させた。ジョンソン大統領在任中の五年間を見ても医療支出は四一億ドルから一三九億ドルへと急上昇している。

## 貧困への戦い

「偉大な社会」プログラムの「目玉」のひとつは、「貧困への戦い」である。テキサスで教師をしていた経験のあるジョンソン大統領は、メキシコ系アメリカ人の貧困について熟知していた。彼は一九六四年一月八日の下院での年頭教書（the State of the Union Message）で次のようなドラマティックな演説を行った。「この政権は、今日、今、ここで、米国における貧困への無条件の宣戦を布告する。……それはすぐ終わるようなやさしい戦いではないし、ひとつの武器や戦略で事足りるような戦いでもない。しかしこの戦争に勝てない限り、われわれは安んじることができない」と。そしてこの戦いが道徳的に正当化されるだけではなく、「失業中の一人の若者を救済するために一〇〇〇ドル投資すれば、彼に生涯で四万ドルの所得が発生する」という意味で、経済的にもきわめて健全なものだと強調した。貧困線以下の人口比率が二〇％前後であったことはこのプログラムに説得力を与えた。

この「戦争」の中心となる法律は、一九六四年八月十一日に下院を通過した経済機会法である。この法律によっておよそ九億五〇〇〇万ドルの資金を、初年に四万人の若者の教育と職業訓練に投下することになった（Job Corps）。また米国内の平和部隊（Peace Corps）として月五〇ドルの手当と生活費を支給して、貧困地帯、スラムあるいは精神病院等での福祉的活動をする若者をヴィスタ（VISTA—Volunteers in Service to America）として組織した。

経済機会法によって設立された経済機会局（OEO—Office of Economic Opportunity）がこうしたさまざまの貧困撲滅運動を統括管理した。このプログラムがニューディール時代に導入された「児童扶養世帯補助」（AFDC）などと異なる点は、貧困層へ直接現金移転を行うのではなく、貧困者自身が教育や訓練を通して自立できるシステムを整えるというところにあった。

しかし一九六六年のはじめあたりから、このプログラムに対する議会のムードが一変する。前年の北爆開始以来、米国のベトナムでの戦争が泥沼化するにつれ、ピーク時には五五万人の米軍を投入したこともあって財政的な余裕が完全に失われてしまったからである。その結果、「貧困への戦い」の予算はどんどんカットされ、一九七五年四月にはOEOの全プログラムは他省庁へ移管され、このプログラムは事実上終焉する。

ジョンソン大統領はミルトン・フリードマンなどの自由市場の強烈な支持者たちから、「貧困の解消は政府支出によってではなく、市場機能を生かした経済成長によって達成されるべきだ」と強く批判されただけでなく、ベトナム戦争によって結局当初の構想を大きく変更させられるのである。

おそらく、この「偉大な社会」のプログラムの中で最も重要な成果となったのは、人種差別をなくすための「公民権法」（一九六四）の成立と、「投票権法」（一九六五）であろう。それと関連する措置として、移入民についての国別の数量割り当てが廃止されたことの意味も大きい。また、初等・中等教育への連邦政府からの助成金は、公教育への連邦政府の「関与」という長年のタブーを打ち破るものであった。

## ベトナム戦争の経済的帰結

ベトナム戦争が米国経済と世界経済に与えた影響は大きかった。ベトナムの戦火を一挙に拡大させる原因となった「トンキン湾事件」（一九六四年八月）の翌年、米国は北爆を開始、北ベトナムは正規軍を南下させて本格的な戦闘状態に入り、米国と北ベトナムの直接的対決という構図が生み出された。しかし米国がベトナムに全面的にコミットするまでの前史は、

「トンキン湾事件」から少なくとも一〇年は遡る。一九五四年十月、アイゼンハワー大統領がゴ・ディン・ジェム首相からの軍事・経済援助の要請を受諾したときが、その決定的な瞬間だったといえよう。戦争終結後の世界への影響も、特に経済面では一〇年後の八〇年代中葉まで続く。この長い戦争は、ベトナムと米国だけでなく、世界的な規模で「見えない後遺症」を残した。

米国の政治家や知識人の多くは、この戦争を批判し、あるいは擁護するための論陣を張った。ケネディ政権では米軍の撤退計画を論じたR・マクナマラ国防長官は、ジョンソン大統領の下では一転して北爆論者に変身し、一九六七年十一月に更迭されるまでの米国のベトナム戦略を決定付けた。その後マクナマラは、極端な平和主義者へと転向宣言をし、二〇年後に公にした回顧録（『マクナマラ回顧録：ベトナムの悲劇と教訓』）の中で、大統領と政府・ペンタゴンは致命的な誤りを犯したことをいとも簡単に認め、人々を再び驚かせた。こうした政策思想の激しい揺れは、宗教的信念の稀薄な民主主義社会でしばしば見られることであるが、マクナマラの変節は米国流の「信念の政治」への信頼を大きく傷つけることになる。

もちろん経済学者W・ロストウのように、あの戦争の正当性を終生主張し続けることが立派だというわけではない。しかしマクナマラが、自分がひどい過ちを犯したと心底から反省していないことは、その後の彼の政治・経済の表舞台でのキャリアからも明らかであろう。

『回顧録』出版後、マクナマラはハーバードのケネディ・スクールのパネル討論会に登壇し、戦争で配偶者や家族を失った聴衆から厳しい批判と指弾の集中砲火を浴びている。その彼を、皮肉を込めてかばったのは、同じ壇上にいたK・ガルブレスであった。

そのガルブレスやN・チョムスキーが、一九六五年以降ベトナム介入に強く反対したことは周知の通りである。また、マクナマラの下で戦争遂行プログラムをコンピューターで組み上げた若き理論経済学者D・エルスバーグが、ペンタゴン（国防総省）の秘密文書を持ち出して逮捕されるという事件も起こった。国論は完全に二分され、不信と猜疑心が米国を覆うようになる。「トンキン湾事件」のジョンソン大統領、あるいは「ウォーターゲート事件」のニクソン大統領の「うそ」も、言葉への信頼を深く傷つけた。こうした事件がデモクラシーを支える言論を汚した罪は重い。ベトナム戦争は、南北ベトナムの兵士一二五万人、南部の民間人四三万人、韓国など同盟軍の兵士五二〇〇人、米国の兵士六万人の命を奪い、七〇〇万人近い難民を生み出したが、「見えない損害」として、米国内の言論に深い亀裂をもたらし、言葉と言論への信頼を傷つけたことは無視できない。

この信用の毀損は「言葉」だけではなく「ドル」の世界でも起こった。先に見たように、北爆開始の年あたりから始まる米国のインフレーションである。この高率のインフレによって財政赤字を軽減させるという効果があった。通貨価値を毀損することによってその場を凌いだのである。
しかし米国の長期にわたる財政赤字とインフレは、固定相場制に基礎を置く「ブレトン・ウッズ体制」の柱を突き崩すことになる。この体制は、米国のケインズ政策によって（つまり「完全雇用」政策のための需要管理によって）米国を国際収支赤字国にしながら、米ドルを世界に安定的に供給し続けるというシステムとして機能していた。しかし米国のインフレはこのブレトン・ウッズ体制を根本から歪めてしまう。固定相場制のもとでは米ドルの対外価値が固定されているため、米国内の高率のインフレは、「国際市場でのドルの不当な過大評価」といういびつな状況を生み出した。過大評価されたドルは、米国の貿易収支を悪化させただけでなく、「ドルの切り下げ」を予想する「ドル売り」を招いた。米国は輸出が伸びないだけでなく、日本や諸外国からの急増する輸入にも対処できなくなり、保護主義的な傾向を強めざるを得なくなる。六〇年代後半から始まる繊維や鉄鋼の日米貿易摩擦には、ベトナム戦争と深く結びついた米ドルの大幅な減価と、それによるブレトン・ウッズ体制崩壊の危機が色濃く反映されていた。

註

（1）Hansen, Bent, *Fiscal Policy in Seven Countries : 1955–65*, OECD, Paris, 1969, pp.69–73.

## 第3節　欧州経済の多様性

戦後の欧州経済の統合の過程を見る前に、英国を含む西ヨーロッパの主要国の成長と変動を要約しておきたい。欧州経済の統合への流れは、同時に対立と分離のエピソードも含む複雑な動きである。いわゆる西ヨーロッパ諸国の中でも、経済成長の速度は異なっていた。戦前の政治経済体制や資源面での遺産の差も大きい。いうまでもなく、戦後七〇年代までの西ヨーロッパの高い経済成長をリードしたのは西ドイツであった。そのドイツに牽引されるかのように、オランダ、オーストリア、フランス、イタリアが続いた。八〇年代の「新自由主義」の経済政策が脚光を浴びるまで後れを取ったのは、英国、アイルランド、ベルギーなどであった。

ちなみに一九四七年から一九五一年までの西ヨーロッパ主要国の生産指数は、一九三八年を一〇〇とすると、戦争の被害の少なかったスウェーデン、アイルランド、デンマークなどの国々は早くも一九四七年には戦前を上回る生産水準に復帰していることがわかる。それに対して、すでに述べたように、敗戦国ドイツとオーストリアの戦争直後の生産水準は、それぞれ戦前の三割から五割というレベルであった。しかしそのドイツも、一九五一年には戦前の水準に復帰している（Brown and Opie〔1953〕）。これは日本の復興が、戦前のレベルへの回復という点で一〇年近くかかったことと比べると驚くべき速さといえる。

こうして生産の回復と経済成長の数字を眺めると、西ヨーロッパ全体の戦後復興がいかに速いスピードで実現したのかが読み取れる。経済成長の牽引力となったドイツの復興と成長については前章で解説したので、本節では英国、フランス、イタリア、スウェーデンの七〇年代までの発展の特徴を取り出してみよう。戦後いわゆる社会主義体制に入った中欧と東欧については、全く異なった経済経路をたどったため、第四章第2節で別途論ずることにする。

## 英国

成熟した経済社会がその安定性ゆえにある種の硬化症を病むことは避け難い。そしてその硬化症は、「非効率」と表裏一体となる。英国の戦後三十年余を振り返ると、その経済的な成果の衰えは多くの分野で活力を奪うような「怠け者」と「フリーライダー」を生み出していた。戦後の改革が全く意図していなかったような病が社会に広がったのである。また、第四章第4節で論ずるが、長年英国の植民地であったインド、セイロン（現スリランカ）、ビルマ（現ミャンマー）が戦後独立し、その後アフリカの植民地を失ったことの経済的影響も大きかった。

一九五一年十月の選挙で保守党が勝利し、W・チャーチルがダウニング・ストリートへ戻るまでの六年余り、英国はアトリー労働党内閣（一九四五―一九五一）の下で、有能な閣僚の協力によって鉱山・電力・鉄道などの主要産業を次々と国有化していった。この国有化政策は、その後七〇年代まで続く。その間、保守党政権下でも元に戻ることなく継続したのである。その後一九七九年に成立したサッチャー政権の下で、再び民営化への本格的な揺りもどしが起こったことは記憶に新しい。[1]

これらの国有化政策は、いかなる意図の下で推進されたのであろうか。英国労働党は、元来マルクス主義とは縁が薄く、フェビアンの社会改良主義を背景とした政党であった。ソ連型の中央計画経済システムを信奉することはなかったが、「政府が基本的に経済を制御できる」と捉える社会主義思想がその根底にあったことはいうまでもない。イングランド銀行はじめ主要産業が経済で占める位置を考えれば、国有化という政策選択は当然の帰結であろう。しかしもうひとつの重要な意図として、郵政、石油、航空輸送など国家安全保障上の配慮があった。またロールス・ロイスやブリティッシュ・レイランドなどの自動車産業が衰退と破産に遭遇したため、雇用を守るために（強い規制ではなく）国有化で対応した点も見逃せない。電気、ガス、電話、郵便などもその例である。

さらにアトリー労働党政府は「福祉国家」として国民健康保険制度（NHS―National Health Service）の基礎を一九四六年に打ち立てている。医療と健康をはじめとする「公共財」の政府による供給である。これは一九四四年に出された「社会保険白書」（いわゆるベヴァリッジ報告〔一九四二〕の勧告を受け入れたもの）をベースにした「国民医療サービス法」が法的根拠となっている。この制度は国民に「ゆりかごから墓場まで（from the cradle to the grave）」の福祉を保障するというプランであり、これもサッチャー政権までの三〇年以上の間、英国の社会政策の基本路線となった。英国の社会保障制度は、医療だけでなく、雇用政策、教育などの「白書」で、すでに一九四三年段階で検討されており、終戦をひとつの区切りとして、次々と法制化されたのである。こうして労働党政権下ででき上がった社会保障制度は、一九五一年から六四年までのチャーチル、イーデン、マクミラン、ダグラス・ヒュームの保守政権の下でも目立った変更はなかったのである。

英国のNHSは、イングランドとウェールズに対して適用されるスキームで、スコットランドと北アイルランドに対しては別の法律が用意された。私的医療の完全廃止を恐れる医療従事者からの強い反対があったが、この法律の成立に力を尽くしたのは保健大臣のアニュリン・ビヴァンである。私的医療存続の余地を残しつつ、大部分の病院と一般開業医がこのスキームに加わる。具体的内容は、治療は患者負担としては原則無料、原資は一部国民保険から、そして主要部分は税金でまかなわれることになっていた。しかし一九五一年の改正で、眼鏡と義歯は診断において半分の費用負担となったため、ビヴァンはその時点で労働大臣を辞職している（ちなみにこの改正は朝鮮戦争の戦費調達を目的としていた）。その後も治療費の上昇と、費用負担分野の拡大によって、当初のNHSのスキームは大幅な修正を受け続けた。とはいえサッチャーが登場する前の英国は、アトリー以来、主要産業の国有化と徹底した福祉計画によって、市場経済を基調としつつも公共サービスの提供を重視する「混合経済体制」に変貌したのである。こうした体制に対して、一九八九―九〇年、サッチャー政権は、医療分野にも競争原理を復活させる大改革を断行する。

一九五〇年代半ばからサッチャー政権時代までの英国の経済管理はケインズ政策を基本とするもので、不況時には減税と政府支出の増大によって総需要を刺激し、経済の過熱を防ぐためには増税と財政支出の削減でインフレーションを防ぐという手法をとった。一九五一年から六四年までの英国保守党（Tories）の経済政策が、Stop-Go と呼ばれたのはこのためである。この Stop-Go の経済政策がケインズの母国イギリスで十分に功を奏しなかったことが、後のサッチャーの新自由主義政策登場の下地を作る。その不成功の最大の原因は、失業率の改善を拡張的な政策で望む労働界と国際収支の改善を強く主張する産業界（特に金融界）との利害対立にあったことは無視できない。拡張的な政策（Go）がインフレを招き、インフレが輸入財への需要を刺激し、輸入超過が国際収支の「危機」を招く。その結果、政府は財政金融面で収縮的な政策（Stop）に打って出ざるを得なくなるという悪循環に陥ったのである。この「悪循環」は、雇用や成長が政策の第一目標ではなく、インフレの退治こそが、国家の経済政策の第一目標であるというサッチャー政権によって断ち切られる。ここにいわゆる「ケインズの死」が取り沙汰されることになる。

五〇年代、六〇年代の財政政策は、英国経済をむしろ不安定化したとの報告もある。(2) ひとつ確かなことは、サッチャー政権が誕生する一九七九年までの英国の成長率はOECD平均を大きく下回り、インフレ率と失業率ではOECDの平均を大きく上回るという、経済パフォーマンスの悪い国として、「英国病」という診断が下されたことだ。一九八〇年代に、その英国経済が、サッチャー政権の数々の新自由主義的な経済政策によって活性化したことは事実である。六〇年代から開発が開始されていた北海油田事業が実を結び、八〇年代から英国が原油輸出国に転じたこともサッチャーに幸いした。

## フランス

フランス経済の戦後四半世紀の主な流れはどうだったのだろう。戦前のフランス経済は、西ヨーロッパ諸国の中のいわば「劣等生」といっても過言ではなかった。第一次世界大戦から一九五〇年までの実質ＧＤＰの成長率は年率わずか一％、所得においても、技術レベルにおいても、停滞と遅れに甘んじていたのである。そのフランスが、一九五〇年代に成長への道へと大きく転換したのはなぜか。その因果関係は必ずしも明確ではないが、ひとつの仮説として、それまでの小党乱立の不安定な政治が、第五共和制あたりからはじめて安定するようになったという点は無視できない。政治の安定と経済の成長には強い関係があるという仮説である。

フランスの第四共和制（一九四六年十月―一九五八年五月）は、一二年足らずの間に二二の政府が目まぐるしく交替するという不安定なものであった（ちなみにフランス革命から数えると、一九五八年の第五共和制までに、フランスでは十六以上の憲法が起草されている）。はじめての安定的な政権が確立するのは第五共和制からである。第五共和制の憲法では、大統領の権限が強く、議会の同意なしに首相を任命することができ、望む時に国民議会（下院）を解散し、新たに選挙に入ることができる。また大統領が議案を直接国民投票に諮《はか》ることができるというものであった。行政・官僚機構の力も強まった。

成長への大転換は、いわゆる「指示的計画」システムと関係しているという指摘もある。終戦間近の武器食糧調達長官であったジャン・モネが、「計画」の重要性を強調し、計画庁を設立し、行政だけではなく産業界、組合も協力して投資近代化計画を作成すべきだと主張している。(3) 戦後ただちに、そのモネをトップとして計画庁が設立された。

フランスの「指示的計画」は次のような特徴を持つ。「計画」は市場と対立する概念ではなく、市場を補完するものであること。そのために、政府は経済主体間の情報の流れをスムーズにするための、「情報の散布」という重要な機能を担う。特に投資のためのリスクを軽減できるような情報提供を重視する。

計画局が、ソヴィエト型社会主義国のように肥大化しないよう、そのスタッフのサイズを小規模にする。そして目標の数値を達成することは「至上命令」ではなく、数量的な目標を投影し、経済主体に示す、まさに「指示的」な計画なのである。これは日本の高度経済成長期の「所得倍増計画」と同じ精神に基づくものである。その精神の核心は、「そう信じれば、そうなる」という自己実現的期待（self-fulfilling expectations）とも呼ぶべきメカニズムを通して、国民の協力体制を誘い出すような構造を内包していた。

こうしてフランスは、モネの指導の下に戦後の経済成長をかなりの速度で達成することができた。そこには経済界と組合の協調によって計画が策定され、実施に移される、そしてそれが政府の（そして初期にはマーシャル・プランの）助けによって少しずつ効果を示すというプロセスがあった。

戦後最初のモネ計画（一九四七―五三）は、ルノーやエール・フランス、フランス銀行、あるいは私営の大銀行、保険会社、ガス、電力、石炭を国有化するものであった。ただしその他の経済部門は私企業体制をとるという「混合経済」としての性格を持っていた。「第二計画」（一九五四―五七）は計画の範囲を経済の全セクターに広げ、その後の計画では社会問題にまで計画の目標を広げるようになった。

フランスは伝統的に、国内市場の狭隘《きょうあい》さも影響して、製造業の企業の規模（従業員数）は米国、日本、あるいは他のヨーロッパ諸国に比して小さい。中小企業が多いことがフランスの産業組織のひとつの特徴であった。規模の小ささが国際競争力の弱さの原因のひとつだと考えたフランス政府は、各産業での企業合併を促進するような税制上の優遇措置を導入して、企業規模を拡大する政策を「第五計画」（一九六六―七〇）や「第六計画」（一九七一―七五）に織り込んだ[4]。

成功は必ず失敗の芽を含む。フランスの「指示的計画」は次第に肥大し、ますます高度な計量経済学的手法が用いられるようになる一方、その論理の難解さもあって国民的な同意が得られなくなる。そのひとつの理由は、計画手法に必要な高度の技術は、それを理解し議論できる共通語を必要とし、次第に組合をはじめとする「普通の市民」を置き去りにするような論点が中心となり始めたことにあった。共産党系の労働組合はこの計画会議から離脱する。その後の「計画」が実を結ばなかったのは、こうした国内の分裂だけではなく、国際的な経済環境の変化（国際収支問題、原油価格問題）によるところも大きい。したがってフランスの指示的計画が一定の予測力と効果を持ったのは、六〇年代までと考えてよい。その効果も、計画自体によるというよりも、計画作成過程で生まれる国民の「一体感」によるものではなかったろうか。

フランスのその後の国有化政策についてもふれておこう。コルベールのゴブラン織り工場やナポレオン時代のタバコ工場の例を挙げるまでもなく、フランスは長い「国営工場」の歴史を持つ。しかしフランス経済史上最も大掛かりな国有化政策が打ち出されたのは、一九八二年のミッテラン社会党政権の時代であった。OECDのEconomic Survey（一九八二／一九八三）が報告するように、フランスのトップ二〇の大企業のうち実に一三が国有化され、国有銀行がフランスの銀行預金の九〇％をコントロールするという状況になった。この政策が、一九八六年に登場するシラク首相によって、RPR－社会党連立政権の下、民営化へのゆり戻しを受けたことは記憶に新しい。

フランスは先に述べたような「指示的計画」政策を展開する一方で、欧州統合を視野に入れながらドイツを封じ込めるための経済外交も展開している。R・シューマンは一九四八―五二年に外務大臣を務めたが、その片腕として実行案を作成したのが先に述べた「指示的計画」の指導者モネであった。モネはシューマンの構想する欧州統合プランに経済制度としての内実を与え、欧州石炭鉄鋼共同体誕生へ向けて多大な努力を傾注した。これがEUの母体である。

## イタリア

ムッソリーニ時代のイタリアは、自給自足体制貫徹のために穀物生産への重点的な保護政策を展開する一方、工業に関しては食品工業と繊維産業以外は、さしたる振興政策は示さなかった。戦後イタリアの経済的基礎はムッソリーニ失脚後の一九四三―四五年の間に、キリスト教民主党（DC―Democrazia Christiana）およびトリアッティー指導下の共産党が主体となって推進された。戦後もマーシャル・プランによる援助の受け入れ、欧州統合への協調、そしてNATOへの参加といった形で、完全な西側陣営に立つ外交政策が展開される。

力強い輸出産業を持たなかったイタリアは、高い輸入関税に保護されながら戦後経済の再建に取り組まなければならなかった。デ・ガスペーリ首相とエイナウディ大統領は、一九五一年欧州石炭鉄鋼共同体に加わることによって、保護政策からの脱却への強い意思を示す。

その尖兵の役割を果たす輸出商品は、戦前から高い技術力を誇ったタイプライター、冷蔵庫、ミシン、洗濯機などの軽工業品、家電製品、そして自動車であった。しかしその道は平坦ではなかった。

戦後イタリアの経済発展の足かせのひとつになったのは労使関係の対立である。戦前の工業化の遅れとムッソリーニ時代の未成熟な「大政翼賛」的組合は、他の多くの先進ヨーロッパ諸国のような「対立と協調のバランス」の取れた労使関係を優れたリーダーの下で打ち立てるのを困難にした。組合はカトリック系、社会民主系、反カトリック共和系、そして共産党系と文字通り四分五裂の様相を呈し、ナショナルセンターとしての労働組合の連合体が生まれることはなかった。この不安定な状態は労使交渉をきわめて困難なものにした[5]。全国レベルでの労使交渉の枠組みの欠如は、ローカルレベルでの交渉をさらに困難にした。代表的な自動車製造企業フィアットをはじめ、多くの産業の工場レベルでの共産党の影響力は大きかった。政府も賃金に起因する労使紛争によって生産が非効率になったり停滞することを恐れ、高い関税でその産業を守ることによって賃上げを可能にしようとした。この保護政策がイタリアの輸出向け産業の体質を弱めたことはいうまでもない。

しかしそれでも、マーシャル・プランによって輸入された新鋭機械が多くの産業に導入されたことや朝鮮戦争による特需もあって、イタリア経済は資本・産出量比率を高めながら次第にマス・プロダクション型の生産スタイルへの転換を成し遂げる。特に石油精製、繊維、自動車などが輸出産業としての地位を確立したことは大きい。

また、一九五〇年に農地改革が行われたことも無視できない。二〇〇万エーカー以上の土地がラティフォンディスティから強制収用され、無所有の農民に再分配された。この大改革の断行が農業から工業化への資源の転換を可能にし、南部から北部への労働力の移動を促したのである。南部の農場労働者が北部の工場労働者へと多数転身したケースとしては、フィアットの例がよく知られている。

イタリア経済は、南北間の格差縮小や、南イタリアにおける分益小作制の廃止など、国内の経済発展の制度的統一化も進んだ。戦前、国家管理の下における持ち株会社制度が投資資金の配分をコントロールしたが、戦後も産業復興公社（ＩＲＩ—Instituto per la Ricostruzione Industriale）が鉄鋼、造船、金属、交通運輸、銀行などの資金ポートフォリオをフランス型の「指示的計画」方式で誘導してきた。この方式は産業投資の資金配分にも影響を及ぼし、イタリア経済の七〇年代までの戦後成長を強くサポートしたのである。

しかしイタリア経済は依然脆弱な体質を持っていた。一九七〇年代のストライキの頻度はヨーロッパ最高（雇用労働者一〇〇〇人当たり、年一〇四二日）であり、社会保障による南北間の移転支出は、イタリアを当時世界最大の財政赤字国家にした。

## ヨーロッパ共同市場の形成

英・仏・伊の戦後の経済事情は右に見た通りであるが、敗戦国ドイツを戦後ヨーロッパの経済的枠組みの中にどう位置付けるのかは、英仏にとって大きな問題であった。ドイツを抜きにしてはヨーロッパの成長はありえない。しかしドイツの経済成長は欧州内のドイツの発言力を高めることになる。特に普仏戦争以来、ドイツと三度にわたって干戈《かんか》を交え、兄弟殺し（fratricide）を経験しているフランスにとっては、この「ドイツ問題」は重要な外交問題であり、最大の経済問題のひとつでもあった。

ヨーロッパ統一の過程を見るためには、この「ドイツ問題」と欧州経済協力委員会（CEEC—Committee on European Economic Cooperation、後にOEEC、そしてOECD）の成果に注目する必要がある。CEECはマーシャル・プラン・コンファレンスによって一九四七年七月十二日に設立されたものであり、米国が二二〇億ドルの援助を行うことが決められた。同年、トルーマン大統領は一七〇億ドルの拠出を下院に要請し、結局一九四八年四月に、まず五三億ドルの援助を行うことが決定された。プランが事実上終了する五二年中頃までに、約一三〇億ドルの援助が西ヨーロッパ諸国に対してなされた。援助はその約七割が米国の余剰農産物や生産物の購入にあてられたから、米国にとって市場を拡大するという効果もあった。

この大規模な援助の後押しもあって、先に述べたように一九五一年時点でＯＥＥＣのすべての国々は戦間期の生産量の最高水準を超えるような回復を実現できることになった。このマーシャル・プランには、西欧諸国間の貿易決済を簡略にするための中央銀行相互の信用取引が含まれていた。参加国の輸出企業や輸出業に従事する者は、このシステムによって国内通貨が自動的に供給されるので、輸出をすればただちに自分の国の国内通貨で支払いがなされることになる。このスウィング・クレディッツのシステムは、欧州枠内の賠償支払いなどのトランスファー（移転支払い）問題を解決するのに貢献大であった。スウィング・クレディッツが、欧州支払い連合（ＥＰＵ―European Payments Union）として公式の制度となり、ＥＰＵに資金供与したのは、第一次大戦後の賠償支払いによって設立された国際決済銀行（ＢＩＳ―Bank for International Settlements）である。ＥＰＵを中心として、西欧域内の貿易が大きく前進した。

このシステムが金融・通貨面での欧州統合の出発点となった制度であるが、実体経済面での統合の出発点となったのは、欧州石炭鉄鋼共同体（ＥＣＳＣ―European Coal and Steel Community）である。一九五一年四月に設立されたこの機関は、石炭と鉄鋼という基幹的・戦略的産業の市場を、ドイツを含めて、ベルギー、フランス、イタリア、ルクセンブルク、オランダと共同で創出することを目的としていた。軍事力の基盤をなすこれらの産業を共同でコントロールすることによって、参加六ヵ国の中の一方的な再軍備（特にドイツのそれ）を阻止しようとする政治的意図があった。

このECSCの政治的・経済的成功によって、メンバー六ヵ国は一九五七年のローマ条約の締結へと進む。これによって欧州経済共同体（EEC—European Economic Community）が一九五八年一月一日からスタートする。EECは、組織としてはECSCと別のものであるが、この二共同体に加えて、さらに欧州原子力共同体（EURATOM—European Atomic Energy Community）が同じ六ヵ国をメンバーとして、原子力平和利用の共同研究を目的として創設された。そして農産物価格支持や補助金をめぐる共通農業政策（CAP—Common Agricultural Policy）がEECの中心的課題となり、EEC内の関税同盟の形成も進展した。ECSC、EEC、EURATOMの三組織が、一九六七年七月一日に共通の行政管理機構を創出した。これが欧州共同体（EC—European Community）である。

ECに対する英国のスタンスは常に微妙なものであった。英国はEEC創設時にはEECに参加しないことを言明し、EECよりもはるかに弱い経済連合体EFTA（European Free Trade Association　欧州自由貿易連合）を設立した。一九六〇年代に英国は二度にわたって（保守党のマクミラン政権が一九六三年に、労働党のウィルソン政権が国内労働党左派の反対にもかかわらず一九六七年に申請）ＥＥＣ加盟を希望したが、フランスのド・ゴール大統領の拒否にあっている。ＥＣの拡大に反対したド・ゴールが大統領を辞任した（一九六九年）後、英国、デンマーク、アイルランドが一九七三年一月一日からＥＣの正規メンバーとなった。このとき、英国議会でＥＣ加入法案はわずか八票の差で通過している。

英国がＥＣに示してきた姿勢には、さまざまな複雑な歴史的事情があった。自国の金融・財政政策をはじめとする政策上の主権（sovereignty）を放棄することをよしとしない英国の「プライド」はもちろんであるが、さらに具体的な経済上の損得勘定があった。その最大の理由は、英国は大陸ヨーロッパ諸国とは異なり、米国と特別な歴史的な関係にあることだ。さらにカナダ、オーストラリア、ニュージーランドなどの諸国と「コモンウェルス」を形成していること、そして歴史的にアジア・アフリカに多くの植民地を持っていたことなどは、英国が政治的配慮だけでなく経済的利益を考える上で無視できない点であった。ＥＣ加盟は、これらの国々との経済的、政治的ネットワークを犠牲にすることを意味した。さらに、大陸ヨーロッパ諸国の多くが産業構造、雇用構造から見て農業の比重が無視できなかったのに対し、英国産業における農業のウェイトは低かったことも英国に二の足をふませた。統一的なＥＣ共通農業政策（農産物価格支持や補助金政策）は、英国経済を強く制約することが危惧されたからだ。一般にＥＣが打ち出すさまざまな規制や拘束的な経済政策に対する反発や、経済的自由が失われるのではないかという恐れが英国側にあったことは否定できない。もっとも、英国国内の政治家、産業界、労働界が一枚岩であったわけではない。五〇年代には、保守勢力の中には、労働市場をもっとヨーロッパ全体に開放し競争的にして、強すぎる英国の労働組合を牽制すべきだという考えもあった。

英国のEC加盟によって生じた大きな変化のひとつは、英国の貿易の方向がECのメンバー国へとシフトしたことである。その分、米国やカナダ、オーストラリア、ニュージーランドとの貿易が縮小したことはいうまでもない。他方これらの国々からの農産物輸入への関税によって、英国はこれまでよりも高い農産物をヨーロッパから輸入するという貿易のシフトも起こった。

サッチャー政権の登場によってECへの英国の姿勢が再び変化する。ユーロ導入の予備段階となるヨーロッパ為替相場メカニズム（ERM—European Exchange Rate Mechanism）への参加を拒むと共に、一九九〇年の欧州連合、一九九二年のマーストリヒト条約においても、通貨統合と統一社会政策への参加を留保したのである。

### スウェーデン

EC域外にあったスウェーデンについて、その福祉国家としての経済運営にふれておこう。

この人口九〇〇万にも満たない小国スウェーデンは、長らく福祉国家のモデルとしてある種「ユートピア」のごとく語られたこともあった。市場経済の効率と福祉政策を通した再分配を両立させるめずらしい国とみなされてきたのである。しかし原油価格の高騰によるインフレーションが進行し、七〇年代以降は、失業、財政赤字、国際収支の悪化、通貨価値の下落などによって高福祉・高負担システムの問題点が表面化し始める。その経緯をたどっておこう(6)。

スウェーデンはすでに一九三〇年代から、自由企業体制の活力と不安定性と、ソヴィエト型社会主義の非効率と不自由との間の「中道」を歩む、という体制選択を前面に押し出していた。第二次大戦中は中立政策を守り通すことができた。ノルウェーがナチス・ドイツの狙う鉄鉱石を豊富に所有していたがためにドイツに侵犯されたのに対し、スウェーデンはドイツがノルウェーから鉄鉱石を運び出すルートを事実上提供し、ドイツとも多額の貿易を行うという関係を維持し続けた。スウェーデンの主要輸出品のボール・ベアリングは、ドイツの軍需産業にとっての不可欠の商品であった。この中立政策によって、戦時中の軍事支出を抑えることができただけでなく、戦争による物的・人的被害を免れることができた。この点は戦後の経済運営にとって大きな力となった。

第二次大戦後スウェーデンは、社会民主党政権の下で、戦前からの福祉国家建設の道を再び歩み始める。T・エルランデルが一九四六年から六九年までの二三年間、O・J・パルメが、一九六九年から七六年、一九八二年から八六年の計一一年間、それぞれ政権を担当した。安定的な政治運営の下、市場経済と貿易（木材、電力、鉄鉱石の輸出）を中心に、ヨーロッパ諸国の中でも高い経済成長率が続いたのである。

エルランデルは一九四六年に首相の座についた後、前任者のペール・アルビン・ハンソンの示した福祉国家建設を前進させた。具体的には一九四七年に累進度のきわめて高い所得税制を導入し、年金給付を増加させ、平等主義的な所得再分配を断行した。共産主義と資本主義の「中道」という理念を具体的な政策で裏打ちする福祉国家モデルである。一九五五年から、強制加入の健康保険制度を整え、それまでの傷害保険制度を拡張し、賃金抑制と社会的連帯との「暗黙の交換条件」として、種々の再訓練プログラムを政府が提供した。

スウェーデンの政・労・使の交渉構造と三者の信頼関係が、初期の「福祉国家」構想の土台となっていたことは重要である。経営者団体（SAF）と労働組合（LO―ブルーカラーのナショナルセンター）が毎年の賃金の上昇率、労働時間、福利厚生に関して大枠で合意し、その後、各組合と経営が個別交渉を始める、という二段階の方式をとる。第一段階の経営側と全組合連合との交渉は、労働者側の賃上げ要求と経営側の利潤と雇用の確保とのバランスを国レベルで調整するという仕組みになっていた。国はそこで決定される水準について、マクロのさまざまな経済指数をにらみながらその是非についてのシグナルを発信するのである。この方式は一九六〇年代半ばまできわめて順調に機能し、民間部門のホワイトカラーや公務員の賃金交渉のガイド・ポスト的な役割を果たした。経営者団体の担った役割も大きい。第一段階で決められた賃上げの水準を大きく下回ったり、上回ったりする企業の経営者に経営者団体が警告を発する、という強い姿勢を示したからである。こうした経営者側の姿勢に組合側は信頼を示した。組合の組織率が六〇年代で七〇％近かったという連帯の強さもプラスに作用した[7]。

スウェーデン方式がうまく機能するのに、資源が豊かであるという条件も幸いした。スウェーデンはヨーロッパ有数の木材、パルプ、鉄鉱石、金などの生産国である。そして移民の受け入れが本格化するまでは、人種的、文化的に見て、他のヨーロッパ諸国に比べて同質性と一体感が存在した。この点も福祉国家建設にとって有利に働いた。所得の再分配が、ある社会グループ（例えば人種）から別のグループへの再分配という形には必ずしもならなかったから、社会的緊張が高まることもなかった。

一九六九年にエルランデルを継いだパルメは、さらに総合的教育システムの導入、女性の社会参画についての立法、高等教育の改革などに取り組む。しかし高い所得税率と国家介入の拡大は、スウェーデン経済を次第に硬直化させ、一九七三年には、社会民主党は小政党との連立を組まねばならなくなった。一九七三年の第一次石油危機に対して、パルメの連立政権が実効ある政策を打ち出すことができなかったことが大きく影響し、一九七六年から八二年の間、スウェーデン議会史上はじめての右派連立政権が成立している（その後一九八二年にはパルメが再び政権に復帰したが、一九八六年に暗殺された）。

スウェーデンの労働組合の強さと組織率の高さ、労働者の福利厚生の充実ぶり（病気休暇・有給休暇をはじめ、そのメニューの豊富さ）は世界でも群を抜いている。しかしそうした労働条件と処遇の良好さを支えているのは、世界最高ともいえる税金の高さであった。そして何よりも完全雇用が最優先されてきたという点では、社会主義国家も顔負けの、強力な再配分システムがビルト・インされていた。一九八〇年代には、政府支出がGDPの四割を占めるほど、国家が経済活動の全面に立つようになった。これら政府支出を支える税収の中では、所得税、法人税よりも消費税のウェイトが高い。

このスウェーデン・モデルも、先にふれたように七〇年代に二度襲った石油危機に対しては完全に無力であった。はじめは、通貨切り下げによって輸出を振興しようとしたが、かえってインフレを亢進させ、高い賃金と物価のスパイラル（いたちごっこ）に陥ってしまったのである。こうした硬直性は、市場原則の再導入を促し、労働組合の力を低下させることによってのみ解決可能であった。実際、一九七六年に成立した右派連立政権は、たびたび社会保障支出の削減を行い、公務員給与の引き下げを試みている。その間にも、スウェーデンの著名な高額所得者が、その税率の高さに業を煮やし、母国を去ったエピソードは多い。テニスの世界チャンピオン、ビヨン・ボルグ、そして「第七の封印」「野いちご」などの名作を撮った映画監督イングマル・ベルイマンなどの例は世界中の話題となった。租税システムが人間の国家間の移動と密接に関係していること、累進課税による平等化政策が労働への誘因を大きく左右することを奇しくも証明したといえよう。平等を目指す福祉国家は、自由を求める才能にとっては窮屈であったということである。

註

（1）Jeremy (1998), pp.125-148.
（2）Hansen, Bent, *Fiscal Policy in Seven Countries, 1955-1965*, OECD, 1969.
（3）Monnet, Jean, *Memories*, Garden City N.Y. 1978, pp.234-235.
（4）Caron, François, *An Economic History of Modern France*, Columbia University Press, 1979 pp.301-303.
（5）Allen, Kevin and Andrew Stevenson, *An Introduction to the Italian Economy*, Barnes and Nobles, 1974, p.132.
（6）Schnitzer, Martin, *The Economy of Sweden*, Praeger Publications, 1970.
（7）スウェーデンの組合は、近年他の工業先進国で組織率が低落している（米国はもちろん、日本も近年は二〇%を切っている）のに対して、八〇%前後を維持している。サービス産業の組合には学校の先生、警察官、軍人はもちろん、医師、聖職者も加入している。

# 第四章　発展と停滞

## 第1節　東アジアのダイナミズム

ユーラシア大陸の東で日本が主役となった戦争が一九四五年八月に終結した。戦争が終わるとアジアの各地で内乱が起こり、新しい政治勢力が権力の座につき、戦前とは全く異なる統治と経済政策が展開された。朝鮮半島では、終戦後顕在化した東西の対立が国家の分断を招いた。厳しい状況の下での東アジアの戦後の復興と成長を見てみよう。

### 中国へのソ連型計画手法の導入

一九四九年十月一日、毛沢東は中華人民共和国の成立を宣言し、中国大陸に統一国家が誕生した。毛沢東にとっての最大の政策問題は、抗日戦争（一九三七年七月―四五年八月）とその後の共産党と国民党の間の内乱（一九四五年八月―四九年十月）による破壊とインフレーションからいかに中国経済を再建するかにあった。さしあたっては、権力基盤の強化、秩序の回復、そして国民の失業と飢餓に対処しなければならない。これらのうち政治権力の安定化は一九五二年までに基本的に解決されていた。

すでに一九五〇年、中国とソ連のリーダーはモスクワで、「中ソ友好同盟相互援助条約」に調印している。毛沢東は、「ソ連共産党こそ、われわれの最良教師である、われわれは多くをソ連共産党から学ばなければならない」という考えから、一九五三年、ソ連の中央計画経済をモデルにした指令経済システムを導入する。ソ連モデルの導入が妥当であったかは論が分かれよう。一九五〇年の中国と一九一七年のロシアを比較すると、工業基盤の水準、交通網などにおいて、中国がかなり後進的であったことは否定できない。貧困に苦しむ農村人口の割合でも、中国の方が圧倒的に高かった。しかし、中華人民共和国建国直後の毛沢東にとっては、ソ連こそが「手本」であった。追放された国民党政府の財産と外国が所有していた資産の多くを国有化し、ソ連の一九二〇年代の新経済政策（NEP—New Economic Policy）にならって、農業への国家投資を減らし、第一次五ヵ年計画（一九五三—五七）として重工業（金属、エネルギー、化学、電気機器、鉄道など）を中心に、軍需産業を振興させるという経済計画であった。その他の企業は漸次社会化の方向をめざし、当面は私有のまま残された。ソ連の経済学者の指導の下に経済計画が作成されるとともに、多くの生産設備をソ連から輸入し、ソ連技術者が中国に送り込まれ生産の立ち上げと操業指導が行われた。中国から多数の専門家が訓練のためにソ連に派遣された。その結果、一九五七年まで、年率五・七％の経済成長率を記録したが、その後は汚職、脱税などによる政治の腐敗や自然災害の発生によって、必ずしも計画通りの成果をあげることができなくなる。

一九五〇―五二年にかけて断行された農地改革によって、大土地所有の解体と二億人の小作農への小規模農地の分配が行われ、地方の郷農は没落した。この農地改革の過程もそれほど円滑に進んだわけではなく、おおよそ二〇〇万人の地主がこの農地改革法に違反したかどで処刑されている。農地を与えられた小農も、農地規模が小さすぎたため改革によって農業生産の実はたいして上がらなかった。そのため一九五六年末までに、すべての農地を集団所有とし、地方都市の商工業も「公私合営」（私営企業の官僚資本部分を国有にしたり、国家が企業に幹部を派遣する）という形で社会化された。[1]

### 大躍進政策

「第一次五ヵ年計画」は重工業部門への投資資金の手厚い配分によって成長を促したが、農業生産は予測されたようには拡大せず、都市部の食糧不足は深刻な状態に陥る。毛沢東は、この計画が最終年を終えた段階で、ソ連モデルに疑問を抱き始める。[2]そこで導入したのが、一九五八年から始まる「大躍進」(一九五八―六〇)であった。

これは中国農業に活力を与え、第一次五ヵ年計画によって多少の生産力を得た重化学工業のために資源を投入することを目標とした計画である。農業と工業の二本足で中国経済は立たなければならないという認識である。それまでの毛沢東の農業投資の軽視とそれによる食糧不足は、中国共産党の思想的な屋台骨を形成していた農民層の間に強い不満感を醸成した。その不満を解消するためには農業に大改革が必要であった。従来のソ連のコルホーズ(集団的経営)型の三〇〇戸規模の合作社を、およそ十余倍にして「人民公社」とし、政治権力と合体した農村組織が一九五八年末までに再編された。これは日本でいうと村役場と農協を合体させたようなもので、成立当初はその数約二万五〇〇〇に及んだ。一公社の平均世帯数は約四六〇〇といわれる。これは、個人の働きがいや労働意欲を保つにはあまりにも巨大であった。税務署、学校、病院、電力会社、灌漑施設、娯楽施設などがひとつの公社の下に組織されたのである。

私有地の存在は国営農業での労働意欲をそぐため廃止されたので、数百万の農民が工業へ投入されることが期待された。特に毛沢東は鉄鋼生産を年率一五%で上昇させ、一五年後の一九七三年には、英国の鉄鋼生産を追い抜くという過大な目標を織り込んだ。中国全土いたるところの農家の裏庭には六〇万ほどの小さな「溶鉱炉」が作られ、中国人が一挙に小さな鉄鋼生産者と化すという不思議な光景が出現した。これは大量生産の原理や「規模の経済」の原則を無視した非合理的な経済政策であった。

この実験は全く不成功に終わった。生産性上昇の報告をあまりに厳格に義務付けたため、報告は誇張と虚偽に粉飾されたものとなった。「一〇〇万基の溶鉱炉を六〇〇〇万の人民が建設する」といったスローガンが、需要のない劣悪な品質の工業製品を山のごとく生み出していった。町役場、共産党組織、協同組合、家計などが入り組んだような複雑な経営体には一貫性のある経済活動のためのガヴァナンスが欠如していたのである。

「大躍進」政策のバランスシートは次のようになる。農業から二割の労働力が二年間に非農業部門へと移出した。一九六〇年時点では、自然災害も影響して穀物生産は四割減少し、中国は二〇世紀最大の大飢饉に遭遇する。特に穀物が「過剰」と判定され、他の地方へ移出を強制された地域の飢餓はひどかった。一九六〇年の一年をとっても一〇〇〇万人が餓死、一九五九―六一年の三年間で、一六〇〇万から二七〇〇万人が餓死したと推定される[3]。一九五八年頃までは、六％程度で成長したと推定される中国経済は、この「大躍進」によって大停滞期に入った。

一九六〇年代初頭、中国の経済は危機的な状況にあったが、その危機をさらに深めたのは中国とソ連との決裂である。一九五六年のソ連共産党第二〇回大会でのフルシチョフのスターリン批判と平和共存路線の演説は、毛沢東から見ると「右翼日和見主義」であり、ソ連を資本主義へと逆行させる裏切り行為であった。したがって毛沢東は、ソ連指導者が中国への経済技術援助と銘打って中国の政策に介入してくることを徹底して拒否しようとした。それに対してフルシチョフは一九五九年六月、中国の核兵器開発プログラムへの協力を停止し、一九六〇年七月には、すべての中国への援助を停止し、二〇〇〇名近いソ連技術者を中国から引き揚げさせた。そしてキューバ危機の後には、ソ連と米国が接近する可能性が高いことを知りつつ、毛沢東はソ連との技術的・経済的関係を完全に断った。この経済・技術的影響は大きかった。

「大躍進」政策の失敗の後、毛沢東は、自分は「建設」には全く不向きだと告白し政治の表舞台から後退する。国民経済破綻の原因を「天災三分、人災七分」として毛を批判した劉少奇が一九五九年四月国家主席となり、劉およびその支持者たちが中国経済の「正常化」政策の主導権を握った時期もあった。しかし結局、一九六二年にカムバックを果たした毛は、国民のイデオロギー面での再教育に力を注ぎ、中国共産党の反党分子のパージと経済エリート、文化人の大パージを敢行する。これが「文化大革命」（一九六六―七六）の予兆となる。

## 文化大革命と中国経済

文化大革命は、西洋の影響と中国の伝統からの訣別を促進する文化運動であるが、同時に毛沢東の権力基盤強化のための過激な政治運動であった。「真の共産主義者」をつくり上げるために、中国社会から〝ブルジョワ〟的要素を完全に取り除くことを目的とした大運動であった。権力闘争としては、「資本主義の道を歩む実権派を叩きつぶし、ブルジョワ階級の反動的学術〝権威者〟を批判する」ことであった。「真の共産主義者」になり得ない者は、社会にとって有害なだけであるから抹殺されなければならなかった。三〇〇〇万人近くの人々が弾劾され投獄され、約五〇〇万人が文化大革命で処刑されたと推定されている。[4]

文化大革命の十年余りが、中国経済に及ぼした影響は大きい。人口増大が激しい時期で、年平均二五〇〇万人前後が生まれたが、社会の多くのエリート層の命が奪われ人的資源の損害があったこと、経済計画に過度の（余計な）イデオロギーが混入され歪められたこと、外国貿易が途絶したこと、大学をはじめとする高等教育施設が閉鎖され人材育成が中断したことなどである。十二、三歳くらいの若者が（主に紅衛兵として）最長一〇年近くも普通教育の場を去ったことは、個人的にも国家的にも大きな損失であった。ちなみに、この時期テレビが普及し始めたことによって外国の情報が入るようになり、国民の消費や欲望が多様化し始めたことも、その後の中国社会に大きな影響を与えることになる。

文化大革命の大混乱は、周恩来とヘンリー・キッシンジャー米大統領補佐官との会談（一九七一年七月一日）の後、ニクソン大統領の中国訪問が実現することによって（一九七二年二月二十一日）収束へと向かい始める。周恩来は、追放されていた多くの穏健派を政治の舞台へと復帰させることによって、いわゆる「近代化」へ大きく軌道を修正するのである。

文化大革命が終焉した一九七六年は中国にとって大異変の年であった。周恩来死去（一月）、二四万人の命を奪った河北省唐山・豊南地区大地震（七月）、毛沢東の死（九月）、四人組の逮捕と華国鋒の党主席就任（十月）と主なものを挙げるだけでも、この年が巨大国家にとって大転換の年であったことがわかる。中国の労働者の賃金が上昇したのは翌一九七七年、実に二〇年ぶりのことであった。このことからも政治の安定が、経済発展にとって必要不可欠の大前提であることがわかる。

## 東アジアの土地改革

歴史的に見ると経済発展のパターンは、次のような順序をとるケースが多い。まず農地改革によって土地が多くの農民に解放され、農業の効率化が進む。自分の農地を自分で耕作することによる「働きがい」の成果である。農業の効率化の結果、農業から軽工業（代表的な業種は繊維）へ労働力が移動し、軽工業が輸出産業となって工業化のプロセスを加速する。

そして輸出の振興が重工業化への原資を形成する。こうしたパターンは多少のバリエーションはあれ、日本でも、韓国でも、そして台湾でも見られた。これらの国々では、ラデジンスキー（GHQ、後に世界銀行）の政策思想が強い影響力を与えた。他方、インドやフィリピン、インドネシア、タイ、マレーシア、そして多くのラテン・アメリカ諸国では（第五章第1節）農地改革が順調には進行しなかった。農業の効率化が進まない地域では、工業の発展も見られなかった。こうした点を中心に「四匹の虎（Four Tigers）」と呼ばれた四つの国・地域の農業と工業の関係を見ておこう。

「四匹の虎」の中で、六〇年代以降、最も高い経済成長率を示した大韓民国は、半島の北に偏在した鉱物資源、水力発電資源、そして日本統治時代（一九一〇―四五）に建設された重工業の生産設備を、南北分断によってすべて失ったところから経済建設を始めなければならなかった。韓国が戦後受け継いだのは、主に大量の不熟練労働と農業資源だった。北も南も、朝鮮戦争で国土を破壊されたが、南は難民の流入問題にも直面したため、朝鮮戦争後の経済復興の出発点としては、南が大きなハンディキャップ（低い一人当たりGNP）を背負わされていた。

五〇年代の韓国や台湾は貯蓄率がそれぞれ三％、一〇％と比較的低く、外国からの資本の流入によってそれぞれ一〇％、一六％という粗投資率をファイナンスしていた。国内貯蓄によって投資が盛んになるのは、六〇年代、七〇年代に入ってからであった。米国からの直接援助プログラム（これは一九八〇年に終了する）のバックアップもあり、韓国経済は「三白産業」と呼ばれる製粉、製糖、紡績を中心に「輸入代替工業化」（ＩＳＩ—Import Substituting Industrialization）によって、一九六〇年代から七〇年代にかけて著しい成長を遂げる。

通貨改革、金融システムの整備と強化、指示的経済計画の積極的導入なども経済発展の重要な基盤を与えた。なかでも一九五〇年代前半に実施された農地改革は重要である。

農地改革が経済発展にとってきわめて重要なことは、日本の戦後改革を改めて例示するまでもない。農地が新規耕作者へと解放され、農地の耕作者が確定した耕作権を持ち、その耕作地が自分の所有地でもあり、土地改良や灌漑システムへの投資を行う誘因が存在しなければ農業の発展はない。その意味で農地改革は、いわば農業の発展のための、（それゆえ工業化のための）前提条件となる。さらに農地の平等分配は、所得の平準化にもつながり、大地主が大土地所有者のまま留まり、多くの小作人を抱え込む体制よりも有効需要を創出する力は大きい。一九四九年六月、韓国でも「農地改革法」が公布され、旧小作農を自作農化し、農民の営農意欲を刺激して、効率化した農業から発生する利潤を農業資金へ回す政策が採られた。その後、朝鮮戦争が勃発したこともあり、改革後の農地法政策措置が不十分になったため、小作農制度が一部復活するところもあった。その理由は、耕地が細分化されすぎて、土地代金や固定資産税を払えない農家が土地を手放さざるを得なくなったことにあった[5]。

一九六〇年代初頭の農業保護を含む経済改革によって、労働集約的な軽工業の輸出産業が発展し、輸入制限を徐々に緩和するという通常のパターンの成長経路に入る。その過程で韓国固有の事情が作用し、それが成長経済にとってプラスに働くこともマイナスに作用することもあった。その一例は韓国政府と財閥（チェボル）との強い結び付きである。

朴正煕政権は一九六二年以降、経済開発五ヵ年計画を作成し工業化をめざす。第一次五ヵ年計画（一九六二―六六）では八・五％、第二次五ヵ年計画（一九六七―七一）では一〇・五％、第三次五ヵ年計画（一九七二―七六）では一〇・九％で成長し、まさに「一直線」の経済成長で世界を驚かせた。この間、人口成長率が一・五％に低下していたため、一人当たり実質GNPは六〇年代と七〇年代の二〇年間で二〇倍にもなったのである。

戦後の早い時期に農地改革を断行し、経済を巧みに成長の経路に乗せたという点で、台湾は韓国以上の成功を収めた[6]。台湾は戦後の発展の出発点として、まずその人口の人種構成が韓国のように同質的ではなかった点に注目しなければならない。一九四九年の「中華民国」成立時点では、少数のマレー・ポリネシア系の先住民、八割を超える台湾人、そして一九四九年前後に大陸本土から渡来した五〇〇万人近い国民党関係者である。この国民党の関係者もまた、単に政治イデオロギーにおいて同質なだけで、社会的にはきわめて複雑な構成をなしていた。台湾の政治・行政・経済の実権を握ったのは、この国民党グループであった。そしてこの国民党政府が、台湾を素朴な農業経済から工業化された経済へと転換した。中国・米国・日本・欧州からの投資によってまず近代的な労働集約的技術を導入しながら、消費財中心の軽工業の輸出を振興し、重工業・技術中心産業へのシフトを成し遂げる。輸出がこの過程で大きな役割を演じた。また、一九五〇年六月に始まった朝鮮戦争の与えた影響も大きい。米国が台湾を反共防波堤として莫大な経済援助を行ったからである。これらの援助は、化学肥料、電力、紡績の分野に資本投入された。一九五五年から一九七五年までを見ると、五年ごとに貿易量は三倍に増加している。

こうした軽工業の輸出によって重工業へシフトするというパターンの背後にあって見逃してはならないのは、農業における「民主化」である。一九五〇年代はじめに農地改革を断行し、農業生産の効率性を上げることができたこと（コメは自給体制を確立）、それゆえに、質の高い労働力を労働集約的な軽工業へと投入することが可能となり、それが輸出の振興に大きく寄与したことである。五〇年代に低かった投資率も、六〇年代からは急速に上昇し、七〇年代には、台湾の貯蓄率と投資率はそれぞれGDPの三〇%を上回るほどになった。これは台湾に続いて八〇年代に高度経済成長の経路を驀進し始める韓国、香港、シンガポールにおいて達成された数字でもある。こうした「アジアの奇跡」と呼ばれる現象については、改めて第五章第3節で論じる。

## 香港とシンガポール

香港とシンガポールの五〇年代から七〇年代はじめまでの経済的変化はどうだったのか。両者は、政治システムに関してはある意味で対極にある。たとえば労働組合に関して、香港はきわめて寛容であるのに対し、シンガポール政府は厳しい対応をとっている。共通の政策としては、両者とも輸出振興策を徹底して取ってきたという点であろう（ちなみに世銀はその対極の国内向け産業の振興策に徹したのがインドだと位置付けている）。一九四五年八月の日本の降伏の後、香港はただちにイギリス軍政下に置かれたが、四六年五月再び民政に戻った。毛沢東が大陸で国民党に勝利すると、大陸からの多量の資本と労働力が香港に流入した。これが香港の経済成長の出発点である。わずか一〇〇〇平方キロの狭い土地に一九五〇年末段階で二四〇万人（一九九〇年五八〇万人）近い人口がひしめく香港は、戦前の中継貿易港から加工貿易港への転換を猛スピードで達成する。イギリス連邦特恵制や、東南アジアの華僑資本が現地ナショナリズムに追われたこともこの転換を早めた。

成長の初期の段階では繊維（衣類、綿・毛紡績）、プラスティック、電気機器、履物等の軽工業によって輸出中心の工業化が進んだ点は日本・韓国・台湾と同じである。一九五一年段階では、現地加工製品が輸出に占める割合は一〇％であったが、エレクトロニクス、精密機械、化学繊維などが発達し始めた六〇年代後半には七七％に達しており香港は完全な加工貿易港に変貌したのである。

シンガポールも一九四五年九月三日に日本の占領が解かれた後、海峡植民地は解体され、ペナン、マラッカを失い、単一の英国植民地となった。一九五九年の総選挙でリー・クァン・ユーの人民行動党が圧勝し、彼を首相とした英連邦内の自治国となっている。一九六三年九月にはあらたに成立したマレーシア連邦に加わったが、シンガポールの財政負担が過重になったこと、そしてマレーシアで少数派の中国系住民の排斥が激しくなったため、一九六五年八月九日、マレーシア連邦から分離独立している。そしてリー・クァン・ユーの強い開発独裁体制の下で急速な経済成長を遂げた。

国土面積はわずか六〇〇平方キロ余りで、人口は一九五〇年時点で一〇〇万人（一九九〇年で三〇〇万人）、文字通り人口密度世界最高の都市国家シンガポールも、香港同様に、一九六〇年代に中継・自由貿易港から工業都市国家への転換に成功した。六〇年代以前は、金融・保険・海運そしてゴムをはじめとする一次産品の加工が産業の中心であった。しかし六一年以降の開発計画でジュロン工業団地を造成し、造船・製鉄・セメント・繊維などの工業を次々に建設しただけでなく、観光開発も積極的に行い、中継貿易港として海運業にも力を入れた。その結果、一九七〇年には一人当たり所得がアジアで一番高い国となったのである。

以上見てきたような東アジアの経済発展については、その後の成長も含めてより包括的に第五章で論ずる。しかしここで一点だけ興味深い経験則についてふれておきたい。それは社会主義と伝統社会との関係である。社会主義の計画経済的な要素は、濃淡の差はあれ、戦後多くの東アジア、南アジア、東南アジアの国々に認められる。中国とソ連はもちろん、この二国の影響を受けたカンボジア、ラオス、ビルマ(現ミャンマー)、ベトナム、北朝鮮なども完全な社会主義体制を堅持した。社会主義的な指令経済の要素が最も薄かったのが、日本とタイであった。興味深いのは、これら二国はいずれも西欧の植民地とならなかった国であるという点だ。いうまでもなく、この時期の香港と韓国の経済にも社会主義計画経済の要素は認めにくい。香港が一九九七年まで英国の統治下にあり、韓国が冷戦のフロントに位置したという特殊な事情があったことは改めて指摘するまでもない。

（1）*The Land Reform Law of the People's Republic of China*, Peking : Foreign Languages Press, 1976.
（2）Eckstein, Alexander, *China's Economic Revolution*, Cambridge University Press, 1977, p.55.
（3）Lin, Justin Yifu, "Collectivization and China's Agricultural Crisis in 1959-1961," *Journal of Political Economy* 98 December 1990.
（4）宋永毅編『毛沢東の文革大虐殺―封印された現代中国の闇を検証』（松田州二訳）原書房、二〇〇六年。当初死亡者は、四、五万といわれていたが、米国在住の学者・丁抒が『開放雑誌』に発表した「恨みを呑んで死んだ二百万人―文革死亡者の統計」（一九九九）によって、その数字は大きく書き換えられようとしている。
（5）倉持和雄「韓国における農地改革とその後の小作問題」『アジア研究』第32巻第二号、一九八五年七月
（6）陳振雄「戦後の台湾の経済発展における農地改革の役割について」『地域政策研究（高崎経済大学地域政策学会）』第5巻第一号二〇〇二年、五九―七九頁

## 第2節　社会主義経済の苦闘

東欧諸国は、戦後いかなる経済問題に直面し、スターリン＝ソ連の支配下に入った後、中央集権的な計画経済体制にいかなる修正を迫られるようになったのか。「東欧」は政治的要素を含む概念であるから、東欧と一口にいっても経済発展の段階はさまざまだ。したがって社会主義化とその後の一九九〇年前後の市場経済への復帰と移行までの経過もそれぞれ異なっていた。社会主義化以前の工業基盤の厚みは、東ドイツとチェコが他を圧しており、それに「改革先進国」といわれたハンガリー、ポーランドが続いた。社会主義計画経済の破綻については第六章第2節で論ずるが、以下ではポーランド、ハンガリー、チェコスロヴァキア、そして当初からソ連と一線を画したユーゴスラヴィアについて一九五〇年代から七〇年代初頭までの変化を見る。そこには、政治的自由と経済的自由という表裏一体の二つの自由を、無理矢理剝ぎ取った不自然な体制が生み出した苦悩がある。

## 戦後の混乱と共産化

東欧の戦争被害は西欧よりも大きかった。第二次大戦で失われた物的・人的被害は、ユーゴスラヴィア、ポーランドで最も激しく、戦後一年間の生産（東独とチェコの一部を除くとそのほとんどが農業）は戦前の半分ぐらいに落ち込んだと推定される。ハンガリーとチェコでも生産水準の下落は三割近かった。ただ戦前水準への復帰も早かった。しかし経済成長への道を準備する労働市場も金融制度・金融機関も未発達であった。外国資本への依存は避けがたい状況にあった。市場経済システムと表裏一体をなす複数政党制の議会制民主政治も、チェコを除くと樹立されてはいなかった。ソ連と西側NATOの間の、いわば「力の真空」状態に陥った東欧が、いかなる過程でソ連の力で共産化されていったのかはここではふれない。[1]共産化が成功したのは、もちろん強大な軍事力を背景とした米ソの代理戦争の結果であったが、それ以外にも三〇年代の大不況とそれを好機として登場したナチズムが、市場経済システムの欠陥を証明するような成果をあげていたという側面があった。一九四八—四九年にかけて、ソ連型の中央計画経済の手法が東欧に導入され、すべての主要産業が国有化された。市場経済が万能でないことはいうまでもない。「現実」の市場経済の欠陥と「理想」の社会主義計画経済の夢を対比して、後者を喧伝《けんでん》されれば、前者の不利は明らかであろう。

共産化され株式市場は閉鎖された。取引(売り上げ)税が歳入の中心となり、労働移動(企業からの離職も含め)は禁止され、労働成果の(ノルマを設定する)共産党直属の計画委員会への膨大な書類の提出と報告が義務付けられた。企業の公有化の過程は、国によりペースは異なった。そのペースと割合を東ドイツに関して業種ごとに計算したドイツ民主共和国統計(一九六五)を見ると、製造業と商業・貿易は比較的スムーズに公有公営化が進み、次いで建設業、農林業が協同組合化したのは五〇年代後半に入ってからであることがわかる(London〔1966〕)。公有化への農民の抵抗が強かったことが主な原因である。

ユーゴスラヴィア(一九四七)、チェコスロヴァキア(一九四九)、ブルガリア(一九四九)などが次々に「五ヵ年計画」(ポーランドは「六ヵ年計画」)を発表した。いずれもソ連型の方式を採用し、内閣直属の計画委員会が財サービスの現行生産量に投入されている労働と資本の量と、計画目標値の達成のために必要とされる労働と資本の量を比較して、ある種の「投入産出モデル」を用いてバランスの取れる形に調整するという手法である。各省庁向けのおおまかな資源配分が決定されると、それがさらに省庁内の資源配分へと細分され、各企業への指令へという形で、「上から下へ」と、徐々に投入の物量と生産量が確定していくという方式である。これは、「下から上へ」と徐々に需給が調整される市場メカニズムとは正反対のシステムであった。そこには財やサービスの稀少性・選好の程度の尺度となる「価格」という概念はなく、単なる「物量」に関する技術的な計算のみに基づく生産計画が立てられていた。こうしたシステムには、企業が進んで利潤機会を察知して、リスクをとって投資し、その成功の報酬としての「利潤」を享受するという要素はなかった。

一般に、社会主義的指令経済は、進んだ先行経済へのキャッチアップの段階ではある程度の成功を収め得るが、それ以降は停滞に苦しむことが多い。先に見たフルシチョフ時代のソ連経済は初期の成功の時期と考えられるものの、繁栄の時代は長くは続かなかった。いかなる経済も量的拡大の時期と内的充実の時代がある。社会主義的指令経済は、この内的充実と先端的な技術力の競争の時期に入ると、国営企業自体が「リスクをとらない」という習性から抜け出られないために、先端的な鍔迫り合いで勝利を収めることはできない。要するに、下からの「イノベーション」が起こらないのである。

さらに社会主義計画経済は常に石炭・鉄鋼をはじめとする重化学工業への「投資」を重視し、その結果消費は拡大せず、消費財産業の成長が取り残される。東欧の一九五〇年代の粗投資のＧＮＰに占める割合は、四〇%から五〇%という推計もある。(2) これは「アジアの奇跡」といわれた東アジアや東南アジアの国々の投資よりもはるかに高率のものであった。

言い換えると、社会主義体制下では、いかに消費財産業が冷遇され、国民の消費生活が苦境に追いやられていたかということになる。こうして計画経済体制は、六〇年代に入ると目に見えて停滞が深刻になる。経済の悪化は、東ドイツやチェコなどの工業化の程度の高い国において特に激しかった。これらの点を念頭に置きながら、東欧経済の戦後二〇年ほどの苦闘に目を向けよう。

## ポーランドとカトリック教会

ポーランドにおける製造業の生産設備の国有化は比較的順調に進んだ。戦前からの設備はドイツ所有のものが多かったからである。経済運営はソ連型の計画手法が採用された。しかしこの方式の改革の必要性は次第に明らかになる。一九五六年から七〇年までの長きにわたってポーランドを統治したゴムルカ政権は、ただちに経済学者オスカー・ランゲを経済委員会の委員長に指名する。マルキストの優れた理論経済学者であったランゲは、価格メカニズムの役割を無視した従来の社会主義計画の手法を批判し、企業と消費者の行動のインセンティブ（誘因）を価格で調整する自由市場に擬したシステムをデザインする。企業の投資量の決定に関しても、ある程度の発言権が持てる仕組みが組み込まれた。しかし投資決定に企業が発言できる「自由」も、期待収益の低い投資の拡大を許容することになり、企業内・企業間の「競争」がなく、投資資金の無駄な配分を招くことになった。このランゲの方法は、基本的にマルクス＝レーニン主義の政治経済システムを信奉し、それをポーランド固有の条件に合うよう修正するというゴムルカの政策意図には一部合致した。

ゴムルカは経済政策面でポーランドの特殊性に十分な配慮を加えた。農村部に住む大多数の国民には土地の私的所有権を認めたという点でも、ソ連や東独の共産主義体制とは多少異なるシステムであった。しかし計画経済自体の失敗や非効率は、ポーランドの場合も避けがたかった。ある生産物が西側の輸入業者に拒否されたというニュースは、品質が優れていることの証拠と考えられ、人々はこの商品を争って探し求める、あるいは、ビン詰めの野菜スープを大量に買い込み、スープを近くの川に捨ててビンを洗浄し、空ビンを廃物利用業者に売って、一五〇〇％の利潤率を上げるというエピソードもめずらしくはなかった（ヤン・ヴィニェツキ）。

ソ連型の計画経済の下では、企業は費用感覚なしに生産拡張一辺倒になる誘因構造を持つ。計画は作成されても、資源不足のため実行はそもそも不可能になる。つまり企業が事前に報告する数量が無理と虚構に満ちているため、そのための資源自体が実在しない。また時には、計画目標を遂行しようとして産出物の質を低下させる。こうした不足がもとで計画未達成に陥らないために、労働、設備の予備部品や原材料の在庫をむやみに多くする一方、産出物の在庫はきわめて少ないという歪みが生じた。

費用感覚がマヒしてくると、新投資による生産能力の拡張が経営や労働側の努力を全く必要としないで産出量を増大させる基本手段となる。したがって「投資せよ、投資せよ」が至上命令と化す。そして投資に対する超過需要が常に存在する。企業はますます投資プロジェクト案の費用を過少に見積もり、その成果を過大に計算する。費用が収益を超過することがわかっていても、未完成投資プロジェクトの完工断念は「国民経済的損失である」として、追加資金を認める構造ができ上がるのである。

経済計画自体が持つ問題点も大きかった。軽工業製品の輸出を通して成長する日本・韓国・台湾などの自由主義国の開発政策とは異なり、重工業を偏重する経済開発政策は、消費財生産を犠牲にして推し進められたため、国民の生活水準に目立った向上はなかった。この偏った成長政策が国民に与えた不満は大きい。しかし工業化と都市化はこの間も進行し、国民の識字率や平均寿命は社会主義体制下でも飛躍的に上昇した。

一九七〇年からゴムルカの後を継いだギエレク第一書記は、賃金を上昇させ国民との対話を続けることによってこうした事態を和らげようとしたが、成功を収めることはできなかった。生産量の上昇は多少見られたものの、生産性を上げるための生産設備の更新にはハード・カレンシーを大量に借り入れなければならない。しかし西欧諸国が深刻な不況に苦しんでいたというタイミングの悪さも重なって、多額のハード・カレンシーの負債を計上することになった。こうした事態は価格の引き上げでしか解決できない。物価上昇（特にパンと肉）は国民の生活をますます圧迫し、結局、レフ・ワレサのカリスマ的指導力の下で一九八〇年秋に九五〇万人の組合員による連帯（Solidarność）が形成され、ギエレク第一書記は退陣へと追いやられる。

ポーランドの場合、カトリック教会を基盤とした信仰と自由の土壌、計画経済の破綻と小規模私的経営の存立、そして連帯の形成、と一九八〇年代の社会主義体制崩壊の条件がここに次々と準備されるのである。

## ハンガリーの改革

ハンガリーの戦後経済も、消費財産業を犠牲にして重工業化を強行したという点ではポーランドをはじめとする他の社会主義国と同じ道を歩み出す。しかし経済構造としては、ソヴィエト・ブロックの中で最も資源が少なく、農業中心で貿易依存度が高いという特徴があった。したがって重工業中心の投資から経済成長を遂げようとするソ連スタイルの計画経済に不向きな面があった。

一九四九年八月十五日に共産党による人民共和国がハンガリーにも成立し、ソ連の統制下に入った。ソ連型の計画経済方式の導入後、一九五三年には（わずか四年も経たないうちに）

生産量が全工業平均で三〇％も低下した。一九五六年、フルシチョフによるスターリン批判の演説があった後、ナジ・イムレの新政権が樹立され、報道の自由、ワルシャワ条約機構からの離脱、ソ連軍の撤退等が打ち出された。しかしソ連軍の苛酷な干渉を受けてナジは処刑され、約二〇万人のハンガリー人が亡命した。「ハンガリー動乱」事件である。

以降は親ソヴィエト体制が一九五六年から一九八九年まで三〇年以上続くが、その間も経済運営の面でハンガリーはさまざまな改革を実施した。特にカダールの権力が安定化する一九六三年以降の統制の緩和は大きい。小規模農地の私有化、農業生産の計画化の廃止、農業投資の規制緩和など、農業の分権化が進む。その結果、一九六四年から一九六七年の間で、小麦の生産は五〇％以上増加した。しかし利潤誘因や新技術導入を刺激する低利子政策が採られたものの、工業生産にはたいした成果は見られなかった。計画経済の弱体化の中で一九六八年に導入されたのが、「新経済メカニズム」であった。これは東欧圏で開発された最もラディカルな経済体制改革であった。

この新制度は突然現れたものではなかった。非スターリン化現象で、ハンガリーの政治・経済の統制が緩みかけていた一九五四年から五七年頃にかけて、ハンガリーではソ連の経済学界に先んじて、経済改革に関するいくつかの重要な論文が現れていた。それらは社会主義下の計画的経済管理が、企業に適切な意欲と利潤誘因をもたらさないこと、需要と供給による相対的価値形成がなされていないことを指摘したものである。論文中には「市場」という言葉は表だって用いられてはいないが、いずれも市場による調整を提唱する内容であった。

その後、実際の改革にすぐには結び付かなかったものの、若き日のヤーノシュ・コルナイ（後にハーバード大学教授）が動乱直前にハンガリー科学アカデミーに提出した博士学位請求論文が、はじめてソ連型システムへの本格的な批判分析を行った。そして五六年の動乱の後、六〇年代のハンガリーでは、再び経済改革の機運が盛り上がり、「社会主義の枠内における制御された市場」といういささか自家撞着的な表現を持つシステムへの関心と改革熱が高まっていく。そしてついに一九六八年一月一日を境に、ハンガリーは、伝統的な計画課題の指令伝達方式（ソ連型計画システム）を最終的に廃止する「ハンガリー型経済改革」に踏み切った。これが「新経済メカニズム」である[3]。

「新経済メカニズム」は「社会主義の枠内における制御された市場」であり、マクロ経済政策には指示的計画のシステムが含まれる。利潤という企業への報酬のメカニズムを制度として組み込む、原料と消費財の多くに対する価格統制を撤廃する、貿易を国家独占から解き放つ、そして実勢からかけ離れた複数の為替レートを、より現実的な単一レートに一本化する、というものであった。経済的自由のしるしとして小規模な私的経営を許可したが、この変化は米国や西欧諸国に大いに歓迎され、経済援助も増大するという好循環も生まれた。この政策転換によって、ハンガリーはコメコン諸国の中では比較的豊かな国として経済発展の道をたどるかに見えた。

この改革が一九七〇年代前半あたりから必ずしも良好な結果を生み出さなくなったのは、投資決定を政府がコントロールし、劣悪なパフォーマンスの企業も雇用保障のために解散できない、という政策が影響した。「新経済メカニズム」が自由経済における「市場システム」とは程遠い、「市場の造成」となったからである。外国貿易における赤字も次第に蓄積し始めた。もうひとつ、この「社会主義的市場経済」が理論通り作動しなかった理由としては、政治におけるリベラリズム体制が完全に欠如していたことが挙げられる。こうした改革の実施に際して、中央の政治権力が権限を下位へ、そしてフロントへと委譲することは現実には難しい。経済的自由と政治的自由とが分割不可能であることを考えると、経済の基礎的条件の変化が、上部構造たる政党の性格を変えずにはいられなくなるまで、ハンガリーは「時が満ちる」のを待たねばならなかったということになる（この動きは、一九八九年一月国会で決議された「結社の権利」と「集会の権利」の法律による、事実上の複数政党制の承認となって結実する）。

チェコスロヴァキアの戦後経済も、スターリンのコントロールの下に置かれ、その経済運営は他の東欧諸国同様、改革の試みとその反動という形を取った。

一九四八年二月のクーデター後、チェコスロヴァキアはゴットヴァルトの率いる共産党の一党独裁国家となり、モスクワの完全なコントロール下に入った。ソ連型の計画経済の常套的な方式が採用された結果、重工業優先のひずみが現れ、著しく硬直的な経済管理が続いたため、一九六〇年代初頭には深刻な経済危機を迎える。一九六一年に始まった第三次五ヵ年計画は、二年足らずで中止された。チェコスロヴァキアは、第二次大戦以前から有数の工業国であり、戦争被害がヨーロッパ諸国の中では比較的軽かっただけに、この経済の衰退はそれだけ激しく感じられた。

一九六〇年代後半からスタートした経済改革は、統制を緩和し、企業の自主運営を認め、報酬制度で労働意欲を刺激して労働生産性を高めることを目的としていた。その結果、生産性は著しく上昇し、政治的自由を求める運動とも連動した。検閲の廃止、政治犯の釈放、裁判の公正化、共産党ポストの選挙における秘密投票、旅行の自由など「人間の顔をした社会主義」と呼ばれた改革が進む。政治と経済の自由化を通して「共産主義を強化する」という方式は、東欧全体にとって「危険な方向」であり、ソ連のブレジネフ書記長や東ドイツのウルブレヒト第一書記が好むところではなかった。一九六八年八月二十日ソ連・東欧五ヵ国軍がチェコスロヴァキアに侵入し「プラハの春」は終焉する。

その後二十年余り、チェコスロヴァキアではフサクの下でマルクス＝レーニン主義の正統派共産党政権が続く。そして再び中央管理方式の計画経済体制が強化される。特に一九七〇年代後半と八〇年代の経済が停滞した最大の理由は、この共産主義体制が政治的不自由（強い検閲制度）と経済的自由をある程度許容するという相矛盾した「二兎」を追おうとしたことにある。他の社会主義国がそうであったように、重工業を偏重しているにもかかわらず、これら産業への新技術の投資を怠ったことが大きく影響した。加うるに、一九七三年と一九七九年の二度の石油危機による世界経済の停滞も資源・エネルギーを輸入に依存するチェコ経済に悪い影響を与えた。

## ユーゴスラヴィアの独自の道

東ヨーロッパの社会主義国の中で、ユーゴスラヴィアはスターリンと袂を分かち、ソ連のコントロールから一線を画する政策を取り続け、独自の社会主義の道を歩んだ。一九四五年十一月二十九日に成立した多様な大小の共和国を含む「ユーゴスラヴィア連邦人民共和国」は、チトーの鉄の意思で統一されたモザイク国家だった。一九四八年、チトーはスターリンの怒りを知りつつ、マーシャル・プランの援助を受け入れる（スターリンは一九四八年六月コミンフォルムからユーゴを除名している)。この段階で、すでにチトーは、米国とソ連という二大大国を「手玉にとる」力量を発揮したといえる。その経済運営の独自性は、一九五三年から一九八〇年まで大統領であったチトーの政治思想と行動力による。その基本思想は、ソ連型中央集権的計画経済は貧しい途上国には有効であるかもしれないが、その後の経済発展には官僚主義の弊害が大きすぎるとし、「分権的な」計画システムの開発に注目したことにある。意思決定の分権化を重視した労働者自主管理企業をベースとする「社会主義的市場経済」と呼ばれたシステムである。

チトーは一九五〇年六月に、「労働者自主管理」制度(生産者自身による経営)を導入し、経済管理の分権化を図った(経済管理の分権化と地方自治の強化を基本として、一九六三年四月の憲法で、国名も「ユーゴスラヴィア社会主義連邦共和国」と改称している)。特に一九六五年の経済改革(自由化)によって、企業経営はほぼ全面的に自主管理に委ねられるようになった。この労働者自主管理制度によって、各企業は製造・購入・販売・価格付け・輸出入・賃金に関する自己決定権を持つようになった。労働者集団は、評議会・経営委員会・企業長から構成される組織で企業運営にあたるが、評議会メンバーや経営委員会は無記名の直接選挙で選ばれる。従業員五名以下の零細企業は私的所有が認められているので、このルールの適用外となる。このシステムは工業部門だけでなく、商業や輸送などの第三次産業、大学や病院にも及んだ。
多くの価格は統制を受けず、企業の外国との貿易にも一定限の自由が認められた。もちろん政府は関税と複数の為替レート、輸出・輸入の認可業務を通して企業行動をコントロールすることはできた。このような経営管理と経済の分権化によって、企業行動は変化する。まず企業の費用節約、販売促進のインセンティブが強まり、経営の能率化、市場での競争意欲が高まる。そして倒産や失業の可能性も存在するから、理論的には市場経済と同じ自己責任の原則が貫徹することになる。しかし、倒産や失業が一時的に起こっても、企業自体は国有ではなく社会有（社会全体のもの）であるから、労働者や企業長の責任は「一時的に職を失う」という不名誉にとどまるにすぎない。それがこの「社会主義的市場経済」システムの限界であった。

ところが一九六一年から実施された五ヵ年計画は、貿易赤字、賃金・物価の上昇、農業不振、失業の発生などによって挫折し、以後、過剰投資や市場の不安定に悩まされつつ、その後多くの試行錯誤を余儀なくされた。特に投資水準の決定が多くの問題を抱えていたことは、社会主義経済に共通した難点である。投資のための予算分配が競争的なベースで行われなかったのである。一九六五年、ついに投資を分権化、銀行も民営化、これまで国家の投資をファイナンスするために用いられていた企業税も廃止された。長期の投資の決定も分権化されたという点では、ハンガリー経済よりもさらに市場化が進んだことになる。

しかしこの改革は成功を約束しなかった。その原因は、労働者たちが自分たちの取り分を、できるだけたくさん、できるだけ早く奪い合い、企業の資本形成分、社会の資本形成をも取り崩し投資自体を阻害してしまったからである[4]。こうした事態の発生が賃金支払いに関する政府干渉を招くことになる。

このようにして、競争的自主管理は所得格差の拡大と社会的不満を強め、民族的対立感情を再燃させるきっかけを作り、一九七〇年代に入るとユーゴの社会主義的市場経済は暗礁に乗り上げる。

### 共通の致命的欠陥

東欧の主な国々の社会主義計画経済が六〇年代から七〇年代にかけて経験したさまざまな苦闘を通観した。そこで読み取れるのは、「分配の平等」を標榜する社会主義計画経済に内包される次のような致命的な欠陥である。

あらゆる社会には多くの変化と不確実性が存在する。経済活動が過去の反復に過ぎないような静態的な社会では、新たな意思決定は全く不要であろう。ところが現実には、どのような規模の経済でも不確実性は存在し、「変化」は常に起こっており、ビジネスを行う者にとっては個別的・具体的な知識に基づいた新たな意思決定と経済コストの削減が日々の重要課題となっている。このような場合、統計量で表現できる種類の情報は中央計画当局に送ることはできても、現場の人間だけが知っている「特殊な知識」は中央の計画当局が集中的に管理し利用することはできない。技術知識にはデータとして存在するものだけではなく、時々刻々変化し瞬間的に生まれるような種類のものが多くあり、それが実際の生産現場での生産性を左右し、競争の雌雄を決することがある。紙一重の差によって勝敗が決まる経済競争にとって重要なのは、現場の人間が有する具体的・個別的な知識なのである。社会主義計画経済では、この種の知識を収集・管理することができない。

いかなる体制下でも現場の人間は、時々刻々変化する世界の経済条件をすべて知ることはできないから、変化と不確実性に正確に対処することはできない。ところが市場経済では、こうした変化に関する情報をすべて知る必要がないメカニズムが作動する。重要な情報は、ある財・用役が相対的にどれほどの重要性と稀少性を変化させたのかということなのである。この相対的な重要性や稀少性の変化の指標が市場で形成される「価格」なのである。「価格」は各経済主体が知る必要のない個々の事象を捨象して、意思決定にとって必要かつ十分な情報を圧縮した形で提供する。社会主義計画経済はこの「価格」の担う重要な役割への理解が欠如していたことに、致命的欠陥があったといえよう。

市場機構では、各人は自分の知識と技能に最大限の活動の余地を与えて、与えられた価格情報のもとで自分の経済活動を最もうまく計画できる状態をつくり出す。政府は資源の利用についての条件（規制など）は定めるが、いかなる目的のためにそれが利用されるのかについては干渉しない。そこには形式的な規則や法が存在するだけで、法が「特定の目的」「特定の人々」という選択的な意図を含んでいない。

他方、社会主義計画経済では、資源利用は特定のプランに従って、その時々の必要性に対する政治局ないしは国家計画委員会の判断に従って選択される。選択は必然的にその時々の「事情」に依存し、集団や個人の意識的な利害調整が不可避になる。結局、誰かの意見によって、誰の利益が優先されるのかが決定されなければならない。各産業部門での産出量水準、消費や投資の水準、産業間の投資資金の配分、価格と賃金も「人が」（匿名の市場ではなく）決定することになる。ある人の労働がどれほど有益なのか、ある財がどれほど重要なのかという判断が、一部少数の人によって下され、割り当てられる。その結果、経済的な地位改善の努力と政治的な決定権限は容易に結合する。経済問題が即、政治問題となり、誰の利益が重要であり、誰がその問題の解決に強い力を持っているのかが人々の最大の関心事となるのである。

こうした問題は、いずれの経済体制でも程度の差はあれ存在し、完全に払拭することはできない。しかし社会主義計画経済システムが、最も端的にこの欠陥を露呈することになった。

註

（1）東欧の共産化がいかなる過程で進行したのかについての日本語の研究書は多くない。猪木正道『冷戦と共存』（文藝春秋『大世界史』25、一九六九年）の最初の三章はソ連からの選挙干渉も含めたポーランド、ルーマニア、ブルガリア、ハンガリーに関する具体的な記述がある。

（2）Zauberman（1964）は、ポーランド、チェコスロヴァキア、東ドイツの投資についての説明がある。

（3）Kornai (1986) pp.1687–1737.

（4）Furubotn, Eirik and Svetozar Pejovic, "Property Rights and the Behavior of the Firm in a Socialist State : The Example of Yugoslavia," *Zeitschrift fuer Nationaloekonomie* 30 : 431–454.

## 第3節　ラテンの中進国

　多くのアジアの国々も東欧の社会主義国も、西欧や米国あるいは日本の成長と繁栄と比較すると、その理由こそ異なれ厳しい経済的苦闘を強いられた。そこには常に、社会主義と市場経済との選択という問題があり、改革と「ゆり戻し」が繰り返されてきた。日本にとって地理的には最も遠い中南米では、この時期何が起こっていたのだろうか。二〇世紀の後半になって、ラテン・アメリカ諸国は二つの要因のために世界経済に大きな影響を与えているといわれる。ひとつはブラジルを中心とする熱帯雨林の伐採による気象変化、いまひとつはコカイン、ヘロイン、マリファナなどのドラッグの生産と流通である。しかしこうした問題を引きずりつつ、中南米の経済は、政治的不安定性、政治の腐敗、軍事独裁など困難な状況を乗り越えながら経済成長の道を歩んできた。

注目すべき点は、主要なラテン・アメリカの国々は、原材料の輸出国から、保護主義の下で輸入代替を推し進め工業国となる政策を展開したことである。原材料の輸出は国際的な交易条件の悪化が起こりやすいため、保護主義下での産業の振興が必要だと主張されたのである。この政策はアルゼンチンの著名な経済学者、ラウル・プレビシュの理論化によって国連の経済委員会でも広く認められるようになった。国ごとに具体的な政策は異なるものの、基本的には、輸入保護関税を高くし、新しく公営企業を設立して工業化を後押しし、農業改革のプログラムも同時に導入するというものであった。

この輸入代替工業化（ISI—Import Substituting Industrialization）政策は一九五〇年代、六〇年代には功を奏し、所得の上昇を見たが、官僚機構の膨張と国内市場の狭隘さによる限界があった。特に政府の干渉をどの程度に抑え競争を活性化させるのかという問題は、最適点を見つけるのが困難な問題であった。

具体例として、中南米で最も人口の多い、そして工業化の水準の高い三つの国、ブラジル、アルゼンチン、メキシコの経済政策の転換を見ておこう。

**ブラジル**

南米大陸の面積の半分を占めるブラジルは、人口も一九五〇年時点で五四〇〇万（世界第八位）、一九九五年には一億五五八二万（世界第五位）と南米の総人口の約三分の一を占める。ブラジル経済の特徴は、人口の多くが都市に居住しており（都市人口が一九五〇年三六％、一九七〇年五六％、一九八〇年六八％）、都市の労働力が常に供給過剰となり、失業が一部常態化している点にある。一般に、中南米の労働力のかなりの部分が、自営業、家族労働者、家事労働者などの、いわゆる「インフォーマル・セクター」で働いている。ブラジルも一九六〇年段階では、労働力の二七％、一九八〇年段階では四三％が「インフォーマル・セクター」に就業していたといわれる。

一九五〇年にヴァルガスが政権に復帰したとき、財政赤字と貿易赤字、インフレーション、失業はすでに深刻化していた。一九五六年から政権を担当したクビチェク（右派の社会民主党）は、経営者としての活動経験を生かして、経済再生のための重化学工業化計画（メタス計画、一九五七―六一）を打ち出し、五年間で工業生産を八割ほど上昇させた。国民所得も年率七％で成長している。首都も一九六〇年に新しくブラジリアに建設し、国内の空気は一新された。しかしこうした発展の裏では、ブラジリア遷都による官僚機構の肥大化、大量の武器輸入などによる対外債務の増加とインフレーションの進行、そして政治と行政の腐敗のため、クビチェクは一九六〇年の遷都直後の選挙で敗れ去る。

その後一九六一年に政権を執ったグラール大統領は、ＩＭＦから課せられた経済改革を断行することができず、年率一〇〇％のインフレの中でわずか二％の経済成長を達成するにとどまった。グラールは土地改革と税制改革、石油精製企業の国有化をはじめとする「社会化」政策を推進したが、左翼勢力への接近が顕著になったため、結局一九六四年三月三十一日の軍部クーデターを招く。軍事政権は、それまでの輸入代替工業化（ＩＳＩ）政策から外資導入による輸出振興による開発政策へと大きく経済政策を転換させ、軍政下の一九六八年から第一次石油危機までの五年間は、インフレ率も年率六〇％から二〇％へと低下し「ブラジルの奇跡」といわれる平均年率一一％の高度成長が実現した。そして一九八五年の軍政から民政への転換は、その後の長引く不況の中で進行したのである。

ブラジルの経済発展のテンポには目を瞠るものがある。一九五三年段階では、ブラジルの輸出の八割はコーヒーであったが、二〇年後にはコーヒーはわずか二割となり、ココア・大豆・鉄鉱石だけではなく、多くの工業製品の輸出が盛んになった。この時期にブラジル経済は大転換を遂げ、ペトロブラス（PETROBRAS）と呼ばれる巨大な石油化学工業の国営団地を造成し（一九五三年）、武器産業、航空機工業も発展させた。多国籍企業として、フォード、ＧＭ、フォルクス・ワーゲンなどの外資系自動車工場も建設されている（一九五六年）。その後も欧米から直接投資を受け入れ、ブラジルは中南米諸国のうちで、最も多くの多国籍企業が生産拠点を持つ国となった。

これらの企業は、良質で安価な労働力を目当てにブラジルに進出してきた。したがってブラジルの経済発展は、最低賃金ギリギリのところで働く多くの都市労働者によって支えられてきたという面が強い。しかし工業化によって所得分配が不平等化したため、ブラジルの労働者にとって、工業化、欧米の進出、経済的苦痛の三つが重なり合い、それがほとんど同義と感じられるようになる。

一九八九―九〇年時点のブラジル経済は、多くの深刻な課題を抱えていた。インフレ率は一九八九年で一七六五％、連邦、州双方の巨額の財政赤字、対外債務のストック（民間銀行と世界銀行からの借り入れ）も第三世界最大で一〇〇〇億ドルを超える、所得分配の不平等の拡大（実に六五％以上の国民が月間所得四〇ドル以下）、外国からの投資の減少、資本逃避など、まさに満身創痍の状態となった。国有企業の生産がブラジルのＧＮＰの四五％を占めるという事実も、経済全体の効率性に疑問を投げかけている。

## アルゼンチン

すでに一九一四年段階で都市人口が五三％に達し、世界でも最も所得水準の高い国のひとつといわれたアルゼンチンも、ブラジル同様、その後都市化がさらに急速に進んだ。一九八〇年段階では人口の八割が都市に住み、人口の三分の一が首都ブエノスアイレスおよびその周辺に居住している。アルゼンチンは恵まれた農地を持つため、食糧供給国として農産物の輸出によって主要な外貨を獲得してきた。しかし農産物や他の一次産品の交易条件が悪化すれば経済が大打撃を受けるというもろさも持っていた。二〇世紀の初頭に最も高所得だった国が、その後工業が衰退し、経済的難問を数多く抱え込むようになったのは、「慢性的」といわれる政治の不安定性に最大の原因があった。政治が経済を歪めたのである。

一九五〇年代以降を見ても、政治は「三すくみ」の不安定な関係で推移してきた。ペロン政権はイタリアのファシストの経済政策をモデルとしつつ、イギリス系鉄道会社、アメリカ系電信電話会社などの外国資本を国有化し、手厚い工業保護政策を採った。農業は冷遇されたが、工業労働者への福利厚生、社会保険などのシステムは充実させた。一九五五年にペロンが軍事クーデターで追放された後、強い軍部、分立する急進的な政党、労働者階級を中心としたペロン運動という三つの力の間の、デリケートなバランスの上で政治が運営された。一九六〇年代以降は左翼勢力が強まり、一時は内乱状態が続いた。一九七三年にペロンが大統領に再選されたとき、妻イザベリータを副大統領に指名したため、翌年ペロンが死去した時点で、彼女が自動的に大統領に就任した。しかし大統領としてイザベリータが直面した社会・経済問題（それまでの工業偏重政策による農牧畜業の不振のため輸出が伸び悩む）は彼女にとってあまりにも大きな難題であったため、軍部のクーデターが起こるのは時間の問題といわれた。実際一九七六年三月、軍部（military junta）は再びクーデターを起こして、その後六年間、政治を支配する。

その後、一九八三年に民主的選挙で誕生した政権も、経済再建には成功せず、八九年には年率五〇〇〇％のハイパーインフレーションが起こっている。この時期に、アルゼンチンは電信電話や石油産業の民営化政策を打ち出し、資産売却によって財政赤字の累積問題を解決している。こうした民営化の波は、一九七〇年代のチリに始まり、八〇年代のメキシコ、エクアドル、ホンジュラス、ペルー、ベネズエラへと広がっていくのである。

## メキシコ

豊かな農地と石油を持つメキシコも、大きな潜在的経済力を持つ新興工業国家（ＮＩＣｓ—newly industrializing countries）のひとつとなった。しかしブラジル同様、高い人口成長率と所得分配の不平等に悩み続けてきた。失業者の多さと、対外債務の重さに関しても、ブラジルと似た状態が続いた。

メキシコ経済は戦中・戦後、四〇年代に、戦略物資としての農産物や天然資源を輸出して大量の外貨を獲得することによって成長を遂げている（メキシコとブラジルは第二次大戦に参戦した数少ないラテン・アメリカの国であるが、メキシコの最大の貢献は、米国へ三〇万人の労働者を戦時労働力として送ったことである。この事実が戦後のメキシコ労働力の米国への流入のベースをなした。この多くの移民たちがメキシコへ外貨を送金したことの経済効果は大きい)。

その間、戦前から始まった農地解放は徐々に進み、農地の再分配が実施される。中南米諸国の中ではメキシコが、最も早い時期に農地改革がかなりの程度の実現を見たのである(南米の農地問題については第五章第1節でふれる)。政府の内需拡大策、輸入代替工業化政策(ISI)によって、製造業も大企業を中心に発展し始め、一九六〇—七三年までの年平均実質成長率は六・六%、七三—七七年は六・一%であった。これは「メキシコ経済の奇跡」として世界の注目を浴びた。経済全体の中で国有企業の占めるウェイトが高いが、製造業部門の発展のための外貨の獲得は、主として農業生産物の輸出によってまかなわれた。一九七四年時点で、メキシコは輸出の五割を工業品が占めるようになった。しかしこの間、所得の不平等化も進んだ。このことは一九七〇年時点で、豊かな一〇%の人々が、メキシコの全所得の四割を得ていたことからも明らかである。

一九七〇年代末から八〇年代はじめにかけて石油と天然ガスが大量に発見されたため、メキシコ政府は、石油価格の値上がりもあって、石油でファイナンスされた積極的な工業化政策に打って出た。しかしこのための財政支出が負担となり、巨額の政府赤字と急激なインフレーションに苦しみ出す。石油の輸出価格を上げて外貨収入を増やそうとして、ペソを割高に操作したことがかえってマイナスに働いた。価格に対して需要が弾力的な石油以外の輸出財が、世界市場で競争力を失ったため貿易収支が悪化したのである。一九七六年八月メキシコは二二年間の固定レートを放棄してペソの大幅な切り下げを余儀なくされた。

七八年のポルティーヨ政権の積極的経済政策により、再び八—九％の成長を四年間記録する。しかし一九八二年からのメキシコの不況と流動性不足は、財政赤字、貿易赤字、先進諸国の不況、世界の石油供給過剰、対外債務の増大、外貨準備の減少などが相俟って起こったものであった。メキシコ政府は、厳しい緊縮財政とペソの切り下げによってこれに対応した。IMFの支援プログラムによって、五八〇の貸し手への返済計画の改訂（多年度一括リスケジュールで「メキシコ方式」と呼ばれる）が行われた。しかしペソの国際的信用のみならず国内における信用も大きく低下したため、巨額の資本逃避に悩むことになる。

中南米経済は、成長と停滞を繰り返しつつ中進国として発展しているものの、概して土地や富、所得の分配の不平等が目立つ。輸入代替工業化政策（ＩＳＩ）は多くの国営企業を生み出し、工業においては規模の大きい国営企業が生産の大きなシェアを占め、他は零細な規模の経営がインフォーマル・セクターの労働者によって支えられてきたという面が強い。したがって近代的な労使関係が形成される余地が生まれなかった。また慢性的なインフレは金利政策を制約し、信用割り当て、金融業への参入制限などの実施を余儀なくする。インフレの抑制と金融の自由化は、国際的な資金の流入と流出の不安定性にさらされざるを得なかったのである。

## 第4節　脱植民地化（decolonization）とアフリカの離陸

戦後世界に起こった二つの大きな経済体制上の変化を挙げるとすれば、先に述べた中国と東ヨーロッパの社会主義国家群の誕生と、アジア・アフリカの国々に起こった脱植民地化であろう。植民地問題については、その宗主国と植民地双方にいかなる経済的影響をもたらしたのか、研究と検証が多くなされてきた。

従来の通説は、西欧がアジアやアフリカから安価な工業原料を輸入し、それら植民地を自国のさまざまな製品輸出の市場としていた点を重視した。植民地の工業化の遅れは、こうした宗主国側の植民地政策の結果であるという「帝国主義史観」が支配的であった。しかし、十九世紀について見ると、植民地「非」保有国（ベルギー、ドイツ、スイス、米国）の方が、経済成長率が高いという事実が指摘され始めた。また戦前について見ると、（英国を除くと）

欧州の第三世界向けの輸出額は、それほど大きなシェアを占めてはいないことも明らかにされてきた。二〇世紀に入って植民地を獲得したベルギーは、その後低成長に苦しみ、オランダは第二次大戦後植民地を失ってから高成長を遂げている点をどう考えるのかという問いも出された。英国の場合は、需要の「質」が未成熟な第三世界に輸出が依存していたことが、むしろ英国の（繊維産業等の）技術革新を遅らせたのではないかという議論まで出てきたのである。

長期的に欧州と旧植民地国との関係を見てみると、宗主国側が経済的な利益を失うことはなかったとしても、植民地側の経済発展にとってはいくつかのマイナス効果があったと考えられる。例えば、十九世紀初頭からのイギリス綿製品のインドへの流入は、インド国内の繊維をベースとする工業化の進展にとって阻害要因となったかもしれない。また輸出用の農産物の増産が、植民地の土地と労働に関する資源配分に与えたマイナス効果も無視できないであろう。この脱植民地化の経緯とその経済的な帰結についてふれておこう(1)。アフリカの脱植民地化を振り返る前に、インドの独立の状況を見ておきたい。

## インド・パキスタン

中国に次いで世界第二位の人口を擁するインドは（国連推計によると二〇五〇年頃には一五

億人を突破し、中国を追い抜くという）、一九四七年八月に英国の支配を脱した。「インド独立の父」と称されるマハトマ・ガンジーとジャワハルラル・ネルーは、宗主国英国で教育を受け、フェビアン社会主義の影響を受けた政治指導者であった。したがって彼らの政治・経済プログラムには非暴力とデモクラシーの平等思想が色濃く反映されている。インドは世界で最も大きなデモクラシー国家となった。ガンジーは、カースト制度と農地の不平等な分配の実情に強い抵抗の姿勢を示した。公益事業や大規模な主要産業の国有化や公的規制の政策にもそのことは現れている。貧困は撲滅されねばならないが、インド固有の「公的精神的な価値」を犠牲にはするなという信念が根強いことも無視できない。こうした「公」の重視は、国有企業の投資の割合としてアジア全体で比較すると興味深い数字が観察できる。一九七八—八五年に関して、粗投資の中で国有企業の投資の占めるシェアがインドは際立って高いということである（中国のデータはない）。それに比して、日本は最も低いグループに属する。日本の「私」の優先はここにもはっきりと認められる。しかしインドの場合、注目すべきは、国有企業の多さ、その高い投資率にもかかわらず、工業生産に占める国有企業の生産割合が二割にも満たなかったという点である。「インドの社会主義」がインド経済に貢献した割合が小さかったことがわかる。

この南アジアの大国は、人種的にも宗教的にも、そして言語の面でも、国家の中に国家が存在するがごとき多様性を有する。そのような条件の下で少数のイギリス人によって植民地支配が続いたことは、インド経済にはっきりとした役割分担の構造を与えた。インド経済の主な機能は、香料・紅茶・コーヒー・原綿・絹などの商品を輸出すること（十七世紀にはインド亜大陸は世界の綿・絹工業の中心地）、そしてイギリスの工業製品のために巨大市場を提供することであった。

行政機構はヨーロッパ型の組織が導入され、法制度も英国法を基本としたものであった。そしてこれらの制度や機構が、インド本来の慣行に適合するよう修正されてきた。独立以降に非同盟（non-alignment）政策を採ったため、技術や武器についても米ソ両大国からの援助を受けることはなかった。言い換えれば、技術の超先進国であった米ソからの技術移転の恩恵に浴することがなかったのである。インドが長く農業国としての性格を保持した原因のひとつは、この非同盟政策に求められる。

英国労働党の政策の強い影響を受けたネルー政権は、都市型社会主義、さらなる工業化、近代化をめざしたという点では、ガンジーの政策を修正するものであった。先にふれたように、公益事業、鉄鋼、重工業用機器、化学などは国有化され、一連の「五ヵ年計画」に沿って資金配分は進められた。土地の平等分配と不在地主の廃止をめざす農地改革が計画されたものの、完全な成功は収めていない。

平均寿命が五〇歳以下で、三人に一人が文字が読めない。労働力の四分の三が農業に従事し、農業がＧＮＰの四割を占める。インドの農業生産が、年率三％前後で上昇し始めたのは、一九六〇年代末から七〇年代初頭の「緑の革命（Green Revolution）」によるところが大きい。「緑の革命」は害虫の駆除法、農業技術と灌漑システム（パンジャブ、シンド、ウッタル・プラデーシュ西部）の改良、そして小麦・米・とうもろこしの品種改良が含まれる。この「革命」によって生命力の強い穀物や作物の品種が改良され、農業の生産性が著しく向上した。「緑の革命」が成功したのは、カリフ作（モンスーン期）の米とラビ作（乾期）の小麦の二毛作であった。しかし同時に、資本集約的農法も普及し、農家世帯の所得分配の不平等化を招いた。大規模農場が主としてこの「緑の革命」の恩恵に浴したのである。

インドと同時に英国から独立したパキスタンがまず遭遇した最大の問題は、インド―パキスタン間の難民移動であった。英国統治下のインドが、ムスリムのパキスタンとヒンドゥー教徒のインドに分割され、それぞれが独立を果たしたため、約五〇〇万人のヒンドゥー教徒とシーク教徒がパキスタンからインドに流入し、約八〇〇万人のムスリムがインドからパキスタンへと移動した。これは歴史上最も大規模な「人口置換」といわれる。加うるに、「飛び地国家」パキスタンの人口の過半を占める東パキスタンの貧しい人々と、相対的に富裕で教育程度の高い西パキスタンの人々との間の緊張関係も政治的課題としては大きかった。西パキスタンの人間が政治・行政・軍などの枢要ポストを占めていることへの東パキスタンからの反発が強かったからである。

東パキスタンは、世界で最も人口密度の高い国（都市国家シンガポールを除いて）、そして世界で最も貧しい国のひとつとして、一九七一年に分離独立し、バングラデシュとなった。「東」が外貨を稼ぎ、大部分の投資が「西」になされるという構造も、「東」の不満を大きくした。分離独立の時点で見ると、バングラデシュの平均寿命は短く、成人識字率も二二％ときわめて低い。バングラデシュ経済はGNPと輸出の半分以上を農業に頼ったままの状態が長く続いているため、高率で増加する人口を労働力として吸収できないまま、高失業率に苦しみ続けた。

## 英国とアフリカ

アフリカと一口にいっても、アルジェリア、エジプト、リビア、モロッコ、チュニジアといった「北アフリカ」と、「サハラ以南アフリカ」では歴史も経済的状況も著しく異なる。人口は後者が前者の約五倍、近年の一人当たり所得では平均で見ると約三分の一という数字が示されている。アフリカ大陸の中でも、所得格差は大きい。「暗黒の大陸」と呼ばれたアフリカも近年外国から多くの投資を受け入れ、経済成長へと離陸を始めた国も見られる。しかし独裁政治、インフレーション、累積する対外債務、農業生産の停滞などに苦しむ国も多い。平均寿命も先進諸国と比べると二〇歳ほど短く、乳幼児死亡率一〇〇パーミルという高さは、衛生・医療の条件がいまだ劣悪なことを示す。

アフリカの多くの国は、独立を勝ち得た後、国有企業と輸入代替工業化政策（ＩＳＩ）の組み合わせによって経済成長への道を探り始めるが、必ずしも順調な発展を遂げることはできなかった。その具体的なケースを簡単にたどっておきたい。

## 英国の政策

遡ること一九二一年、当時の英国植民地大臣のW・チャーチルは、アフリカの植民地経営について述べた際、アフリカの人々を「恭順で御しやすい人々（docile, tractable population）」と表現している[2]。その後、第二次世界大戦が終わった時点まで、こうした認識をベースにした大英帝国の植民政策に大きな政治的変化は見られなかった。事実、アフリカの政治地図は戦間期のそれと大差はなかった。しかし変化の予兆はすでに大戦中にあらわれている。第二次世界大戦中、アフリカをはじめ列強の統治下にあった国々では、多くの人々が海外の戦争に徴兵され兵器産業をはじめとする戦争関連の工場労働者として徴用されていた。戦争が終わるとこうしたアフリカ兵たちは帰還して失業したにもかかわらず、社会保障制度の保護を受けることができなかった。この不満とナショナリズムが結び付いた。

アフリカで最初に独立したのは、一九五一年に正式の立憲君主制の連邦国家となったイタリアの植民地のリビアである。リビアは人口も稀薄で天然資源に恵まれない途上国で、西側からの支援でかろうじて経済運営を行ってきた国であった。しかし六〇年代の油田の発見がリビアの命運を大きく変える。一九六九年九月にカダフィーら青年将校の一団が、親西欧派のイドリース国王を廃位し、かなり急進的なアラブ共和国を成立させた。質のよい石油が全輸出の九九％を占め、一人当たり国民所得はアフリカでは南ア共和国の次に高くなった。

エジプトはすでに、一九二二年に英国の植民地支配を脱していたが、軍事と外交関係に関しては、その後も英国のコントロール下にあった。しかし一九五二年、ナセル率いる自由将校グループのクーデターが起こり（形は共和国であるが）軍事独裁政権が成立した。ナセル大統領は、アスワン・ハイ・ダムをソ連からの援助とスエズ運河の国有化で生じる資金で建設しようとしたため、英・米、世界銀行が援助を取り止めるという紛争が発生する。結局一九五六年、ナセル大統領はスエズ運河警護を名目として駐留していた最後の英国軍を追い出しスエズ運河を国有化してしまう(3)。さらにエジプトは、英国と共同で管理していたスーダンの管理権を主張したが、スーダンの国民投票はそれを拒否、一九五六年一月一日スーダンは独立を宣言する。しかしその後のスーダンは、天然資源と人的資源の不足から、民主制も市場経済の確立も見ることとなく軍制の支配下にある。

英国政府の植民地に対する考え方が第二次大戦後かなり変化した。英国の関心は、植民地戦争を避けること、そして植民地からの経済的利益を手放さないこと、この二つの相矛盾する可能性のある要求をいかに両立させるかというところにあった。植民地内部ではいずれも独立への気運は高まっている。他面、英国側も植民地支配の経済的・精神的コストの大きさを実感し始めている。こうした事実に対して、英国は植民地に学校を建設し、大学を設立し、多種多様な行政サービスを提供することによって、これら二つの相矛盾する要求をより高い次元で満たす政策を取り続けた。

例えば英国の統治下にあった黄金海岸（一八七四年以来英国植民地）は、一九五一年時点ではかなりの程度の地方自治を達成していたが、エンクルマ（一九〇九―七二）は、ただちに完全な独立を要求し、事態はかなり緊迫した様相を呈した。英国は、戦争に突入するのではなく、エンクルマの要求に応じて、一九五七年三月六日、黄金海岸を英国コモンウェルス最初の黒人国家ガーナ共和国として独立させた。エンクルマは米国の大学で勉強した後、英国のロンドン大学でさらに研鑽を積み、社会科学のすぐれた知識を持っていた。独立と同時にエンクルマは一党独裁の支配を確立、終身大統領（一九六二）となるが、一九六六年にはその地位を追われる。しかしエンクルマが同じアフリカで西欧の植民地支配下にあった国々の

「独立への意志」へ与えた影響は大きかった（ガーナは脱植民地化のひとつのモデルとなり、一九六〇年十月一日、ナイジェリアがこれに続いた。ナイジェリアはアフリカ大陸一の人口の多さと民族の多さを誇る農業国であったが、七〇年代からはその輸出の九割、GDPの三割を石油から得ている）。

その後ガーナでは軍事政権と文民政権が目まぐるしく交替した。その過程で「カカオ経済」と呼ばれるモノカルチャーの経済は悪化の一途をたどり、破産同然の状態に陥った。一九七〇—八〇年の間で、一人当たりGDPは三〇％低落し、輸出も五〇％減少、平均実質所得は八割減という大幅なマイナス成長を見た。一九八一年末に軍事クーデターで政権を奪取したJ・ローリングズは、世界銀行に救済を求め、種々の経済改革に乗り出した。

皮肉なことにアフリカの英国植民地の中で最初に完全な独立を果たした国は、ガーナやナイジェリアのように英国領の中で政治的経済的に最も立ち遅れた国であった。独立が達成された原因のひとつは、これらの国々には、いわゆる「白人少数派」の問題がほとんど存在しなかったことにある。他方、「白人少数派」が存在した植民地の独立の過程はさらに苦痛に満ちたものとなった。ローデシアと東アフリカがその例である。

北西ローデシアは、アフリカで脱植民地化が進行し始めた頃から、北ローデシア、南ローデシア、ニヤサランド（現マラウィ）を連合して、一九五三年に中央アフリカ連邦（Central

African Federation）を結成した。その後、白人支配への反発と独立の気運が強まる。スエズ危機直後であったことも影響して、英国も北ローデシアをザンビア共和国としてその独立を認めた（一九六四年十月二十四日）。長老派の牧師であったカウンダが初代の大統領となった。彼は欧米の自由主義経済と南ア連邦のアパルトヘイト政策に強く反発し、ザンビアの基幹産業である鉄鋼業の国有化など社会主義的色彩の濃い政策を展開する。他の政党をすべて非合法化するなど国内における言論への弾圧を強め、徐々に独裁者と化していった。一九九一年の選挙では敗退している。

南ローデシアの安定への道はさらに時間を要した。一八九四年にセシル・ローズの英国南アフリカ会社（BSAC—British South Africa Company）に統治されることになったローデシアは、「白人少数派」が人口の五％程度を占めていた。この五％の白人が全体の半分にあたる肥沃な土地を所有し、残りの約半分の不毛な土地は大多数の黒人が耕作するよう分配されていた。南ア連邦から移入してきた白人が、アパルトヘイト思想によってこのような土地所有の不平等を支持し続けたことも影響した。鉄道を中心とするインフラストラクチャーが完備していたこと、金とタバコ以外に、六〇年代後半から輸入代替用の製造業も発達し始めていた。

人種差別主義のローデシア戦線（RF—Rhodesian Front）のイアン・スミス首相が一九六

五年にローデシアとして一方的に独立を主張すると、英国政府は、黒人にも十分な政治参加の権利が与えられない限り独立は承認できないという態度を表明した。これに対してスミス首相は、「一方的独立宣言」(Unilateral Declaration of Independence)を発したため、国連と英国政府はただちに経済的制裁措置に出た。この経済制裁は、南ローデシアの通商相手国であった南ア共和国や、ポルトガル領モザンビークが協調しなかったため実効性はほとんどなかった。

その後七〇年代に、南ローデシアは一時ゲリラによる内戦に近い状態(三万人近い死者)になったが、自由選挙によって黒人の多数派が勝利し、一九八〇年四月十八日、ジンバブエ共和国の名で新しい独立国家として出発した。しかしその後の独裁政治が経済を破壊した。

東アフリカのケニアにも、南ローデシアと同じ土地所有の不平等があった。肥沃な土地は白人が排他的に所有し、黒人の労働力で耕作する。そして残った不毛な土地のみがアフリカ原地人の所有となっていた。こうした状況に置かれていたケニアの人々は(特にキクユ人)、ケニヤッタ(Jomo Kenyatta)をリーダーとして、その経済的地位改善のための闘争を一九二〇年代から開始した。ゲリラ戦、ヨーロッパ系住民の殺傷事件(マウマウ〔Mau Mau〕事件)などが長く続いた後、一九六三年十二月十二日に独立を達成している。ケニヤッタは基本的に親西欧の経済政策を採り、外資の導入にも成功している。その後ケニアはアフリカ諸国で有数の経済発展を達成してきた。GDPは一九六四年から一九八〇年までに六・七倍に増大したと推定される。しかしケニヤッタ統治下での政治腐敗が次第に強くなった。ケニヤッタの死によってモイ（Daniel Arap Moi）が新政権の座につく（一九七八年八月二日）。モイ大統領統治のケニアは、コーヒー・紅茶の輸出価格の低下によって不況に入る。不況が社会不安を増大させたため、モイは次第に事実上の一党独裁による支配を強め、一九九一年には外国からの援助も差し止められる。この制裁措置の効果は必ずしも十分ではなく、現在もケニアには政治的自由が存在しない。

### フランス領の場合

フランスとベルギーのアフリカ植民地についてもふれておこう。フランスの植民地であったアルジェリア、チュニジア、モロッコの地中海に面する三国は、鉱物資源も多少存在したが、いずれも農業国であり、穀物・オリーブ・柑橘類などの栽培が中心であった。アルジェリアは独立後、石油と天然ガスが発見され工業開発に有利に働いただけでなく、国際政治の場での発言力も増大した。それまではフランスとの通商関係が主であったが、石油採掘が盛んになってからは、EU全体、さらに米国との経済関係も深まった。

ド・ゴールの政権復帰によって成立した第五共和制政府は、アルジェリア以外のフランス植民地には、フランスと多くの西アフリカ植民地からなるフランス共同体（Communauté Française：一九五八—六〇）に留まる限り、独立の自由を認めるという方針を打ち出していた。一五の植民地のうち（マダガスカル島を含む）、共産党支配下のギニアだけが、フランス共同体への加入を拒否して独立を選んだ（一九五八年十月二日）。その後トゥーレ大統領の下で、ボーキサイトやアルミナを主要産品とするギニアは、強い通商関係を結んだソ連のバックアップによって一党独裁国家となり、「熱帯の収容所」とも呼ばれている。一九八四年三月のトゥーレの死後は軍事独裁が取って代わった。

ド・ゴールによるフランスの植民地政策の転換は、隣国ベルギーにも大きな影響を与えた。ベルギー領コンゴの住民も、独立の自由を求める暴動を起こし始める。そこでベルギー政府は、一九六〇年六月三十日にコンゴの共和国としての独立を承認した。しかしその後一週間足らずでコンゴは軍隊の反乱を契機に一種のアナーキー状態に陥る（コンゴ動乱、一九六〇—六五）。コンゴの無秩序は、独立時に多くのベルギー人およびコンゴ人の知識層が殺されたり、コンゴを離れたために、行政・軍隊などで多くの人的資源を失ったことが影響している。加うるに、コンゴ国内の所得の六割を生み出していた比較的豊かな鉱山地域を持つカタンガが独立を宣言したために、さらに事態は複雑になった。コンゴ動乱は、一九六五年モブツ中将（Mobutu SeSe Seko）が大統領になり、一党支配の独裁国家の誕生で一応の終焉を迎える。モブツ大統領の排外政策は外国技術や外国資本を受け入れないため、その後三〇年間、経済の成長はほとんど見られない。

振り返れば十八―十九世紀、アメリカ経済の労働不足への対応として盛んになった大西洋奴隷貿易は、アフリカ各地の共同体を破壊し、アフリカから多くの熟練労働力を強制的に奪い去った。奴隷貿易自体は一八五〇年頃に終焉しているが、その後アフリカ大陸は、欧州列強によって陣取りゲームのように分断された。戦後四半世紀の間に、これらアフリカの国々もさまざまな経路をたどった。そこに確たる経済史上の法則が存在するわけではない。農業国家が突然産油国になり豊かになったが、原油価格の低落で再び貧しい国に逆戻りした国（ナイジェリア）、独立を達成したものの、軍事独裁や共産主義独裁によって経済が停滞した国（ギニア、ザイール、ジンバブエ）、人口増加率が高すぎて一人当たり所得の上昇が見られない国（ナイジェリア）、いずれも多額の対外債務を抱え込んでしまった点は共通している。

政治的安定性が経済発展にとっていかに重要かについても、いくつかの事例から推測できる。ケニアは独立から一九九〇年までの二七年間で、わずか二人の大統領を戴いただけである。しかし政治的安定性が統治期間の長さだけで測れるとは限らない。長い独裁者の統治で、完全に経済が停滞してしまったからだ。あるいは極端な国家主義と排外主義から外国技術や外資の導入を拒んでいるため、経済が離陸できないケースもある。

中央計画型の経済では、政治家や官僚の決定が、生産と消費における私的個人の選択に取って代わるため、経済生活は広い範囲にわたって政治化される。支配者たちの決定が人々の所得や雇用機会を強く規定し、大部分の国民の経済生活の内容を決めてしまうのである。その結果、生活は極端に政治権力への関心によって歪められ、反対勢力は力ずくで圧迫される場合が多い。したがって途上国の政府の機能・役割として、どうしても治安を維持することが大きなウェイトを占めざるを得なくなる。

第三世界の貧困と悲惨の原因は基本的に「経済の政治化」、そして「悪しき政治」にある。強すぎる国家、単一政党、軍隊、国営企業が、あらゆる経済的進歩を阻んでいるからである。現代の第三世界は、十八世紀のヨーロッパが富の不平等と専制政治、抑圧的な伝統文化に悩まされていたことと一脈通じるところがあろう。

アジア・アフリカに存在した多くの植民地が、独立の後、いかなる経済的な経路をたどったのか。発展への離陸を果たしたのか、あるいは停滞から抜け出られないまま政治的な不安定に苦しんでいるのか。成長と停滞を分けた要因は何なのか。こうした問題について近年多くの経済学者が取り組んでいる(4)。その代表的な研究の暫定的な結論を最後に紹介しておこう。

宗主国から官僚機構はじめヨーロッパの経済制度、社会制度を移入するタイプの統治をしたケースと、宗主国から移り住むものは官僚、医師、宗教家をのぞくとごく少数で、主として宗主国が鉱物や原材料を「収奪する」ための支配を行ったケースとに分けて検討すると、前者の方が圧倒的に独立後の経済パフォーマンスが良好なこと、そして私的所有権を保証する政治体制であるか否かが経済成長にとって決定的に重要であることが明らかにされている。

註

（1）アフリカの脱植民地化に関する包括的な解説書として、John D. Hargreaves, *Decolonization in Africa*, 2nd edn., Longman, 1996. が参考になる。

（2）Porter, Bernard, *The Lion's Share : a short history of British imperialism, 1850-1995*, 3rd edn., Longman, 1996, p.294.

（3）Varble, Derek, *The Suez Crisis 1956*, Osprey Publishing, 2003.

（4）Acemoglu, D., S. Johnson and J. A. Robinson, "The Colonial Origins of Comparative Development : An Empirical Investigation," 2001 *AER*, Vol.91, pp.1369-1401.

# 第五章　転換

## 第1節　石油危機と農業の停滞

「黄金時代」と呼ばれた経済成長と繁栄の時代のピークが過ぎて七〇年代に入った段階で、世界経済が新局面に突入したことを示す二つの大転換が起こった。ひとつは、戦後四半世紀の国際経済の枠組みを形成してきた国際通貨基金（IMF）と国際復興開発銀行（IBRD、世界銀行）に代表される「ブレトン・ウッズ体制」が終焉を迎えたこと、いまひとつは、中東の政治的不安定性と石油供給カルテルに起因する「石油危機」によって、世界の経済活動のベースをなすエネルギー供給問題が深刻化したことである。この二つの出来事は、ともに米国の経済と政治の動きと密接に関係していた。ブレトン・ウッズ体制の終焉は、米国の一九六〇年代中葉から持続したインフレーションがその「遠因」となったこと、石油危機は、この世界経済の大転換の「近因」として作用した。この大転換に至るまでの米国経済の問題点を少し詳しく振り返っておきたい。

## 基軸通貨国のインフレーション

一九六五年頃から進行し始めた米国のインフレーションは、戦後の国際経済（貿易と金融）システムのひとつの柱を突き崩すことになった。固定相場制に基礎を置く「ブレトン・ウッズ体制」の崩壊への一大原因となったからである。第二次大戦が終わってから二〇年間ほど、世界経済は基軸通貨である米ドルの不足に悩まされてきた。事実、第一章と第三章で説明した通り、第二次大戦後に米国が雇用法（Employment Act）によって「小さな政府」の伝統から離れねばならなかったのは、国際収支をコントロールして、米国が「適度な」輸入超過によってドルを世界経済全体に注入するという任務を負わされたためであった。

この調整過程には、ある種のディレンマが含まれていた。「流動性のディレンマ」（R・トリフィン）と呼ばれるものである。国際流動性は国際取引に必要な国際通貨の供給量を意味する。この国際流動性が米国の国際収支の赤字によって供給されるとすれば、米国の国際収支の改善が続けば、流動性の供給が維持できなくなる。他面、国の国際収支の悪化が続けば、国際流動性は豊かにはなっても、ドルへの信任が揺らぐ。IMF体制は、米国のケインズ政策によって（つまり「完全雇用」のための需要管理政策によって）米国を国際収支赤字国にしながら、米ドルを世界に安定的に供給し続けるというシステムであった。米国の国際収支の悪化に頼ることなく、国際流動性を創出する方法が議論され、ＩＭＦ特別引出し権（ＳＤＲ—special drawing rights）を設け、外貨を必要とする国に加盟国のクォータ（出資額に相当する割り当て額）に比例して配分するという制度も整備された。

ドル不足に悩みつつも、かろうじて米国の努力によって米ドル供給を行ってきたＩＭＦ体制が、いつの間にか米ドルの過剰に悩み始めた。米国の軍事的・経済的な膨張政策、そして援助政策は、冷戦期の「封じ込め」政策の基礎をなすものであった。しかし状況は次第に変化し始めたのである。米ドルの多くは外国の外貨準備となり、米国企業の対外直接投資として諸外国へ流出したのに対して、米国へ還流するドルは、外国からの米国への投資、および米国の対外投資の収益の還流だけであった。ヨーロッパでのドルは、「ユーロ・ダラー」の市場で取引されていたが、ここでもドルがダブつき始めた。世界経済におけるドルの量をその供給国たる米国自身がコントロールできなくなったのである。

他方、米国内のインフレーションがさらに深刻な歪みをもたらし始めた。固定相場制のもとで米ドルの為替相場は固定されていたため、米国内のインフレの進行は、「国際市場でドルが不当に過大評価される」という状態を生み出したのである。過大評価されたドルは、米国民にとって外国製品の価格を安くし、外国にとっての米国の製品の価格を高くした。したがって当然米国の貿易収支は悪化する。それだけでなく、「ドルの切り下げ」を予測する投機家たちがドルを手放す方向へと走り始める。米国の輸出が停滞するだけでなく、日本をはじめとする外国からの輸入攻勢に対処できなくなり、米国内の保護主義的な傾向が強まった。六〇年代後半から始まる「日米貿易摩擦」（特に繊維と鉄鋼）にはこうしたブレトン・ウッズ体制と米国内のインフレーションの進行という背景が存在した。事実、一九七一年には、米国は未曾有の大幅な貿易収支の赤字を計上する。これは米国の政権担当者を動転させた。

こうした事態に対してR・ニクソン大統領は一九七一年八月十五日、「新経済政策」の一環として、米ドルの金への国際交換可能性を停止し、米国内への輸入に対して暫定的に一〇パーセントの課徴金をかけると発表した。この米ドルと金の交換停止が実質的なブレトン・ウッズ体制の終焉となった。国際為替市場が正式に「変動相場制」に移ったのは一九七三年二月から三月にかけてである。それ以後、米ドルの価値（他国の通貨との交換比率）は日々の国際為替市場で決まるようになった。

また米国の輸入課徴金は、自由貿易体制からの大きな逸脱を意味した。以後、米国は保護主義的色彩をさらに強め、日米貿易摩擦の諸局面でもいくつかの保護主義的政策を打ち出していく。ニクソン大統領の決断は、国際経済を安定化させる政策と期待されたが、米国内のインフレーションがそのまま続いたため、ドルの流出にはなかなか歯止めがかからなかった。

国内のインフレーションに対しては、賃金と物価の凍結令などが出された。しかし一九七四年になってもその効果はあがらなかった。他方、後に述べるように失業率も上昇し始め、これ以後いわゆる「スタグフレーション」（インフレと失業の共存）に米国はじめ多くの先進国経済が苦しみ始める。

このインフレーションに「火に油を注ぐような」影響を与えたのが、一九七三年十月の第一次石油危機であった。第一章第2節で述べたように、一九五〇年時点では米国は世界の石油生産の五割を占めていたが、消費量の増大と中東での原油採掘の進展により、一九六〇年代以降石油需要の輸入依存度が次第に高まり、米国の原油輸入はドルを世界に散布することになった。変動相場制に移ってからは、米国ドルは（世界経済への供給過剰から）ドイツ・マルクや日本円に対しても大幅に低下した。

ドル安自体は米国の貿易収支を改善させるはずであるが、石油危機による原油価格の高騰があまりに激しかったため、米国は輸出によって貿易収支を黒字に転ずることはできなかったのである。

## 石油危機

まず石油危機がどのような経緯で発生したのかについて概略を説明しておこう。

一九七三年十月六日、アラブ人の間では十月戦争と呼ばれる、「贖罪の日《しょくざい》」の戦争が勃発した。エジプトとシリアは、それぞれ一九六七年以来イスラエルに占領されていたスエズ運河とゴラン高原に進攻し、イスラエル軍を驚かせた。しかしイスラエルも二日と経たないうちに反撃に出、十月八日にスエズ運河西方に進軍しカイロに迫る一方、ゴラン高原を再占領した。

これに対して産油国のサウディアラビアは、その最大の輸出先である米国に、進攻を停止して国連の調停を受け入れるよう、イスラエルを説得する圧力をかけた。十月二十四日に休戦協定が結ばれ、スエズ運河からの撤兵と国連の平和維持軍（ＰＫＦ）のゴラン高原駐留が決まり、一応イスラエル側の「勝利」でこの戦闘は決着を見た。しかしイスラエルは多くの戦死者を出しただけでなく、イスラエル軍自体の頑強さをアラブ側が過大評価していたことも明らかになり、「六日間戦争」以来低下していたアラブ側の自信を逆に回復させることになる。

アラブ諸国は米国と西欧諸国がこの戦争で親イスラエルの立場を採ったため、原油産出量を大幅に減少させ、米国と（ヨーロッパの原油輸入港であった）オランダへのすべての原油輸出を停止した。この措置は、原油価格をそれまでの約四倍の一バレル約六ドルに跳ね上げることになった。これは石油資源が政治的武器として効を奏した最初の例であるが、この措置によってアラブ諸国は、石油の持つ政治的武器としての威力を実感する。

同じような形の石油危機は、六年後の一九七九年、「イラン革命」のときにも再び起こった（「第二次石油危機」）。この時は原油価格が一バレル二三ドルとなり（最高三四ドルまで上昇）、世界経済に大きなショックを与えた。しかし「第二次石油危機」は、その原因を「第一次」とは異にしている。一九七九年の第二次危機の場合は、ペルシャ湾沿岸諸国の政治的安定性への危惧、イスラム神政政治・ホメイニ新体制に対する不安から原油供給を減少させる動きが産油国の間で発生したことによる。

これら二度の石油危機が世界経済に与えた影響はきわめて大きかった。論者によっては第二次世界大戦後、最大の政治経済的事件とみなす者もいるほどである。すでに第四章の途上国の事例で見たように、原油価格の上昇は、多くのアフリカやラテン・アメリカ諸国を経済的な苦境に陥れた。その結果、クーデターが起こったケース、あるいは多額の外国からの借り入れを行い、その後その債務に苦しむというケースもあった。特にアフリカ諸国にとって、一九八〇年代の一次産品価格の下落と相俟って、この対外債務の膨張は深刻な経済状況を生み出した。

石油危機は、米国・日本・ヨーロッパ諸国の経済にも根本的な打撃を与えた。それは単にエネルギー価格が上昇したことが、すでに進行していたインフレーションをさらに燃え上がらせただけではなく、労働市場をも変質させるようなショックを与えたからである。労働側はエネルギー・コストの上昇を、自分たちの実質賃金の下落で補償されることを恐れ大幅な賃金上昇を求めたため、一九七三―七四年を機に、多くの国々で失業率が急激かつ大幅に上昇した。それまで二％前後であったヨーロッパや日本の失業率が、第一次石油危機を境として四％以上に跳ね上がったのである。

二度の石油危機は、それまでの「経済は限りなく成長するものだ」という「ケインズ的福祉国家観」の死への一種の触媒のような作用を果たしたことになる。日本でも、「資源の制約が日本経済にとっていかに強いものか」を再認識させられたという点で、石油危機はわが国経済にとって一大事件であった。この危機によって、現代の経済社会が予想以上の脆さ、不確実さを持つことがはからずも露呈したのである。

### 東側経済への影響

石油危機は単に中東と米国・欧州・日本という西側先進諸国だけにショックを与えたわけではなかった。コメコン諸国への経済的影響こそが甚大であったと見ることもできる。コメコンは、元来ソ連と他のメンバー諸国（一九四九年設立時のメンバーであったアルバニア〔一九六二年に脱退した〕・ブルガリア・チェコスロヴァキア・ハンガリー・ポーランド・ルーマニア、そしてその後加入した東ドイツ（一九五〇）・モンゴリア（一九六二）・キューバ（一九七二）・ベトナム（一九七八）、一九六五年から準メンバーの地位にあるユーゴスラヴィア）との間の双務的貿易システムとして機能していた。図式としては、ソ連が第一次産品・原油・ガスを他のメンバー国に供給し、その対価として完成品を受け取るという貿易構造を持っていた。

原油価格の急上昇はコメコン諸国へどう作用したのか。ルーマニアとソ連の原油価格は世界市場から隔離されているわけではなかったので、五年ごとに「世界相場を睨みながら」改定されていた。原油の産出国であるルーマニアとソ連は、自国の輸入する西側諸国からの工業製品の価格がすでに高くなり始め、特にアジアと西欧から輸入していた機械類は高価なものが多かったため、限られたハード・カレンシー（金または米ドルと容易に交換し得る通貨）の外貨準備の中で、これらの高技術の生産設備を購入することは困難をきわめた。そこへ石油危機は追い打ちをかけるように、すでにあらゆる側面で綻びを見せ始めていたコメコン諸国の経済に決定的な打撃を与えることになる。石油危機は、八〇年代の社会主義経済の破綻が顕在化するまでの重要な伏線をなす出来事でもあった。

## 生産性の低下とスタグフレーション

二つの石油危機は世界経済に低成長と高い失業率をもたらした。その転換が激しかったため、一九七四年以降の世界経済は、あたかも「宴の後」のような冷えびえとした雰囲気に覆われてしまった。インフレーションが鎮静化せず高止まりの失業率が続いたため、インフレと失業のダブル・パンチの状況はスタグフレーションと呼ばれ、経済の新しいタイプの病として認定されるようになった。それまではインフレーションは経済がフル回転し、労働市場も逼迫しているときに進行するのが普通であった。逆に失業者が増加する不況期には、物価が下落するほどではなくても、上昇することはなかった。ところが七四年以降の世界は、物価上昇と失業者の多い不況（スタグフレーション）に見舞われたのである。理論的には、このスタグフレーションは「インフレ期待」という概念を導入して説明された。「インフレ期待」が貸し手の利子率を上昇させることによって、投資の費用を高くして経済をスローダウンさせ、失業率を高めていると考えられた。

スタグフレーションという経済の病の治療には、もはや財政政策が従来のように特効薬としての威力を持たなくなっていた。意図的な財政拡大がインフレーションをさらに悪化させるという自家撞着的な状況にあったからだ。さらに後段で述べるように、財政自体がいずれの国においても拡大し硬直化しているという経済の体質的な問題が存在していた。いずれの先進国においても、七〇年代には社会福祉プログラムが拡大し、財政支出が膨らみ、政策としての恣意的な財政出動の余地が少なくなっていた。

日本の場合にもこのことは当てはまる。一九七三年は日本の「福祉元年」と呼ばれた年である。七三年度は、伸び率が空前の二四・六％の超大型予算で、厚生年金の物価スライド制、七〇歳以上の医療無料化、高額療養費支給制度などがスタートし、社会保障支出が著しく拡大した。その結果、七〇年代後半から財政の一般会計歳入における国債発行額が急速に増加し、GNPに対する国債残高の比率が一九七九年度には実績で三四・七％にまで達し、英国に次いで世界第二位の借金大国になった。高度経済成長期に見られた自然増収をベースにした均衡予算が大きく崩れ、それ以降の日本の財政政策を強く制約する。

米国・ヨーロッパ・日本といった先進工業国では、財政が硬直し、財政政策が強い制約を受け、インフレーションと闘う手段として他の方策を考慮しなければならなくなった。多くの国で採られたのは、賃金と物価の統制（あるいは凍結）であったが、この統制策も結局功を奏することなく、インフレーションは八〇年代初頭まで続く。

米国の政策がこの時期のスタグフレーション対策のひとつの典型をなす。当時の米国の大統領R・ニクソンは、すでにPublic Law 91-397「一九七〇年経済安定化法」が経済安定化政策の責任を大統領に集中させていたこともあって、議会から一種の勅令を発する権限を付与されていた。そこでニクソン大統領が出したのが賃金・物価の統制令であった。第一段階として九〇日間の賃金・物価（農産物と輸入品は除く）の凍結、第二段階として委員会方式で賃金と価格の基準を設定審査、第三段階は規模別ガイドラインを作るというものである。これは第一次世界大戦中の米国の統制令の焼き直しとも考えられる。だが結果は惨憺たるものであった。この統制令によってもインフレーションは収まらず、ＯＰＥＣによる原油価格の引き上げと、ソ連の凶作による農作物価格の上昇が経済生活をさらに悪化させた。

一九七二年に大統領の経済諮問委員会（Council of Economic Advisors）は、そのレポートの中で「インフレーションはほとんど終焉した」と宣言しているが、インフレは止まらなかった。一九七六年にも同様な宣言が発せられたが、同じくこの種の予測の信用性を損なう効果しか持たなかった。こうした物価・賃金のコントロールは、失業率の低下に全く効果がなかった。そのため、連邦準備制度理事会が金融拡大策に出たことが、インフレが続いた最大の原因となった。結局、一九七四年・七五年に米国は負の成長率を記録し、七五年の失業率も七・五％と大恐慌時（推定二〇％）以来の高率となった。この米国のインフレが鎮静し始めるのは、連邦準備制度理事会がポール・ヴォルカーの下でマネー・サプライを収縮し始めてからである。ヴォルカーの政策は利子率の上昇を生んだものの、一五年以上の長きにわたった米国のインフレーションはかろうじて終焉したのである。英国の首相マーガレット・サッチャーも高金利政策を採り、一種のサプライ・ショックを与えている。もっとも、英国の場合、一九八〇年代の失業率は平均一〇％前後で高止まりする。

## 食糧問題の顕在化

石油が経済活動のエネルギー源であるのと同じように、人間の経済活動の主要なエネルギー源は食糧である。その食糧も六〇年代後半には、地域によって厳しい供給不足に見舞われる。食糧があり余るほど存在する国・地域と、逆に絶えず餓死していく人間に施すべきのない国が、同じ地球上に同時に存在するという事実こそが、二〇世紀後半に明らかにされた食糧問題の特質である。この問題は、国家間の食糧を含む貿易構造と、一国内の都市と農村の間の経済的不均衡とに分けて見ていくことが重要であろう。特に後者の問題は大きい。というのは、地球上に広がる貧困、所得や富の不平等、人口の激しい増加、高まる失業率、そのいずれをとっても、農村部の経済条件の沈滞と退歩に起因するところが大きいからである。

まず一九五〇年から八五年までの世界の食糧生産と農業生産（食糧だけでなく綿・サイザルアサ・羊毛・ゴムなどを含む）を「一人当たり」で見てみよう。「第三世界」全体では、五〇年代と六〇年代ではその成長率は一％にも満たないだけでなく、五〇年代に比べると六〇年代の方がさらに低くなっている。六〇年代の農業生産は世界的に停滞していたのである。

一九七〇年代に入ると状況は幾分改善する。途上国が農業生産へと資源を投入し始めたためである。八〇年代に入ると再び成長率は大きく鈍化した。この趨勢の中で例外として目立つのは、インド、インドネシア、パキスタン、タイ、フィリピンなどのアジアの途上国である。これらの国々では、八〇年代に入ると、食糧と農業生産は「一人当たり」で一％を超える率で成長を続けたのである。この農業生産の成長率上昇は、後に述べるアジアの工業化の「支え」になった。

他方、工業化の先端を歩み続ける先進国でも、食糧と農業生産の「一人当たり」成長率は、六〇年代の農業不況期を除くと、常に一％を超える率を記録してきた。その大きな原因は、これら先進諸国における人口増加率の大きな鈍化にあった。

こうした「一人当たり」食糧生産の成長の中で、ひときわ陰鬱な姿を示すのがアフリカ諸国である。六〇年代以降、「一人当たり」食糧生産も農業生産も、実に「マイナス」の成長率を示したのである。もちろん「マイナス」を示したのは「生産」であって「消費」ではない。食糧輸入によって「消費」の方は、幾分低下傾向は抑えられたものの、家計支出の中で食糧の占める割合の高いアフリカ諸国にとっては、こうした食糧生産の低減は大きな打撃となった。その原因は幾多の要因がからまっている。技術の遅れ、耕作地拡大に伴う土地の劣化、森林の伐採による環境悪化、農業政策（特に価格政策）の誤りなどが挙げられる。なかでも最大の原因は、本書冒頭で素描した世界でも類を見ない高率の人口増加にあった。

## 途上国の農業の停滞

ではなぜ、アフリカを含む途上国の農業は衰退したのか。すでに指摘したように「一人当たり」で見る場合、人口増加が重要な説明要因になるが、それを除いても第三世界の農業が衰退するいくつかの原因があった。

そもそも多くの途上国政府は、工業化に熱心なあまり、農業への投資を怠ってきたという事情がある。それまで輸入してきた工業品を自国の工業化によって自給するという「輸入代替工業化」、そして自国通貨を過大に評価しておくことが工業化にとって有利だという考え方である。

一九五〇年代と六〇年代の農業投資をM・トダロの計算によって見ると、一八ヵ国の途上国で、全投資のうち農業部門へ向けられたのは一二％にすぎない[1]。これらの国々ではGNPの三〇％、労働力人口の六〇％が農業部門で占められていることを考えると、いかに農業が軽視されてきたかがわかる。言い換えれば、途上国政府のほとんどが、都市の工業を優先する投資政策を採ったため、人口が一挙に都市部に流れたのである。一九七〇年代後半から八〇年代にわたって、こうした工業偏重の政策から農業・農村の開発へと政府はその政策をシフトし始めた。しかしこの種の偏った政策が世界の農業と食糧全体にもたらした影響は依然尾を引いている。その結果、世界には大きく分けて二種類のタイプの農業が併存するようになった。先進国の高度な農法による効率的農業システム、もうひとつは途上国の非効率な低生産性農業システムである。ワイツの計算によると、一九六〇年時点でこの二つの生産システムの「一人当たり」生産性格差は一三倍、一九八〇年段階では二六倍、そして二〇〇〇年には四〇倍近くに拡大すると予測された（Weitz〔1971〕）。

途上国はそれぞれ生産性向上を阻む「ボトルネック」を持っている。そのいくつかを指摘しておこう。例えば、国連FAO（食糧農業機関）の報告によると、ラテン・アメリカでは土地所有者の一・三％が、耕作地全体の実に七一・六％を所有している。この土地分配の不平等が農業の生産性に大きな影響を与えてきた。特に不平等が著しいのは、チリやペルーである。他方、メキシコ、ボリビア、キューバなどは農地改革が進んだため、こうした問題は深刻ではない。その他のラテン・アメリカ諸国では、無数ともいえる「ミニフンディオス」と呼ばれる家族農業と、比較的少数の「ラティフンディオス」と呼ばれる一二人以上を雇用する大規模農業が混在し、後者が全耕作地の半分以上を占めている。(2)

大規模農業経営は通常、「規模の経済」からの利益を享受することができるため効率的だと考えられがちである。しかし第三世界に関する限り、この経済学の論理は必ずしも妥当しない。例えばアルゼンチン、ブラジル、チリなどの「ミニフンディオス」は、ヘクタール当たりの生産額は「ラティフンディオス」の二倍以上にものぼっている。これは「ラティフンディオス」では土地が有効に活用されてこなかったためであり、大規模農場の所有者が土地の有効活用を実現すべき十分な誘因を持ち得なかったことによる。

他方、アジアの農業は別種の問題を抱えていた。狭い土地に多くの労働力が投入されてきたため、いわゆる「収穫の逓減」を来たしているという問題である。国土は広大であっても一人当たりの耕作面積の狭さは、インドでも、中国でも、日本でも同じである。特に植民地支配の下にあったアジア諸国では、農地の所有権の導入が農業システム全体を変容させ、土地が取引の対象となり、担保性を持ち、金融市場へと組み込まれていった。同時に二〇世紀のアジアは、特に戦後、激しい人口増加を経験している。その結果「一人当たり」の耕作地は次第に減少し所得レベルが低下したため、農民は農具への投資のためにも、金融業者から借り入れを行わなければならないような状態になった[3]。

農村金融の利子率は、こうした将来性の暗さからおのずと高くなり、二〇〇%という高利もめずらしくはなかった。その結果、借金は返済できず、農民は土地を手放し、借金を抱えた小作人と化すケースが多かった。貧困の悪循環である。こうした現象は、インド、インドネシア、フィリピンなどでしばしば起こった。小農地所有者が小作人となり、分益小作契約に入り、結局土地を持たない農業労働者と化した後、職を失い、最終的には大都市のスラムへ移動して「半失業」の状態でかろうじて生き延びるという転落のパターンである。

人口増加の一番激しかったアフリカの農業も、ラテン・アメリカともアジアとも異なる特徴を示してきた。ケニアや東・西アフリカなどのプランテーションを別にすれば、ほとんどのアフリカ農業は家族農業と村落からの労働の調達によって経営されてきた。焼き畑農法を採用している地域が多いため、土地は遊休地が多く、土地の社会的・経済的価値、あるいは政治的価値が高まることはなかった(4)。遊休地も存在する比較的規模の小さな農地で、伝統的な技術を用いた農作業が続いたため、「収穫逓減」の法則は瞬く間に現れ、農業生産の伸びは見られなくなった。加うるに農繁期と農閑期の労働力の調整ができる経済構造がなかったため、労働力不足や労働力過剰が容易に発生した。

一九七〇年代から八〇年代にかけて、世界的な食糧危機が叫ばれた背景には、人口増加という需要側の要因以外に、以上のような供給側の要因もあった。加うるにアフリカやアジアで起こった干魃も、こうした条件をさらに悪化させた。その結果、北アメリカが全世界の食糧基地として重要な役割を果たすことになる。食糧の不足と偏在は食糧の価格を上昇させたため、特に途上国の貧困層にとっては死活問題となった。彼らには、食糧価格が二倍になること、干魃で凶作が起こることはただちに「死」を意味した。

註

（1）Todaro, M. P., *Economics for a Developing World*, Longman, 1997.

（2）Gordon, Wendell C., *The Economy of Latin America*, Columbia University Press, 1950. pp. 7-9.

（3）藤田幸一『バングラデシュ農業発展論序説　技術選択に及ぼす農業構造の影響を中心に』農業総合研究所、一九九三年

（4）末原達郎『赤道アフリカの食糧生産』同朋社、一九九〇年

## 第2節　失業を伴う均衡

一九七〇年代、戦後の復興をバネとした活力はあらゆる分野で低下し、収益性の高い投資機会も減少、不完全就業状態にあった労働力も雇用され尽くして、欧州経済は大きく減速し始めた。先に述べたように、固定相場制の終焉によってブレトン・ウッズ体制はその本来の役割を終えたことになる。一時的に固定相場制に戻り、広い変動幅（従来は上下一％であったが、二・二五％に拡大）に基づく固定相場制（スミソニアン体制）が案出されたが、それも長く続くことはなかった。一九七三年三月、世界的にも固定相場制度は完全に崩壊し、主要国の通貨がお互いに変動する「総フロート制」が始まる。この国際金融システムの変化は、それまでの国際競争の世界的な秩序を撹乱した。一九七三年からの一〇年間を、それ以前の一〇年間と比較すると、労働者一人当たり生産高の平均成長率は、フランスとドイツで五〇

%、英国で六〇%、イタリアでは七五%、それぞれ下落した。[1] この大幅な生産性の下落を分析した研究によると、主な原因は「石油危機」という供給側の要素よりも需要の弱さの方が大きかったというのが一致した結論である。言い換えれば、一九七三年と七九年の原油価格の急激な高騰は表面的な現象であって、生産性の低下そのものの原因はもっと根が深かったということになる。単なる原油価格の上昇というショックがもたらした生産性の低下であれば、原油価格が旧に復した段階で生産性も元のレベルに回復するのが自然であろう。したがって雇用や技術といった供給側に起こった変化だけでなく、需要の低迷に注目しなければならない。

### 失業率の上昇

一九六〇年代は先進工業国で一貫して低い失業率が続いた。むしろ世界経済全体はインフレ圧力に苦しんでおり、インフレと失業が共存する「スタグフレーション」などは想定できない現象であった。しかし七〇年代に入ると、ヨーロッパ諸国からスタートして、顕著な失業率の上昇が観察され始めた。特にEC諸国では、一九七三年と一九八六年の間で、平均すると三%から一一%へと失業率が跳ね上がった。

ベルギー、アイルランドなどの失業率は際立って高く、それまで低失業の国であったデンマークも高失業の国の仲間入りをする。こうしたヨーロッパの小国経済にとって、原油価格の急騰がいかに大きな打撃を与えたかがわかる。しかしエネルギー源の乏しいオーストリア、スウェーデンは失業率の上昇に悩むことはなく、輸入エネルギーに依存するドイツも石油危機後の一〇年間は高い失業率に苦しむことはなかった。こうした国による差は、どう説明できるのか。おそらく、組合、経営者団体、政府といった団体間の中央集権化された賃金調整を重視する「ネオコーポラティズム」の色彩の強い制度を持つ国が、社会契約によって賃金の上昇を抑制したことが、失業の増大を食い止めたのではないかといわれる。(2)

原油価格の上昇は消費者にとっても投資する側にとっても価格と不確定性の増大を意味したから、有効需要を弱め、その結果労働需要をも低下させた。石油危機で賃金インフレが沈静化しなかったため、賃金コストは上昇し続けた。他にも無視できない原因が二つある。ひとつは、「社会制度」自体の長期的な変化が、徐々にこうした失業を生みやすい土壌をつくってしまったこと、もうひとつは世界の経済社会システム自体に石油危機のような大きな衝撃が加わったため、均衡回復への調整に時間がかかり、失業者が増加したことである。

社会制度の変化としては、失業保険制度が十分に整備されたことも大きい。現代の社会政策の下では、働きたくて職探しをしても見つからないものは、失業保険金の給付を一定期間受け取ることができる。この制度は、失業の私的（個人にとっての）コストを著しく低減させ、失業者の「職探し」の期間を長くして、よりよい仕事を探し当てる可能性を高めた。他方、失業期間を長くする傾向を生み出したことも否定できない。失業中の所得がある程度保障されるからである。

もうひとつの社会制度上の変化は、六〇年代まで組合の組織化が進み、組合の交渉力が強くなったため、賃金決定が組合側に有利になったことがある。その結果、労働コストが高まっただけでなく、六〇年代までは労働争議がいずれの国でも多発した。OECDの統計で見ると、一九七四年をピークにして、一九六〇年代と一九八〇年代の平均労働争議件数を比較するときわめて有意な差がある。特に一九六八年（パリ五月暴動の年）以降、OECD諸国で労働争議が多発していることがはっきりとわかる。

一九七三―七四年と一九七九―八〇年の二度の石油危機は、すでに述べたように、インフレーションを加速させる大きな力となった。このインフレーションを阻止しようとする政府の金融面での対応が、さらに失業率を上昇させた。特に欧州は基本的に原料輸入国であったため、この石油危機の影響は大きく、そして長く続いた。失業の中身を見ると、欧州では長期間（具体的には一年以上）失業者のプールに落ち込んでしまった者の割合が、米国や日本に比べて高かった。

## インフレーションとの闘い

日本が二つの石油危機をかなり「軽傷で」乗り切ったことに対して、世界から強い関心が集まった。特に第二次石油危機直後の日本経済の良好なパフォーマンス（海外からは「羨ましい〝不況〟」と呼ばれた）をめぐっては、さまざまな神話がつくられた。いわゆる「日本的経営」をめぐる「不思議の国ニッポン」というイメージである。合理的な説明がすぐ見つからないと、神秘化したり「奇跡」と呼んだりするのは人間の常である。日本企業の人事管理や人事処遇制度、そして技能形成や人材育成の長期的視野に立った効率的なシステムを、日本的「特殊性」と捉えて理論的説明を回避する論者が多かった。しかしこの「神話」も徐々にそのヴェールがはがされていく。

第二次石油危機を乗り越えた日本経済の良好なパフォーマンスは、第一次石油危機の経験から生産者も労働組合も多くを学んでいたという背景がある。国内からのインフレ圧力が発生しないように、実質賃金が労働市場の需給関係に感応的であったこと、国内の設備投資を減退させないような技術革新の波が存在したこと、そして第一次石油危機の場合とは異なり、貨幣供給が抑制されただけでなく、金利の自由化による金利低下があったことなどが原因した。こうして一九七三年から八二年までの二つの石油危機にまたがる一〇年間を、日本経済は辛くも乗り切ったのである。

しかし欧州や米国の状況は厳しかった。その厳しさが、戦後最大の政策転換である「新自由主義」の台頭を英米にもたらす。一般に物価と賃金の上昇に対して世界の主要国政府がまず採った政策は貨幣供給のコントロールであった。しかし総需要そのものの力が弱かったため、インフレーションのショックを軽減することにはならなかった。オランダ、フランス、アイルランドなどでは特にインフレの亢進は激しかった。

第二次石油危機までの六年間のインフレの亢進は、第二次危機に際しての金融政策の効力をますます低下させることになる。財政赤字も肥大化し、財政の出動の余地をさらに低下させた。インフレ率が年率二桁になる国も現れ、民間の投資意欲は低下し、社会的一体感が弱まるという現象が生まれ始めた。英国に登場したマーガレット・サッチャー率いる保守政権は、こうしたインフレーションへの闘いとして、政府借り入れ（Public-Sector Borrowing Requirement）を背景に、貨幣供給（スターリング$M_3$）を四年かけて収縮させるという政策に打って出る。サッチャーは、マクロ経済政策や産業政策への組合の関与を遮断、政府の労働市場への関与も最小限にする（非正規労働者の採用と解雇に関する規制の廃止など）「小さな政府」を政策のゴールとして掲げるのである。失業保険の給付が失業直前の所得水準に連動するという制度も廃止され、給付は課税に直接結び付けられることになった。こうした政策は、米国のレーガン大統領のそれとも軌を一にしており、「社会契約」「ネオコーポラティズム」

から新自由主義への大転換が一九八〇年頃から世界経済の潮流となるのである。

## ヨーロッパの技術革新力の低下

終戦直後のヨーロッパ経済は、戦時中の軍事技術の革新を民間に転用することによって、成長の推進力へと生かすことができた。米国発のアッセンブリーライン方式の「大量生産システム」が製造業の生産現場に定着したのも、戦後の経済成長の過程においてであった。しかしこうした技術革新が生み出す果実も、戦後の二〇年間でほぼ味わいつくされた。六〇年代の技術開発への政府支出額のGDP比を見ると、米国が断然多く（二％弱）、西ヨーロッパ諸国は、英国が一％強で健闘しているが、その他の国は一％を割っている。絶対額で見ると、その差が一段と拡大することはいうまでもない。米国のR＆D政府資金は、全政府支出の八％にも及んでいる。重要なことは、米国のR＆Dは民間資金より政府資金が圧倒的に多いということである。エレクトロニクス・コンピューター関連だけを総額で見ても、米国の一九六〇年代のR＆D政府支出はヨーロッパ主要国平均の五倍以上に及んだ。この多くは宇宙開発、軍事関係のR＆D支出と推測されるが、その経済成長への効果に関しては、軍用・民用の違いは、水爆や核開発などを別にすれば区別することの実質的な意味は薄い[3]。

大学院レベルでの教育への投資量も、米国に比べヨーロッパは一九六〇年代以降大きな後れを取った。技術革新の担い手とその利用者の双方において、欧州は米国の大胆さに対抗する活力を失ったのである。七〇年代のヨーロッパの技術革新は、主として、化学、繊維、電気、機械などの従来型の工業投資に適する改良型のものが多く、新しい産業分野を切り拓く種類のものは少なかった。そのひとつの理由は、フランス、ドイツ、イタリアなどの大陸ヨーロッパ諸国の産業構造が圧倒的に多くの中小の規模の企業群から成り立っていたことが関係している。小さな企業規模で起こる技術革新の多くは、その対象となる市場の規模自体が小さいだけでなく、概して生産現場で生まれる「改良型」のものが多くなると考えられる。

### 女性の社会参画

一九七〇年代は、欧米における女性の労働市場への進出が顕著になった時期でもあった。一般に欧米の女性は行政やビジネスで大活躍をし、働く女性の割合は日本より欧米の方が歴史的に常に高かったと考えられがちである。こうした通念は事実なのか。まず米国の例を見ながらこの通念の誤りを正しておこう。

米国女性の労働力参加率（すなわち家庭の外で仕事を持っている者と求職活動をしている者が、全体の中でどれくらいの割合を占めているかを示す率）が日本の女性のそれより高くなったのは、一九七四年の第一次石油危機以降で、それまでは日本女性の方が家庭外で働く総数の割合は高かった。女性の労働力を吸収した代表的な産業である繊維を考えても明らかなように、日本の若い女性は歴史的に見ても、家庭内だけでなく農業でも製造業でも第三次産業でも実によく働いた。戦前と戦後を比べると、日本の女性の労働力参加率が低下傾向を示しているのに対し（第一次石油危機以降やや回復したが）、米国は一貫して上昇傾向を示している。そして一九七〇年代の半ばに、米国女性の労働力参加率は日本のそれを追い抜いた。そして米国女性の労働力参加率が五割を超えたのは、一九七〇年代の後半になってからであった。つまり、歴史的に見ると米国女性の方が、日本女性より家事・育児に専念する率が七〇年代まで高かったのである。この点をもう少し詳しく見ておこう。

二〇世紀初頭の米国では、全労働力人口二八〇〇万人のうち、女性は五〇〇万人にすぎなかった。このうち既婚女性で就業していたのはわずか七五万人である。一九八〇年代末の統計を見ると、労働力人口の四五％が女性であり、既婚女性の五六％が働いていることがわかる。そして組織の中で管理職に就く女性の割合が日本に比べてはるかに高く、ヨーロッパよりもさらに高い。現代の米国女性は、既婚・未婚を問わず、そして年齢層を問わず、ほぼ均一に職業を持つケースが増えてきたこともわかる。これには、出生率の低下（例えば一九五〇年段階では一人の女性の平均出産回数は三・五、一九八六年では一・八と半減）と、保育施設の充実が関係しているが、それでも米国女性は、子供の出産と養育の時期を遅らせることによって労働市場への参入と家庭生活の両立をはかってきたのである。そして家庭のライフ・サイクルとキャリアのパターンを、どう組み合わせるかという難問に取り組んできた。四〇歳以前の管理職の女性七〇〇名を調べた一九八四年のある調査によれば（van Velsor and O'Rand）、三六％しか子供を持っていないと報告されている。

一九七〇年代、八〇年代の米国女性が職業を持つか否かは、教育水準とも強く関係していることが明らかにされている。高卒以下の学歴の女性の場合、一九八六年時点では労働力参加率は三〇％程度にすぎない。それが大卒の場合には、七五％にまで高まっている。大学で学ぶことが経済的な投資であるとすれば、卒業後は就職してその投資費用を回収しようと考えることは自然であろう。特に六〇年代までの米国女性が大学に進学する場合、専攻は文学、歴史、教育といった分野が大半であった。しかし八〇年代以降は工学、経営学、法律といった分野にも多くの女性が進学し、卒業後キャリア・ウーマンとして就職するケースが増えた。この傾向は、少し遅れて欧州でも日本でも観察される。

もうひとつの重要な要素は米国社会における離婚率の上昇である。経営学や法律を学ぶために女性が大学に再入学するという傾向は、離婚の結果なのか、離婚の引き金となるのか、あるいは離婚のリスクを計算に入れた行動なのかは定かではない。しかし二五歳から三五歳までの間に最初の結婚をしたカップルの四〇％が離婚で終わるという米国社会では、男性も女性もそれぞれ独立した収入源を必要としていることは明らかだ。

また第二次大戦後のベビー・ブームは、米国の若い労働力人口を激増させた。その結果、一九七〇年代、八〇年代は労働市場が供給過剰気味になり賃金の上昇率は鈍化した。他方、インフレーションの進行は中産階級の実質所得を低下させ生活を圧迫した。こうした事態は共稼ぎ世帯を増やし、女性の労働市場への参入を加速する効果を生む。

女性が家庭の外で働く場合、米国でも職種の選択の余地はそれほど広くない。働く女性の約七〇%は、近年でも事務員、看護師等の医療従事者、小・中学校の先生、販売員、繊維アパレル関係、サービス業などの職種に集中している。これらの職種は依然女性優位である。しかし七〇年代以降、これまで女性が少なかった職種にも、女性が参入してきたことが注目される。生産労働者やバスの運転手などにも、女性を見ることが多くなった。また、弁護士の二〇%以上が女性、管理職（そのほとんどは中間管理職であるが）の約四〇%が女性によって占められるようになった。こうした傾向は五〇年代、六〇年代にはほとんど観察されなかった。

このような傾向は、米国において、女性の労働への社会的通念が変化してきたことを示している。ただしこの変化は米国においてもたかだか一九七〇年以降の現象である。オッペンハイマーがまとめたところでは、一九三七年段階で、「夫に十分な収入があるとき、既婚女性が働きに出ることに賛成か」という問いに対して、「イエス」と答えた人は一八％にすぎず、一九六〇年代でも四六％と半数を超えていない。こうした数字が信頼できるとしても、この社会意識の変化が何を意味するのかを説明するのは難しい。つまり、経済的必要性ゆえに働く女性が増え、それに応じて社会意識が変化せざるを得なかったと見るのか、社会意識が変化したから女性が「自由に」職業を持つようになったのか、答えは簡単に出ないからだ。確かなのは、米国社会は、われわれが考える以上に伝統的かつ保守的な家庭の姿を長く保ち続け、その上で「ビジネスの繁栄」を築いてきたということである。それが第一次石油危機前後を境に大きく変化した。

ヨーロッパではどうか。ヨーロッパの中でも、スカンジナヴィア諸国のように、比較的女性の社会進出の早かった国と、イタリア、スペインなどのようにやや遅かった国との間には時間的なズレがある。その中間的な位置を占めると目されるベルギーについて、女子労働の量的、あるいは組織内の職位（職種）的な変化を筆者は調べたことがある。その結果として、ベルギーの大銀行（従業員数約一万二〇〇〇人）でも、一九六〇年までは女子行員は結婚すれば退職する、という暗黙のルールがあったこと、女子行員の中間管理職への昇進が量的に目立ち始めたのは、七〇年代以降の変化であること、一九八〇年代末ではトップ・マネージメントへの進出も見られるが、その割合はまだきわめて低いということが注目される。出産や育児のための休暇制度は存在するが、その運用はいくつかの困難に直面してきた。そのひとつは、休職する女性への代替要員として、失業者を充てることになっているが、実際の「代替性」はきわめて低いということである。

いずれにしても、長期雇用によってキャリア形成するタイプの職種へ女性が参入するという動きは、先進国、途上国を問わずどの国でも強まり、女性の社会進出の分野も七〇年代以降急速に広がったのである。

註

（1）Helliwell, J. Sturm, P. and G. Salou (1985) "International Comparison of the Sources of the Productivity Slowdown, 1973-1982", *European Economic Review*, 28 : pp.157-191.

（2）Bruno, Michael, and Jeffrey Sachs, *The Economics of Worldwide Stagflation*, Cambridge, Mass. Harvard University Press, 1985.

（3）Eichengreen (2007) pp.257-263.

## 第3節　「東アジアの奇跡」

### アジアNIEsとASEAN

二つの石油危機を経た後、日・米・欧の経済が三―四％の成長率で推移したのに対して、「四匹の虎」と呼ばれた韓国、台湾、香港、シンガポールは八〇年代に入っても、八％前後の高い成長率を記録し続けた。さらに、タイ、マレーシア、インドネシアといったASEANの国々も、七〇年代、八〇年代を通して約七％の実質経済成長率を示し、世界の「アジア」に対するイメージを大きく変えることになった。

かつて「アジア」という言葉は停滞や貧困の代名詞のように使われ、否定的価値意識が投影された用語として語られたことがあった。アジアの地理的な範囲も、その自然、民族、国家の区分も不明確なまま、グンナー・ミュルダールが『アジアのドラマ』（一九六八）の中でイメージしたような「カオス」あるいは、「やわらかい国家（soft state）」、すなわち設定された政策目標を実施するために強制する能力も意志もない国家群（特にインド、スリランカ、パキスタン、バングラデシュ、ビルマ）とみなされてきた。こうした悲観的な欧米の「アジア」認識と表裏一体をなすのが、七〇年代・八〇年代の東アジアの経済成長を「東アジアの奇跡」と呼ぶようなセンセーショナルで楽観的な認識なのである。

一九五〇年代はアジア諸国が相次いで独立し、平和五原則のもとに結束した時期であった。ところが統計を見ると、すでに一九六〇年代半ばから（日本はもちろん、一〇％以上の実質経済成長率を示しているが）、アジアNIEs（Newly Industrializing Economies）諸国の「第一世代」ともいえる韓国（八・六％）、台湾（九・二％）、香港（一〇・〇％）、シンガポール（八・八％）も日本にほぼ近い高率の成長を示していることがわかる。七〇年代もこれらアジアNIEs諸国は、引き続きほぼ同じ高率の成長を記録した。タイ、インドネシア、マレーシアなどのNIEs「第二世代」とも呼び得るASEAN諸国も、一九七〇年代にいずれも七％を上回る成長率を示している。このようなアジア諸国の経済成長をいかに理解するのかはメディアや経済学者の強い関心を呼んだ。しかし、こうした関心は、「アジアが成長するはずがない」という漠とした思い込み同様、特に学問的な根拠があるわけではない。いかなる経済も、資本形成（投資）をファイナンスできる貯蓄があるレベルに達すれば、「何らかの」契機を得て、経済成長の経路を進み始める。この「何らかの」契機が、いかなる要素から成り立っているのかを明確にすることこそが学問的研究となりうる。

余剰労働力の存在する農村部門では、生産物には伝統的な（市場にはよらない）分配の原理が働いている。他方、未発達な近代工業部門では市場原理が機能しているが、労働力も不足している。こうした状況で、農村の労働力をいかに工業部門へと向かわしめるのか、という問題が途上国にとっての重要な政策問題となる。この余剰の移転を市場に委せるという方法もある。もうひとつの強力な方法は、政府が農業生産に高い税金を課して「強制貯蓄」をさせ、その政府余剰を工業化への資金とするという政策である。実際、後者の手法は、一九三〇年代のソ連や一九五〇年代の中国で採られた農業集団化による「農から工へ」のトランスファー・メカニズムであった。

アジアの経済成長において政府がいかなる役割を果たしたのかについて完全な理解の一致があるわけではないが、いわゆる新古典派経済学者の間では、東アジアの成長は市場機能を重視する政策によって実現したという点で合意がある。物価、利子率、地代などの価格を統制しない、財政赤字を最低限に抑える、安定的な金融政策をめざし外国債務を抑える、行き過ぎた保護主義を回避する、などにその政策のスタンスが表れているのは確かだ。こうした政策によって投資をファイナンスするための国内貯蓄も外国からの資本流入も増えた。政府は強いリーダーシップをとりながら、市場経済の土台である交通、通信、公益事業はもとより、社会の安全と秩序を護り、若者への教育投資を行ってきたからこそ、経済の成長が実現できたのだという見解である。

こうした見解に対して、アジアの諸国家の「開発主義」的な側面を重視する見方もある。市場ではなく、いわゆる開発主義をとる政府のリードでアジアは発展し始めたという。この見解に立つ経済学者の多くは、アジアの国々の産業政策、選抜的な信用割り当て、補助金制度、輸入代替政策などを強調するが、これらの政策はいずれの先進国も採ってきたものであり、アジアに独特のものではない。政府が政策的に誘導する程度が多少強かった国があった、という程度の違いであろう[1]。

一九九三年、世界銀行は日本政府の資金援助によって『東アジアの奇跡』(*The East Asian Miracle : Economic Growth and Public Policy*) と題する研究報告書 (Policy Research Report) をまとめ、公刊している。J・スティグリッツやM・コーデンらがこの研究に参加している。報告書の中では、新古典派の経済学者も、日本、韓国、台湾における官僚指導体制を（歴史的な特殊性を強調しつつ）認めているという点では、新自由主義の信仰箇条といわれる「ワシントン・コンセンサス」からの多少のシフトを見せている。しかし基本的に、市場の力を重視していることには変わりはない。スポンサーの日本政府筋が期待したと思われる「政府主導による生産性の上昇」というトーンは出なかったのである。むしろ、日本や韓国、台湾の経験には経済開発の例として学び得る普遍性はなく、これから途上国は、むしろ市場重視のシンガポール、香港、そして「第二世代」のＮＩＥｓ諸国から学ぶべきだと結論付けている。

## 政府か市場か

そのＮＩＥｓの経済発展で政府がいかなる役割を果たしたのか。政府が意図的な政策によって実質的な影響力を与えたのではなく、基本的には市場がその国・地域の持つ潜在的な供給能力を効率的に引き出すことに成功したのにすぎないのか。この「政府か市場か」という問題は、経済発展論や経済史の主要な論争テーマとなってきた。しかし答えは意外に難しい。「市場か政府か」という問題の立て方自体に、事実に迫ろうとする思考や探求を阻害するような限界がある。

経済発展論の中には、貧しい国には統一的な中央計画が不可欠であり、先進国との過度の接触や通商は途上国の発展を促進しないどころか、かえって経済的・文化的停滞をもたらすという見方があった。Ｇ・ミュルダールの理論はその代表例であろう。中央計画によって、自耕自作農業以外の経済活動を広範な国家管理に置くという主張である。しかし東アジアの

ＮＩＥｓ、「四匹の虎」の場合も、統一的な経済計画はほとんど実質的な役割を演じてこなかった。中央計画自体は、資源を増加させることはない。単に資源の用途を、私的な生産から公的な生産へと変更するだけである。むしろ私的な生産と消費を、高い消費需要と多様な消費財の生産、流通、貿易によって刺激する「市場の力」を利用した方が発展の力は生まれるということを、「四匹の虎」のケースは示している。

ＮＩＥｓは政治体制において異なり一様ではない。「四匹の虎」に共通の政策は、輸出補助金などはあったものの、基本は自由貿易を基本とする輸出振興政策に徹したという点であろう。この点は世界銀行の分析（World Development Report 1987）でも明示されている。一九六三—一九七三年においても、一九七三—一九八五年においても、その通商拡大の外向きの経済発展ははっきりあらわれている。これは内需依存型であったインド経済とコントラストをなしている。輸出志向と経済成長とのプラスの相関関係は否定すべくもない。

もちろん、これら「四匹の虎」が、自由貿易と市場の力で経済成長を達成したという説への反論はある。古典的な意味での市場の力よりも、政府と産業界との「連携」がこれら地域の経済的な成功につながったという指摘である。こうした「連携」だけではなく、政府のさまざまなインフラ政策が市場をベースとした経済活動を支えたことは確かであろう。工業地帯へ労働者を集めるための住宅費の補助金政策に香港政府は熱心であった。この政策は企業の労働コストを低減させるのに大きな力となった。

このように見ていくと、「政府か市場か」という問題は、その両極端のいずれにも真理はなく、また、市場の働きに全く依存しない経済発展もありえないというあたりが、結論として妥当なのである。

## NIEsの貿易

アジアNIEsやASEAN諸国の経済成長の原動力のひとつは、自由貿易体制の下での工業製品の輸出であった。NIEsとASEANの関税率は、インド、パキスタン、バングラデシュ、スリランカなどの南アジアの国と比較すると格段に低かった。そして貿易量も比較にならないほど大きい。輸出拡大と輸出競争力の強化は、「アジア太平洋経済圏の興隆」と呼ぶ、歴史的にも未曾有といえるほどの貿易量の増大を現出させた。[2]「アジア間貿易」は、一九六〇年代以降、イギリスの衰退とヨーロッパの保護主義の流れの中で、アジアとアメリカの貿易関係が拡大したことと関係している。特に日本の労働集約的な工業品の対欧米輸出自主規制が強まると、一般特恵制度を利用できた韓国、台湾、香港の対欧米輸出が急増した。この流れは、アジアNIEs諸国の繊維や家電製品等輸出品が、米国の一部大衆消費社会（特に低所得層）の需要にうまくマッチした。そしてその対流としては、米国を含む世界各地からの資源・エネルギーのアジアＮＩＥｓ諸国への輸入の増大があった。

一九七〇年代になるとアジアＮＩＥｓの対米輸出はさらに増大し、ＡＳＥＡＮがそれに続く。そして八〇年代には、これらの国々が日本や中国と米国市場で激しい「アジア間競争」を繰り広げたのである。こうした競争は、電気・電子工業にも広がった。その競争の構図の重要なプレーヤーは、海外進出した日本企業と、欧米・日本の技術やマーケティングのノウハウを吸収した現地の中小企業と華僑の通商網であった。

韓国では、二度の石油危機をはさむ一九六〇―八〇年の二〇年間に、輸出は年率四二％で成長している。量的拡大だけでなく、六〇年代初期には輸出の主要品目は一次産品であったのに対し、七〇年代末にはそのほとんどが工業製品となった。この輸出の質的構成の変化も見逃せない。繊維・電気・電子製品といった軽工業製品から、機械、鉄鋼、石油化学、船舶等の重化学工業製品へとシフトしたのである。

台湾も、韓国と比べて工業化率は高かったものの、輸出の成長率は一九六〇年から八〇年の二〇年間に、韓国よりやや低めの年率三四％の増加を記録している。蔣介石政権成立時点では、輸出総額の九割は米と精糖であったが、その後工業製品の比率が上昇し七〇年代後半には機械・金属製品、化学製品等の輸出比率が九割を占めるようになった。この輸出品の構成変化も韓国と酷似している。

香港・シンガポールは、中継港としての機能も持っていたが、やはり工業製品の輸出の拡大が成長にとって大きな役割を演じたことに変わりはない。香港は「アジアＮＩＥｓ諸国」の中では最も早くから工業製品輸出にシフトしていた国であったが、一九七〇年時点ですでに総輸出の九割以上が、繊維製品、家庭用電気・電子製品、日用雑貨等の労働集約的な工業製品によって占められていた。シンガポールは、インドネシアという産油国に隣接していたこともあって、石油化学製品、船舶等の資本財を中心とした工業製品の輸出が進んだ。

### ASEANの輸出振興

ＡＳＥＡＮ諸国は、これらアジアＮＩＥｓ諸国に一五年から二〇年ほど遅れながら、工業製品の輸出へと重点をシフトさせた経済成長を達成した。一九七〇年代においてアジアＮＩＥｓが、工業化を進展させながら工業製品の輸出を振興させ、一層の工業化を加速させたのに対して、同じ一九七〇年代にはＡＳＥＡＮ諸国の工業化はいまだ輸出競争力とは結び付かず、一次産品と農産物輸出が工業化の原動力となっていたという違いがある。まず食糧と農産物の供給の安定化によって外貨を獲得し、その外貨で資本財を輸入して工業部門への投資を活発化する、という連関を確立するのにＡＳＥＡＮはＮＩＥｓよりさらに時間を要したのである。

その結果、一九八〇年代半ばからマレーシアは半導体、集積回路、カラーテレビ等の有力な輸出国となった。そして同時に、天然ゴム、錫、パーム油等の一次産品の輸出国でもあり続けている。同じ現象はタイでも起こっている。アパレル製品の有数の輸出国でありながら、マイクロ・エレクトロニクス機器の輸出も活発化した。そして産油国インドネシアもフィリピンも、八〇年代から九〇年代にかけて、一次産品の輸出構造を多様化しながら工業化を推し進めてきた。つまり、ＡＳＥＡＮの多くの国では、輸出振興をめざす工業化と、一次産品の輸出品増がほぼ同時進行してきたのである。工業化には外国からの直接投資が大きな役割を果たした。

貿易からの利益によってこれらの国々の経済成長が支えられたのは確かであるが、日本をはじめとする東アジアや東南アジアが、「輸出だけで成長を遂げた」と結論付けることはできない。日本の貿易依存度は（米国を別にすれば）他の先進諸国の中では低い方に属するし、韓国も台湾も、輸出のＧＤＰに占める割合は高くない。近年徐々に低下してきているほどである。つまり、成長の主要エンジンは輸出というよりも国内投資ということである。

ではその投資を支えるだけの貯蓄はいかに調達されたのであろうか。ＮＩＥｓの国々の貯蓄率は、五〇年代はいまだ低く、投資の過半は外国からの資本の流入によってまかなわれていた。六〇年代末から七〇年代初頭にかけて外資の流入が盛んになり始めた頃、国内の貯蓄率も急激に上昇し始め、台湾の貯蓄はＧＤＰの三割を超す高水準となった。韓国、香港、シンガポールの貯蓄率も同じような高水準で推移した。

こうした高率の貯蓄と投資がこれらアジア諸国の高い経済成長をさせたことは、五〇年代後半から六〇年代、そして七〇年代初頭までの日本経済の動きを想起させる。いずれの経済も、スタートに時期にズレがあるものの、こうして高い貯蓄率に支えられた国内投資が経済全体を強く牽引して成長の経路を突き進んでいくことに変わりはない。アジアの「中進国」（アジアＮＩＥｓ）は七〇年代から八〇年代になって成長を続け、いわゆる「アジアの奇跡」を実現する。さらにタイ、マレーシアはもちろん、インドネシアも「第一世代」のＮＩＥｓに比べ後れを取りながらも、一九八〇年代に、いわゆる離陸（take-off）、すなわち積極的な工業化への道を歩み出し、アジアの虎（Asian Tigers）の群に加わっていく。これらの虎たちが、後に「アジアの龍（"dragon" of Asia)」と呼ばれる中国の勢いに押され気味になっていく。

### 日本の直接投資

東アジア・東南アジアの工業化の原動力のひとつとして、重要な役割を果たしたのは日本の直接投資であった。日本企業がこれらアジア諸国へ進出することによって工業製品相互の水平分業圏を成立させたからである。この水平分業圏は、日本国内の産業構造の変化の原因であると同時に結果でもあった。その動きと変化をタイの場合について見てみよう。

タイへの外国からの直接投資は、一九八五年のプラザ合意（ドル安の容認）以降、一九八七年頃から加速度的に増加した。その増加の基本部分は日本と台湾からの投資である。その急増ぶりを示すドラマティックな数字を挙げると次のようになる。一九八五年末の時点で、それまで進出した日系企業の累積数（ストック）はかなり包括的な調査（東洋経済『海外進出企業総覧』）で見ると二〇八社であった。しかし八七年、八八年のそれぞれ一年間で、日本からの投資申請（フロー）は、八五年までのストック量とほぼ同じかそれ以上の、それぞれ二〇四件、三〇〇件となっている。

こうした直接投資の増加によって、首都バンコクを中心に物価が騰貴しただけでなく、港湾、道路、電力、水道などの条件を整えた工場用地が不足して、その獲得のためにウェイティング・リストに登録せねばならないという状況になった。部品メーカーの有無など「産業の裾野」の問題、エンジニアや中堅管理職層の供給不足と引き抜き・転職も大きな問題となった。このようなタイ経済の急成長の過程で、日本の直接投資の演じた役割はきわめて大きかった。その業種の役割を雇用数の変化を指標にして見ると、時期による主役の交替と盛衰があることがわかる。七〇年代と八〇年代を見ると、日系企業が業種ごとに「減量型」「現状維持型」「成長型」に分類できる。「減量型」は大きく分けると三業種ある。繊維（化繊を含む）産業は、一九七〇年代に日本国内で雇用削減を行いつつ海外進出の度合いを強めたが、一九八〇年頃から進出先のタイ国内でもローカル企業が成長した結果、雇用削減を行わざるを得なくなった。第二は台湾の追い上げを受けた果物加工の企業である。第三は、タイが基本的に軽工業中心の産業発展を続けたため鉄鋼一貫メーカーは育たなくなったので、丸棒鋼・線材あるいは電気炉による製鉄・圧延・販売があったが、それらの日系企業が衰退した。

この時期タイで日系企業が大きく成長したのは、自動車（トラック、バス、二輪車を含む）およびその部品メーカー、そして家電メーカーである。自動車産業は、すでに一九六〇年代の半ば（トヨタは一九六二年にタイに進出）、組立販売部門で進出し、徐々に部品生産種を広げながら、タイの国産化比率を高めていった。バネ、シート、バッテリーに始まり、七〇年代に入ると、スターター、クーラーなどの電装製品、ピストンリングなども生産が開始され、八〇年代後半にはエンジンなどの主要部品も国産化され始めた。一九九〇年時点では、日系の自動車関連企業だけでも二万人近い従業員を雇用していたと推定される。さらに自動車関連部品として自動車用安全ガラス、ファンベルト、タイヤ、チューブなど、その裾野は大きく広がった。

もうひとつのタイにおける日系成長企業は、扇風機・クーラー・TV・冷蔵庫などの家電製品を生産している企業であった。家電は自動車よりやや遅れて、一九六〇年代の後半から七〇年代初頭に多数進出し、七〇年代から八〇年代末までに松下や三洋のように雇用者数を四倍ほど増やした企業も多い。

## 輸出志向工業化

タイのケースが典型的に示すように、東アジア諸国の工業化の進展は、自動車や家電といった機械産業の成長と輸出増加が牽引し、こうした機械産業が資本蓄積や技術導入と技術形成を促した。このことは日本側から見ると、日本の貿易構造がこの時期、総輸入における製品輸入比率、特に機械製品の輸入浸透度を高めたことを意味している。タイ政府が進めてきた工業化政策は、日本をはじめとする外国からの直接投資によって、水平分業関係を創出するというものであった。これは一部の発展途上国が伝統的に採用してきた、いわゆる「輸入代替工業化（ISI）」戦略とはかなり性格を異にする。「輸入代替工業化」戦略は、輸入でまかなわれてきた国内需要を消費財から始まり資本財に至るまで、国内生産によって代替しようとするものである。しかし国内市場が狭隘であれば、国内生産の規模も限られてしまい、工業化自体がスピーディーに進行しない。この弱点を乗り越えるのが「輸出志向工業化

（Export-Oriented Industrialization）」戦略である。これは、アジアＮＩＥｓやＡＳＥＡＮ諸国の多くが一九六〇年代あるいは七〇年代からとり始めた戦略で、一次産品、工業品を問わず需要の多い外国の市場をターゲットとして輸出を促進する開発政策であった。

工業製品に対する一次産品の交易条件が改善しないため、一次産品に特化する経済構造からの脱却をめざしていたアジアの途上国にとって、「輸入代替工業化」政策はいくつかの問題点を持っていた。ひとつは、国内市場を国際市場から隔離するために、輸入数量規制や傾斜関税等のさまざまな保護主義的な措置を必要としたということである。先進国の同じ産業と対等に競争していくためには、そうした保護措置が必要な反面、こうした保護措置は、経済効率を悪化させ競争力を弱めるというマイナスの効果があった。さらに輸入の代替に徐々に成功しても、膨大な資本財の輸入需要をファイナンスするだけの外貨も蓄積できないため、貿易赤字が累積するという問題もあった。

そこで韓国や台湾は、六〇年代の半ば頃に「輸出志向工業化」政策へと政策を転換するために、保護主義的規制を緩和し、輸出促進策を次々と打ち出した。七〇年代になってから、ＡＳＥＡＮ諸国も同様な政策にシフトする。この「輸出志向工業化」戦略は、具体的には各種の保護主義的な政策を撤廃し、関税を引き下げ、為替レートを市場レートに近づけ、金利自由化、外貨規制の緩和などを行う市場重視の政策パッケージを指す。さらに輸出産業に対する直接補助金の交付、事業所得税・法人税の減免、特恵的利子率の適用などの輸出促進措置も含んでいた。

この点を韓国について見る。一九六一年、六四年には韓国通貨ウォンの実勢レートへの切り下げ、六七年には輸入制限の緩和、七三年には、鉄鋼、非鉄金属、石油化学、機械、造船、電子工業の六大戦略産業を「重化学工業化計画」によって指定し、これら産業に対して税制・金融面での優遇措置、外国借款の優先配分を行うという積極的な輸出産業振興策を打ち出した。もっとも韓国の場合、こうした重化学工業偏重の政策が、信用の配分やインフレの進行といった問題を生み出し、八〇年代には対外債務の累積問題を深刻化し、後の国家危機の原因を徐々に形成していくことになる。

## クルーグマンの誤り？

経済成長は生産要素（労働、資本、自然資源）の（1）量的増大とその（2）使用方法の効率性の向上によって説明される。後者は全要素生産性（tfp—total factor productivity）と呼ばれ、その水準の高低は、労働のモティベーション、産業組織、貿易による利益などによって決まる。「アジアの奇跡」が、投入資源の単なる量的な拡大によってもたらされたのか、あるいはその使用方法の革新で生じたのかによって、アジアの経済成長が「奇跡」なのか、単なる人口や資本の増加によってもたらされた量的拡大現象にすぎないのか議論は分かれる。ｔｆｐの部分の貢献が大きければ、貯蓄・投資が高い水準を保持できなくなっても成長の持続は可能になる。

この点に関して、生産関数という経済学の分析用具を用いた統計解析の結果は、必ずしも決定的な結果を与えてはいない[3]。世銀の報告書『東アジアの奇跡』(pp.46-69)では、このｔｆｐの推定値は高い。「奇跡」を強調する立場と一貫性はある。しかし翌年『フォーリン・アフェアーズ』に掲載された論文で、ポール・クルーグマンはｔｆｐの低い水準の実証研究を引用しながら、アジアの成長は「奇跡」でも何でもない、単なる投入量の増大による「ソ連型」の生産高の膨張にすぎないと主張した[4]。

経済理論家として評価の高かったクルーグマン（二〇〇八年度のノーベル経済学賞受賞）の論文は、発表当時多くの議論を巻き起こした。彼の推論の根拠の薄さ、結論への姿勢にバイアスがあることなどが批判された。実際その後の研究は、（インドネシアを除くと）ＮＩＥｓの成長の基本は「世界平均より高いｔｆｐによるところが大きい」という結論を支持するものが多い。

成長と不平等

東アジアだけではなく、世界の途上国全体に目をやると、経済発展は必ずしも単線的に進まないだけでなく、なかなか離陸できないままで苦しむ経済が多い。「経済成長を続ける国」と「停滞する国」というコントラストが注目を集め、同時に貧困に苦しむ国家が世界経済全体の中でいかに発展のための条件を準備できるのか、何が成長の阻害要因となっているのかが議論されるようになった。

こうした国際的な経済格差の原因として、いくつかの点がすでに五〇年代・六〇年代から指摘されていた。第一は、外貨準備の配分が豊かな国と貧しい国との間で不平等なこと。豊かな国は、国際通貨準備を自国の通貨膨張やＩＭＦを通してコントロールすることができるのに対して、貧しい国は自国の通貨自体に国際通用力がないため輸出によってしか外貨準備を増やすことができない。加うるに途上国は自国が輸出する一次産品の加工、積み出し、あるいはマーケティングに関して価格面での統制力がないという弱い立場に置かれていた。それに対して先進国は、自国の産業を守るために、はるかに強い力を持ち、国内の高賃金を維持するために移民を制限し、関税や非関税障壁を設けて自国の産業を保護できるという立場にあった。もちろん、こうした格差論は、韓国、台湾、中国の成長を説明できない。

また多国籍企業の展開も、途上国にとってはマイナス面があったという指摘がしばしばなされる。直接投資の受け入れ国としての途上国は、ロイヤリティーの支払い、租税特権、振替価格、資本引当金などによって利益が圧縮され、「多国籍企業が途上国の天然資源を搾取している」という印象を強めた。この不平等の最大の原因は、援助や貿易といった個々の問題ではなく、国際経済の枠組み自体の設定に途上国が参加できないという点こそが問題だという議論が強まった。世界銀行やＩＭＦといった国際機関においても、意思決定のために途上国はわずか全体の三分の一にも満たない票数しか持たないという現状こそが、南北格差を固定化しているというのである。

他方、こうしたアジアの国々の国内における所得分配は、工業化と経済成長の過程でいかなる影響を受けたのであろうか。東アジアの国々について見ると、国内の所得分配の不平等度はかなり改善されている。世界銀行の報告『東アジアの奇跡』は、世界四〇ヵ国について、経済成長率と所得分配の不平等度の関係を一九六五—一九八九年に関して計測している。この中で、例外的に高い経済成長率と低い所得不平等度を示す国が七ヵ国登場する。その国々はいずれもアジアの国々（韓国、台湾、香港、シンガポール、日本、インドネシア、タイ）なのである。この結果は東アジアにとって喜ぶべきことではあるが、他面、工業化以前の時代、あるいは世界の他の国々の所得分配の状況がいかに劣悪であるかということを示しているともいえる。

ちなみに、経済成長と所得分配の平等度の因果関係は一方向ではない。とすると、このアジアの（世界相場から見て相対的に）公正な分配と成長の関係をどう解釈すればよいのだろうか。ひとつは、これらの国々での教育のレベルの高さ、公設公営住宅の普及、農地の分配と農業支持政策などの結果による所得の上昇の結果だと見ることができる。所得の平等化は、教育へ高い関心を持つ中産階級の厚い層を生み出し、政治的安定をもたらす。このような平等化政策が政治的安定をもたらし経済成長を刺激、その成長の結果、さらに所得の平等化が進むという好循環が働いたと考えられる。

## アジアの社会主義国

アジアの社会主義国としてその台頭が一番注目されてきたのは、約一三億の人口を抱える中国である。中国は文化大革命が終わった後、激しい政治的混乱が続いたが、一九七八年二月末から三月にかけての第五期全国人民代表大会第一回会議で従来のソ連型中央計画経済システムを捨て去り、「四つの近代化」計画を再確認している。この政策は、西側から大量のプラントと技術を輸入する「経済発展一〇ヵ年計画」として策定され、同年末には、七〇億ドルにのぼる外国からの資本・技術の導入契約を結んだ。さらに一九八〇年八月の第五期全国人民代表大会の第三回会議では、中央の経済統制を弱め、市場と計画をうまくミックスさせた混合経済体制を導入するという方針が決定された。「第六次五ヵ年計画」である。この計画の主要なポイントは、人民公社を最終的に解体するための「農業改革」にあった。農地の長期リース、換金作物の生産、そして農家の非農業部門への進出などが許されるようになった。いずれも市場競争をある程度認め、民間農業への租税負担を軽減するというものであった。ただしこの改革では政治的自由は認められず、経済活動の自由度が従来より高まったことがポイントであった。この点は、ソ連のゴルバチョフの民主化と情報開示の「政治改革」とは大きく異なっていた。

鄧小平を中心に推し進められたこの改革の成果は大きかった。国民所得と生産は、一九八〇年代には約一〇%の成長率で拡大を記録し、農家所得は倍増したと推定される。この成長によって中国は穀物生産の自給自足を達成しただけでなく、農村工業も成長し、かなりの余剰労働力が吸収された。大躍進時代に設立された郷鎮企業と呼ばれる小規模企業も市場志向の公企業へと編成替えされ、多くの雇用を吸収した。中国は八〇年代のこうした市場活力の導入によって高い経済成長を達成した。それは文化大革命期の極端な生産の落ち込みからの回復過程という側面も持っている。「谷が深ければ山が高くなる」という意味で、八〇年代の成長率が高くなったことはある意味で当然であった。

八〇年代の成長は、同時に、インフレーション（特に一九八五年以降）、失業、所得格差の拡大、そして腐敗という歪みを中国経済にもたらした。市場化が急速に進む中で、「隠形経《おんぎよう》済」と呼ばれる非合法の経済活動、すなわち、地下工場、脱税、闇ブローカーなどが盛んになった。非合法の経済活動を公式統計で把握することはできない。いずれの国も程度の差こそあれ、同じ問題に苦しんでいるが、中国の場合、インフレーションが経済秩序を破壊し、「隠形経済」をことさら拡大させたという面があった。

氾濫する偽造品、活発な密貿易、盗品ブローカーの暗躍、巨額の脱税などは、どうにか知り得る不正であるが、この「隠形経済」の隙間を縫って、商人や地主層、あるいは工業生産者は副収入を増加させ、蓄積した資本を新しい機会に向けて投資するというプラスの機能も果たした。「隠形経済」は、中国の場合、市場と中央統制という二つのメカニズムが同時に存在することによってさらに膨張したという側面が強い。二つのメカニズムをどのように調和させるかという難問を抱えたまま、中国経済は過熱状態へと突き進んだ。中国は貯蓄率が高いが、それも、巨額の赤字を計上し続ける一部の国有企業の赤字補塡に用いられている。この悪循環はいつか断ち切られなければならない。

鄧小平の行った経済政策として重要な意味を持つものは、「改革・開放」政策のひとつとして創出された「経済特区」であろう。国内の少ない貯蓄を補完するために、一部地域に外国資本を導入し、中国の生産力向上がはかられたことは大きい。彼のいう、「白猫であれ黒猫であれ、ねずみをとるのが良い猫である」という「白猫黒猫論」は、鄧の柔軟性とプラグマティズムを示す姿勢であり、彼のニヒリズムの一端をあらわす。

鄧の改革は、農業、サービス産業、軽工業における私的なインセンティブを生かすという特徴を持っている。しかし国家の統制は強く、重工業、銀行・金融、交通サービスに関しては、国が強い統制権を持つ管制高地（Commanding Heights）としての位置を占めている。したがって政治的自由は存在しない。「世界最大最強の強制装置」（エコノミスト）と呼ばれる中国共産党のポリトビューローは、わずか二十数名の政治エリートによって政策を含めたあらゆる政治的な決定がなされている。問題は、この政治的不自由と経済的自由がいつまで両立するかということである。

中国の国民所得統計の不備もあり、正確な推定ができないが、一九九〇年代の中国経済の躍進については評価が確定しているわけではない。世銀をはじめ、多くの研究者の推計も（購買力平価なのか、どの年の米ドルと元との交換レートで評価するかによって異なるだけでなく）、どのデータをベースに欠損値を補正するかにより大きく異なる。中国の一人当たりのGDPはチェコやロシアを超えたとするものから、「インドにもいまだ及ばず」という計算もある。ただ、おそらくGDPそのものは、総額において日本を超えたということはいえそうだ。中国の人口が日本の約一〇倍であることを考えると、驚くに値しないともいえるが、国力自体の基準が、「一人当たり」ではなく、「総GDP」があらゆる局面で問題となることを考えると、この数字の持つ意味は大きい。

### ベトナム

中国と同じく、二つのシステムの合成という政治的実験の最中にあるのはベトナムである。現在八〇〇〇万人以上の人口を有するこの東南アジア第二の（インドネシアに次ぐ）人口大国は、未開発の豊富な資源を持っている。一九七五年にベトナム戦争が終結し、翌七六年七月には社会主義国家としての南北統一を果たした。社会主義計画経済の鉄則に従って、南部の農業を集団化し、商工業の国有化を推進したが、南部の生産意欲の低下ははなはだしく、多くの失業者群が生まれた。さらに中央集権的計画経済は、ソ連・東欧と同じく重工業偏重の工業化戦略を採ったため、経済全体の効率が著しく低下した。中国との関係の悪化、一九七八年からの対カンボジア戦争など、政治的な不安定要因がベトナム経済に与えた負の影響は大きかった。第二次五ヵ年計画（一九七六―八〇）は年成長率〇・四％という惨憺たる結果に終わった。

その後いくつかの実験的「自由化」政策が試みられた。自由化は一時期、一九八一年のGDP成長率を七％に押し上げた。しかし、財政赤字の拡大、激しいインフレーション、所得格差の拡大、役人の汚職・腐敗など、先に述べた中国のケースと同じ病状がベトナム社会を覆い始めた。これに対して経済統制の復活を主張する保守派が巻き返し、一九八二年三月再びベトナムは中央集権的社会主義が復権する。その後、保守派と改革派の抗争が続くが、一九八六年十二月のベトナム共産党第六回党大会で、改革派のグエン・バン・リン書記長が選出され、「ドイ・モイ（刷新）」と呼ばれる抜本的な経済改革が始まった。「刷新」という言葉が示すように、改革は、過去の経済政策の否定からスタートしている。経済の国家介入を弱め、市場を通した民間活力を重視し、商人や投資家の国際市場での裁定者としての役割を評価・重視する政策である。

ドイ・モイ政策の内容は次のようなものである。指令経済から市場重視へ、非国有セクターの奨励、重工業偏重の工業化戦略の見直し、開放経済へのシフトなどである。ドイ・モイ政策は、一九八五年の改革派による極端な市場開放政策の失敗という苦しい経験もあって、一種の漸進主義を基本とした市場化政策であった。ベトナム政府がこうした政策へ打って出ざるを得なかったのは、先に見たように、タイがプラザ合意以降、大量の外国からの直接投資を受け入れた結果、急速な成長を遂げたということもあった。近隣のＡＳＥＡＮ諸国に大きな後れを取ったという焦りである。さらに、一九七八年末以降の中国の経済改革の進展と急速な発展も強い刺激となったと考えられる。ソ連の対ベトナム援助が削減され、頼れる国が東側には見当たらなくなったことも大きかった。

一九八八年には「外貨導入法」の発布、国営企業に対する補助金の打ち切り、農業の私有化を意味する「農家請負制」などがスタートし、市場経済化に向けて本格的な改革が動き出す。翌一九八九年三月には、通貨切り下げと為替レートの一本化、貿易の自由化等、ＩＭＦの勧告した政策パッケージに沿った措置が実施された。その結果、インフレはようやく鎮静化し、食糧生産は増加、石油の輸出も増えて、一九八九年のベトナムの総輸出は前年の二・八倍に増加した。

「冷戦の終焉」と呼ばれた一九八九年のソ連・東欧の政治的混乱は、ベトナム経済にも大きな打撃を与え、コメコン諸国の経済の混乱はベトナムの輸出を大きく減少させることになった。一九九〇年、九一年は、悪天候によって農業も不振をきわめ、カンボジア戦線からの帰還兵の失業問題も深刻化したが、五－六％の成長率でなんとか切り抜けることができた。こうしたベトナム経済の良好なパフォーマンスについて、スタートの時点で中央集権的な官僚部門が小さかったこと、農業国であったため（工業は一九八六年の国民所得の二八％）農業の市場化の効果が全体として大きかったこと、そして長く市場経済を経験していた南部の存在、の三つの要因が指摘されている。(5) こうしてベトナムは一九九二年以降、いわゆる「高度経済成長」の時代に入るのである。

## 北朝鮮

日本にとって、あるいはアジア・太平洋圏の政治的安定にとって、重要な鍵を握る北朝鮮の経済の歩みはどうだったのだろうか。政治学者や国際関係論の専門家、あるいはジャーナリストの分析や議論は存在するが、資料・統計を用いた経済史の側の分析は多くない。数少ない研究として、北朝鮮捕獲文書（朝鮮戦争中に米軍が奪取した膨大な文書群）、未発掘の工場資料、旧ソ連の文書等に基づく木村光彦のものがある。(6) 木村の研究は、時代的には一九四五年以降から一九九〇年代までをカバーしている。ここではその木村の研究に拠りながら、金日成体制下の北朝鮮経済を素描するにとどめる。

北朝鮮の主産業は戦後一貫して農業であったが、経済運営には整合的な計画の基礎はなかった。木村によると、この無計画性は、金日成の「現場指導」と呼ばれる経済運営に典型的に現れているという。それは、金日成が精力的に全国の企業所、工場、農場、建設現場を回り、個別の経営問題やさまざまな技術的問題について部下に直接指示を与え、彼自身が撤回しない限り絶対に遵守せねばならないさまざまな命令から成り立っていた。「肥料をどう混ぜるか」、「どの機械を使うべきか」などから始まり、「労働者用の風呂を作れ」、「一定期間内に特別増産せよ」といったきわめて恣意的な命令である。木村はこれを「無計画指令経済」と呼んでいる。

中央経済当局は、飛び地のように散らばった各地方・各生産単位を厳密な政治的統制下に置き、あらゆる資源と財を中央が自由に動員・使用する権限を有し、それを行使した。農業に次いで生産・雇用の規模が大きいのは、重工鉱業であり、軽工業は小さく、対個人サービス業はほとんど存在しない状態にある。このことからも北朝鮮国民の消費生活の貧しさが推測できる。

一九八〇年代に入ると、北朝鮮経済は停滞色を一層強め、農業も極度の不振に陥る。FAOの *Trade Yearbook* の穀物貿易量を見ると（これは北朝鮮の公式発表を基礎としているので信頼度には疑問が残る）、一九八七年から一九九〇年までの四年間の穀物輸入は六〇万トン以上に及ぶ。工業においても資材供給能力が低下し、下部の生産単位に不足問題の「自体解決」を要求するケースが多くなった。消費財だけでなく、鉄鋼・電力などについても、地方がその供給責任を負わされるようになった。中央は「お手上げ」状態になったということである。

一九九〇年代に入ってからも、冷害や洪水によって穀物生産は大幅に減少し、木村の推計によると、国民一人当たり穀物生産量は、一九九〇年の二四〇キログラムから一九九五年の一七〇キログラムへと低下している。一日当たり換算では、それぞれ六五七グラム、四六五グラムにすぎない。これは日本統治時代末期の一九四〇年代半ばを下回る数値であり、六〇万トン程度の穀物輸入で問題が解決するような規模の不足ではない。木村は、一九九五年以降、少なく見積もっても数十万人を超える住民が餓死したと推測している。

## 註

(1) Rodrik, Dani, "Getting Inventions Right: How South Korea and Taiwan Grew Rich," *Economic Policy* 20 (April 1995): 55-107.

(2) 杉原薫『アジア太平洋経済圏の興隆』大阪大学出版会、二〇〇三年

(3) International Monetary Fund, *World Economic Outlook*, May 1997, 82-83.

(4) Krugman, Paul, "The Myth of Asia's Miracle," *Foreign Affairs* 73, November-December, 1994.

(5) 江橋正彦「ドイ・モイの成果と課題」西原正、J・W・モーリー編著『台頭するベトナム　日米はどう関わるか』中央公論社、一九九六年

(6) 木村光彦『北朝鮮の経済―起源・形成・崩壊』創文社、一九九九年

## 第4節　新自由主義と「ワシントン・コンセンサス」

アジア経済の勃興と米・欧の停滞を背景に、一九八〇年代は、それまでの二〇年ほどの間の政治的・社会的民主化傾向への「揺りもどし」として、ニューライト、ポピュリスト・コンサーバティヴと呼ばれる社会運動が世界的に顕著になった。米国でも、ポルノの規制、男女平等のための憲法修正条項（ERA—Equal Rights Amendment）案への反対、強制バス通学、あるいは銃砲所持取り締まり反対、民主的に代表されていない労働組合の規制（労働権 right to work の主張）など、保守的な動きが社会生活のさまざまな局面に現れる。他方、経済活動に対しては、規制を緩和して自由競争をもっと促進させようという動きが活発になった。

この転換の経済的な意味は大きい。例えば、米国でそれまでの労使関係を規定してきた自動車産業を中心とした「デトロイト条約（The Treaty of Detroit）」が大きく変質して、政府が労使の賃金交渉の場から退場しただけではない。一般に「ワシントン・コンセンサス（Washington Consensus）」と呼ばれる経済社会体制への転換を途上国にももたらした。この「合意」は、米国政府、世界銀行、IMF、各地域の開発銀行によって支持される市場志向型の輸出振興の開発戦略が中核をなす。言い換えれば、途上国政府は公衆衛生、教育、公共インフラ、司法の確立などの中核的任務に専念し、国有企業を民有化し、物価や利子の統制を廃止、緊縮財政と規制の撤廃に専念することを主張する政策的立場である。

こうした動きは、民主化と社会政策の進展への「揺りもどし」として、八〇年前後から先進国で顕著になった。米国だけではなく英国・日本をはじめ先進工業国においても同様に進んだ。先に述べた英国では、M・サッチャーが、一九七九年から九〇年まで、二〇世紀英国の最も長い政権担当者としてさまざまな改革を断行し、インフレを鎮静化、国債の償還に努めた。サッチャー政権が展開した政策も、労働組合運動を意思決定の場から退出させ、個人ベースの厳しい競争に基づく自由主義経済を再構築し社会を活性化しようとする動きの一環であった。米国ではR・レーガンが一九八一年一月に第四〇代大統領に就任し、政権の座にあった八年の間に、レーガノミックスと呼ばれた経済改革を行った。日本でも、中曽根康弘が一九八二年から八七年まで首相として、公企業の民営化をはじめとするいくつかの大きな自由主義的改革を遂行している。このように一九八〇年は、石油危機後の調整期間を経て、世界の経済活動の枠組みが大きく転換した分水嶺をなす年であった。新自由主義的な政策思想を信奉するリーダーによる経済改革が断行されたのである。これらの諸改革の中で、規制緩和、民営化、税制改革を見ておこう。

**規制緩和**

自由化ないしは規制緩和は、法定の独占企業として参入障壁に守られ競争から隔離・保護されてきた産業が、政府が「ゲームのルール」を変更することによって競争にさらされることを意味する。自由化することによって、民間部門に移管することなく民営化されたと同等の効率を競争によって確保することを目的としていた。

一九七〇年代後半、すでに多くの先進工業諸国において、さまざまな規制や統制の歴史的遺産がそのまま累積し、自由な市場の機能障害が問題となり始めていた。こうした規制の再検討において、最も先鋭な問題意識を持った国は英米あるいはニュージーランドであり、少し遅れて日本とドイツが続いた。

米国はニューディール以前においても、連邦政府の規制はいくつかの分野においてすでに存在した。鉄道・トラック輸送などを規制する州際通商委員会（ＩＣＣ、一八八七）、独占禁止・広告・商標・不公正取引などの規制のための連邦公正取引委員会（FTC、一九一四）、水力発電・送電・天然ガス供給を規制する連邦電力委員会（FPC、一九二〇）などによる規制行政である。

その後一九三〇年代のニューディールによって、連邦通信委員会（FCC、一九三四）、証券取引委員会（SEC、一九三四）、民間航空局（CAB、一九三八）などが通信、証券取引、航空輸送などを規制する機関として設立された。

ジョンソン大統領の「偉大な社会」プログラムにおいても、ニクソン政権下でも、新たにいくつかの委員会が設立されている。雇用機会均等委員会（EEOC、一九六四）、環境保護庁（EPA、一九七〇）、労働安全衛生局（OSHA、一九七〇）、消費者製品安全委員会（CPSC、一九七二）などである。

これらの規制委員会がその政策理念を実現するためのものであることは米国民の広く認めるところであった。しかし規制によって経済の活力と国際競争力が大きく損なわれつつあるということも、強く指摘されるようになった。一九七〇年代の終わりから一九八〇年代に、競争促進的な環境を整備し、消費者の自由な選択幅の拡大と技術革新を奨励することを目的とした「規制緩和」の展開にはこうした歴史的な背景があった。

米国の場合、最も早い時期に規制緩和の対象となった代表的産業は航空輸送である。一九七八年に下院を通過した航空規制緩和法（Airline Deregulation Act）によってまず航空運賃の設定が自由になり、航空輸送業市場への参入も自由になった。それまでは、民間航空局（CAB）が運賃の設定・路線の配分・市場への参入等について決定権を持っていた。しかしCAB自体も一九八五年に廃止（日本によくある、「統合」という名の焼け太りではない）された。この徹底した規制緩和によって、（小さなローカル線のマーケットの運賃は上昇したが）平均で見ると航空運賃は下落し、いくつかの大手航空会社の倒産も発生した。運賃の変更、航空輸送への需要拡大、スケジュールの改編などによる混乱も起こった。概してこの規制緩和（deregulation から「デレグ」と略称される）は消費者に益するところもあったものの、大手会社は資産を失い、労使関係が悪化したと専門研究者は判断している[1]。

トラック輸送の規制緩和については、プラス効果が観察された。州際商業委員会（ICC）の認可する規格車での輸送はコスト高となり、ICC認可以外のトラック車での輸送が増加し始めていたが、一九八〇年の規制緩和によって名実ともにトラック輸送市場は競争的になった。鉄道輸送についても同様である。一九八〇年のスタガーズ鉄道法（Staggers Rail Act）によって、特に米国西部の鉄道は再び競争を通して活性化したのである。その他に、エネルギーや電信電話（ベル・テレフォン・システムの分割化—一九八四）でも規制緩和が進んだ。

規制緩和によって負の効果が発生したのは、貯蓄貸付組合（S&L）の破綻によって金融危機が起こった銀行・証券業界である。しかしその他の産業においては、長年の保護行政と政府介入によって市場がかなり歪められていたため、競争力の再生をめざして、一段と規制緩和が進んだ。もっとも、このような規制緩和の結果、雇用が増大したと報告されたケースはほとんどない。一九九二年末に出版された、当時のクウェール副大統領がブッシュ、レーガン両大統領に提出した『規制改革の遺産―アメリカの競争力の回復』という報告書では、二つの興味ある結果が指摘されている。ひとつは雇用の増加を報告している産業はないということ。いまひとつは、規制緩和によって航空輸送や鉄道業の事故率が（予想に反して）低下しているということである。規制緩和は競争を激しくし、スケジュールや航行に無用のプレッシャーをかけ、事故を増加させると危惧されていた。しかし実際は、緩和前に比べ緩和後の事故率はほぼ半減したのである（緩和後は、一〇万回の離陸に対して、全事故は〇・五八、死亡事故は〇・一二）。このように米国の場合、規制緩和の効果は業種により異なり、すべてに諸手を挙げて喜ぶという成果は得られなかった。特に金融業界の規制緩和は、その後の世界の金融危機の重要な原因のひとつになる。

八〇年代の半ばからは、「大きな」規制緩和は行われていない。[2] 一九九五年末には、規制緩和の総仕上げとして、米国で最も古い連邦規制機関であった州際通商委員会（ICC）が廃止され、一部の残った機能は交通省の陸上運輸局に移管された。こうした動きを表面だけ観察していると、規制緩和はきわめてスムーズに進行したかに見える。しかし実際は、八〇年代を過ぎその後二一世紀に入っても減少するどころか、新しい規制の数はますます増加しているのが現状だ。現在連邦政府のルールとして登録された規制は、官報（Federal Register）として法規が編集されているが、ページ数は七三万一〇〇〇ページにのぼっている。ちなみに五〇年代にはこのページ数は一〇万七〇〇〇ページにすぎなかったという。それは、われわれの経済生活、社会生活が、健康、環境をはじめ無数とも言える配慮と要求の上に営まれるようになったからである。(3)

英国でもサッチャー政権下で多くの規制緩和が進行した。ブリティッシュ・テレコムやコーチング・サービス、バスなどは早い時期に規制緩和された。大きな規制緩和としては、「一九八二年石油・ガス法」によってブリティッシュ・ガスが他の参入希望業者にコモン・キャリアー設備を提供することを決め、発電に関する「一九八三年のエネルギー法」では、電力評議会が産業の余剰電力を適正価格で買い取ることを義務付けている。石炭、郵便、ケーブルTVに関する規制緩和も実現した。

為替管理も規制緩和され、外国と国内双方の証券のポートフォリオを持つことが自由になった。それまでは外国証券を保有するには英国でもかなりの量のプレミアムを払わなければならなかった。直接投資も、それまでは「海外借り入れ」で可能であったが、規制緩和によって外国資産を直接入手できるようになり、投資計画もそれだけ見通しのよいものになった。「分割払い式購入（hire purchase）」に対する規制も取り払われた。消費者向けの信用制度に対する政府のコントロールも事実上なくなったことになる。英国政府は、為替管理がなくなった以上、消費者向けのクレジットも外国から得られるわけであるから、国内の消費者クレジットをコントロールする意味はないと判断したのである。

その他、学校や病院といった公共機関も、政府からの経済援助を一部受けながら、しかし公共的規制から離れたシステム（エイジェンシー）で運営できるようになった。

### 民営化の進展

民営化に関して早い時期から顕著な進展を見せたのは英国であった。第三章第3節で、戦後英国の主要産業が労働党政権の下で次々と国有化されていったことにふれた。もちろん、公共企業体といってもその形態はさまざまである。国有の企業体として説明責任を持つ(accountable）点に変わりはないが、その独立性の程度、収入のどれほどが税金と売り上げでまかなわれているのか、といった違いがある。

一九七九年段階では英国の国有企業は約五〇社に及び、ＢＢＣやイングランド銀行などの公共企業体、あるいは英国政府が株式の一部を保有している企業を含めると八〇社を超えていた。保守党政権の民営化プログラムが進展すると、国有企業売却による収入は次第に膨らみ、一九八七年には五〇億ポンドにも達するほどになった。

サッチャー政権の第一期（一九七九―八四年）には、内外の市場から見て比較的競争力があり、民間色の強い業種の民営化が実施された。ブリティッシュ・アエロスペース（一九八一）、ブリトイル（一九八二―八五）、ケーブル&ワイヤレス（一九八一―八五）、ジャガー（一九八四）、エンタープライズ・オイル（一九八四）などである。第二期以降は、ブリティッシュ・ガス（一九八六）、ブリティッシュ・テレコム（一九八四―九三）、ブリティッシュ・エアウェイズ（一九八七）などの公共サービス的性格の強い業種の民営化が行われた。一九九〇年代に入ってからも、電気、水道などの公益事業の民営化が進んだ。

この民営化政策の目的はいくつかあった。まず、企業間競争により消費者の選択肢が増え、コストダウンも享受できる。民営化によって公共部門の規模を縮小でき、公共部門の「借り入れ」を削減できる。さらに株式の売却を通して株主を（労働者も含め）多様化できるだけでなく、公共部門の労働組合の独占力を弱めることができるという点は大きかった。(4)

しかし、民営化が常に一般論として一国の経済厚生を必ず上昇させるとは限らないことも判明した。水道供給が民営化され、家計の水道料金支払いは七四％増加、民営化された企業の税引き前利益は一五〇％も増加したことが報告されている。

サッチャー政権は民営化以外にも、さまざまな方式で「小さな政府」の実現を図った。例えば公的部門の業務を縮小しサービスの民間委託を進めた。その代表例は、ゴミ処理、給食、清掃などで、これらについては民間に委託され、民間企業との競争にさらされるようになった。

こうした市場重視の政策は、国有企業の賃金決定を市場相場に委ね、株式を政府が手放すことによって「所有の平等化」を促進しようというねらいもあった。一九七九年時点で国有であった企業の半数がサッチャー政権末期の一九八九年には民間部門に移管され、国有企業の職員も同じ時期に一八四万人から一〇五万人に減少している。民営化された企業は、その後概して好成績をあげているが、それは英国経済自体の好転の影響もあったと考えられる。

ドイツの場合、「社会的市場経済（Soziale Marktwirtshaft）」という戦後ドイツ固有の社会経済の制度的枠組みのため、英米とは多少事情が異なっていた。この政策思想は、社会的調和の中で競争が生み出す秩序を実現しようとするもので、W・オイケンが思想的な指導者であった。第二章第3節で述べたエアハルトの通貨改革も、この自由の原理に基づく政策思想から断行された。

EC全体の市場統合が進行していたこともあって、ドイツでは規制緩和や民営化は一九八〇年代終わり頃から始まった。特に東西ドイツ再統一の過程で準備された一九九〇年一月一日施行の独禁法の第五回改正は重要である。一九九〇年以前でも、ドイツでは石油・ガス等のエネルギー分野は所有形態も民間所有であり、価格・参入ともに規制がなかった。ただし石炭については政府が四分の三の株式を所有してきた。電気は価格・参入双方で一部規制があり、石油と石炭の中間的位置にあると考えられる。

航空・海運等の運輸分野は概して規制が強かったが、一九九〇年の改正法で独禁法適用除外がかなり減少している。ルフトハンザの政府持株比率も低下し、民間の航空会社の参入も可能になった。連邦郵便（Bundespost）も三社に分割され、郵便、金融、電気通信のサービスをそれぞれ独立して行うようになった。

その中で、ドイツ国鉄の民営化は最も大きな改革であった。旧西ドイツの連邦鉄道も旧東ドイツの帝国鉄道も、ドイツ統一後の一九九一年一年だけを見ても、それぞれ五〇億マルク以上の赤字を出している。赤字経営に対する国家援助額は、この時期、毎年一六〇億マルク前後を計上し、国家歳出の五％ほどに達していた。一九九一年十二月に出された政府委員会の最終報告書に基づいて、九二年二月の閣議で「国鉄改革案」が了承され、七月に国鉄民営化改革の具体的進め方が決定された。そして一九九三年十二月二日、ドイツ連邦議会は、国鉄民営化法案を可決し、翌九四年一月一日から「ドイツ鉄道株式会社」が発足して民営化が実現された。ドイツ国鉄の民営化の過程は、相違点はあるものの、一九八七年の日本の国鉄民営化の方式が大きく影響したといわれる。その日本の国鉄の民営化のプロセスにふれておこう。

新幹線は、戦後日本の、あるいは明治以降日本人が生み出した技術開発物のうちの最大傑作のひとつといわれる。この新幹線の技術的成功は、日本国内の輸送力の拡充に大きく貢献したことはもちろん、欧米での高速鉄道の開発を刺激した。東京―大阪間に新幹線が開通したのは東京オリンピックの開催された一九六四年十月であったが、新幹線の開通によって、これまでの日本国内の輸送サービスへの需要の高さがさらに明らかになっただけでなく、諸外国（フランス、英国、西ドイツ、イタリア、米国など）がこぞって高速鉄道の開発を企画する契機にもなった。日本の新幹線は、高速、フェールセーフという特色以外に、広軌（標準軌道）、変電の集中制御、雪対策、信号装置の作動を先行列車との車間距離によってコントロールするなど、多くの新技術を集大成したものであった。

しかし、すぐれた技術と先進性を兼ね備えた日本の国鉄の経営も、七〇年代末には壊滅的状況に陥っていた。二五兆円を超える負債、年々の収入の四割近くがその負債利子の支払いに向けられ、四二万の職員の人件費が収入の七割弱を占めていた。にもかかわらず、毎年一兆円の設備投資が行われるという、民間企業では考えられないような非合理的な経営が行われていた。

日本政府の臨時行政調査会は、一九八二年に国鉄の分割民営の方針を打ち出し、一九八七年四月に民営化が実現した。分割の境界の決定、組織と人事制度の改変、財産の再配分、規程の変更など、多くの困難な作業を伴ったこの民営化事業は、結局二三万人の人員削減という苦痛とともに、ようやく一一年間で一兆五〇〇〇億円の負債を減らし、黒字経営に転換できるところにこぎつけた。

この民営分割という手段が、世界の鉄道界に与えた衝撃は大きかった。一九八八年九月、フランスの国鉄国際局長ジャン・フィリップ・ベルナール氏が、山之内秀一郎東日本旅客鉄道副社長（当時）に語った次の談話は、先に述べたドイツだけでなく、この民営化が全世界の鉄道界へ与えたインパクトの大きさを簡明に語っている。

「日本の鉄道は世界の鉄道に二つの大変大きな貢献をしてくれた。それは新幹線と国鉄の民営化だ。日本の新幹線の成功は世界の鉄道の旅客列車を滅亡から救った。日本国鉄の民営化は大変な試みだ。フランス国鉄はいまのところ同じ道を歩むつもりはない。しかし、少なくとも鉄道事業が採算のとれる事業になり得ることを実例として示してくれた」[5]

その後ヨーロッパでも、スウェーデン、ドイツそして英国が国鉄の民営化を行っただけではない。民営化の波は、アジア、オセアニア、南アメリカにも押し寄せている。

ドイツの場合、東西の再統一によって、国有企業の民営化問題はいずれの国よりも大きなスケールで進行することになる。これは別種の民営化問題であるので第六章第2節で述べる。

### 財政支出削減と税制改革

八〇年代には規制緩和や民営化だけではなく、新自由主義的な見地から税制改革が主要国で次々と断行された。レーガンが一九八一年に大統領に就任して発表した政策プログラムの柱のひとつも税制改革であった。この税制改革の目的は、生産性の低下が指摘されていた米国人の勤労意欲を刺激するために、法人所得・個人所得双方に対して税率を下げることにあった。その他にも「サプライ・サイド経済学」と呼ばれる政策は、連邦支出を削減し軍事支出の方へ配分をシフトさせること、すでに指摘したようにカーター政権以来の規制緩和を推し進めること、七〇年代から始まっていた連邦準備制度理事会の反インフレ政策を徹底させること、などが含まれていた。

レーガンの政策プログラムの目玉は、一九八一年の経済再建税法(ERTA—Economic Recovery Tax Act)であった。これは一九五四年以来の税制の大改正であった。「減税は勤労意欲を高め、所得を増加させるから、結果として税収を増加させる」というサプライサイドの経済学をベースにしたこの減税は三年にわたって施行され、すべての所得層の限界税率を低減させた。一九八一年には最高所得階層の限界税率が七〇%であったのが、一九八二年には五〇%に、最低所得層に関しては一四%から一一%へと低下させた。この減税政策は、インフレーションによって名目所得が上昇するために、適用限界税率が上昇してしまうという問題に対しても、消費者物価指数で実質所得に調整することによって一九八五年に一応の解決を見た。そして貯蓄と投資を刺激するために資本財の減価償却を加速させ、キャピタル・ゲイン（資産の価格上昇によって転がり込む利得）に対しても税率を下げるよう配慮された。この減税政策によって、現実には米国の税収は一九八一年から八六年の間で、七五〇〇億ドル減少した。

さらにレーガン大統領は政府支出とその構成に対しても大ナタを振るった。ひとつは軍事支出の増加である。実際、一九八一年段階で一五八〇億ドルであった軍事支出は、一九八五年には二五三〇億ドルに増加していた。この増加は、当初は減税政策による経済成長からの自然増収と、他分野の支出削減によってまかなわれる予定であった。しかしこの予測は全く的中しなかった。一九八〇年代一〇年間の米国の実質GDPは七〇年代のそれよりも低かったからである。

ただし、レーガン政権の軍事支出に関しては多少註記が必要であろう。米国の連邦政府予算の中で国防費の占める割合を見てみよう。[6] 第二次大戦が終わった一九四五年は、八割以上の高さを示しているが、その後五年間で急速に低下し、三割あたりで推移していた。しかし朝鮮戦争によって五割水準に再上昇すると、その後七一年あたりまで四割水準を保っていた。七〇年代初頭からのいわゆる「デタント」で、米国の軍事支出は二二―二三％を記録しているが、レーガンが政権に就く一九八一年以降は二五％前後に上昇するものの、格段の上昇を見たわけではない。一九九六年のドルの価値で実質値を評価しても、総額において一九六〇年代後半（ベトナム戦争の時期）とほぼ同じレベルであった。

他方、レーガン政権は、非軍事支出の削減には成功しなかった。メディケア支出も一九八〇年代の一〇年間で五〇％増加し、社会保障支出も七八％増加している。しかし連邦支出の中で最も増大したのは、一六八％も増加した国債利子支払いであった。米国は一九八〇年代に入ると一〇〇〇億ドルから三〇〇〇億ドル前後の政府赤字を計上し続けたわけであるから、その国債利払いは巨大にならざるを得ない。国債のストックは一九九二年段階で四兆ドルに達したのである。

英国でも財政支出削減が試みられた。しかし住宅関連や各種の補助金を除くと、緊縮政策による失業率の上昇（一〇％前後）もあって、実質タームで財政支出の増大がストップするのは一九八〇年代末である。むしろサッチャー政権の財政改革の中心は、税制改革にあった。特に一九七九年に続く一九八四年の法人税改革は大きい。二年間で五〇％から三五％に法人税率が引き下げられる一方、人頭税（poll tax）がスコットランド（一九八九）、イングランド（一九九〇）、ウェールズ（一九九〇）に導入された。この人頭税はきわめて不人気で、多くの地域で不払いの抗議運動が起こり、地方政府の大きな減収を招いた。

**製造業における米国の地位低下**

先に述べたように、レーガン政権は新自由主義の政治信条を背景に、金融の引き締め、連邦税制改革、さまざまな経済的・社会的規制を緩和することによって、インフレを収束させて民間の経済活力を高め、経済成長への道を積極的に探ろうとした。対外通商政策においても、八〇年代の米国は、特に日本に対してさまざまな要求を突きつける攻撃的な政策を展開し、日本との間に経済摩擦を引き起こした。

日米の経済摩擦自体は、第三章第1節でふれたように、一九六〇年代末からすでに火花が散り始めていた。六〇年代後半から七〇年代前半には、繊維（特に毛・化合繊維）の日本からの輸出の急増によって貿易摩擦が発生した。この毛・化合繊維の対米輸出規制が最初に持ち出されたのは、一九六八年の米共和党の大統領候補R・ニクソンの選挙公約であった。翌年一月正式に大統領に就任したニクソンは、新政権の政策として同年四月から、日本に対して、厳しい自主規制を要求し始めた。佐藤栄作首相（当時）は、これに対して「核抜き沖縄返還」の交換条件として、米国側の要求に沿った解決を密約したため、日本国内の意見調整は難航した。紆余曲折の後、ニクソン大統領は、米国側の条件をのまなければ「対敵取引法」の発効によって一方的に輸入を規制するという最後通牒を突きつけてきた。結局、日本政府がそれをのむという形で日米間の合意が成立した。仮調印は一九七一年十月十五日、正式調印は翌年一月である。

米国側の最後通牒をのむという形で解決したことは、国際経済における米国の地位の低下を示すと同時に、日本の経済力が大きいという自覚を日本に持たせる効果があった。第三章でふれたように、鉄鋼についても同じく一九六〇年代後半から七〇年代前半にかけて日本の鉄鋼業界による輸出自主規制が行われた。その後七〇年代後半からトリガー価格制度がとられ、一九八四年から九二年までは対米輸出自主規制の日米鉄鋼協定が締結されている。

自動車も、一九八一年の「対米輸出自主規制」に始まり、一九九五年の米側の数値目標要求の取り下げ、日本の自動車メーカーの米国内での増産計画の公表に至るまで、日米間の貿易摩擦は続いた。工作機械が、一九八六年に輸出自主規制を中心とする日米工作機械取り決めを締結したのも、日本からの輸出の急増がもたらした貿易摩擦が原因であった。

このように、毛・化合繊維、鉄鋼、自動車、カラーテレビ、工作機械をめぐる貿易摩擦は、日本からの「集中豪雨的」輸出の結果起こったものであるが、もうひとつの日米摩擦の類型として、米国から日本への輸出の少なさを「日本市場の閉鎖性」として米国側が不満を募らせたケースがある。一九七〇年代後半の牛肉・オレンジ、八〇年代の半導体、建設、政府調達、コメ、スーパー・コンピューター、一九九〇年代のフィルム・印画紙、港湾荷役などである。

こうした「市場開放要求型」の日米経済摩擦のはじめは、電電公社政府調達と牛肉・オレンジであった。前者は、電電公社の調達を外国企業に開放する政府間合意で一九八一年に決着がつき、後者は、牛肉・オレンジの輸入枠拡大の合意（一九七八年）、一九九一年からの自由化合意（一九八八年）という形で一応の解決を見た。関西新空港の建設にあたって米企業が参入を要求してきたのも、この「市場開放要求型」の摩擦の例である。これは一九八八年に、大型公共事業は内外無差別の調達手続きによるという形で合意に達した。

米国が「ダンピング」だとして、その輸出防止と市場開放を要求してきた半導体も、まず数値目標を盛り込んだ協定を締結し（一九八六年）、最終的には多国間協議の枠組みへ移行するという形で決着を見ている。米国クレイ社が、日本のNECをダンピングで米国際貿易委員会（ITC）に提訴したスーパー・コンピューターの場合は、一九九七年ダンピングの判定を受けて、事実上NEC製品は米国市場から締め出しを受けた。フィルム・印画紙は、米国が日本をWTO（世界貿易機関）に提訴したが、一九九七年の中間報告では米国側の主張への言及は避けられている。

このように一九八〇年前後から、日本と米国という二大経済大国が、貿易競争と市場争奪の激しい戦いを展開し、二国間の政治外交問題にまで発展する。なかには、日米だけでなく、日欧、米欧という摩擦ももちろん見られたが、太平洋をはさむこの二大経済大国の市場争奪戦は最も激しいものであった。米国側としては、冷戦下の国際的な政治経済環境の下で、米国は市場を十分に開放することによって同盟国の経済発展を助けてきたという自負があった。しかし東西の緊張が緩和し、日本をはじめ東・東南アジアの発展によって、米国の相対的地位は疑いもなく低下し始めた。特に米国の主張する自由貿易の理念も、歴史的に見ると、戦後のGATT体制以降のものであり、米国が自由貿易による利益を同盟国とともに享受したのも一九五〇年代、六〇年代に限定されていた。

一九八〇年代末あたりから、米国は日本に対して、そしてAPEC全体に対しても、「市場開放」を求め続けている。しかし歴史的に見ると米国も、自由貿易が原則、保護貿易は例外という図式一色であったわけではない。一般には、「一九二〇年代、三〇年代に保護主義が広がるまでは、世界は自由貿易の黄金時代だった」といわれることがあるが、必ずしも正しくはない。三〇年代の不況は、さらなる保護主義が生まれる原因を作ったのであって、保護主義によって不況が発生したのではない。

そもそも米国は近代保護主義の母国であった。米国という国家の誕生を見ても、関税問題がアメリカ独立革命の一大原因であった。A・ハミルトンの後進国の工業保護育成論『製造工業に関する報告書』は、決して現代と無縁な政策論ではない。南北戦争も、保護主義を唱えた北部の工業家と、綿・タバコを輸出する南部の自由貿易主義者との対立であり、北軍の勝利は、米国の保護主義をさらに強化させた。その後も一九三〇年代に互恵的な関税引き下げに積極的な姿勢を示すが、米国の保護主義は第二次大戦を経て一九五〇年代まで続いたのである。近年の経済史研究が指摘するように、そもそも真の自由貿易に近い形は、十九世紀の六〇年代から七〇年代のヨーロッパに一部存在したにすぎない。冷戦期の米国の自由貿易を基調とする通商政策は、歴史的に見てもむしろ例外的な現象であり、冷戦下の米国にとって同盟諸国の経済発展がいかに重要であったかということを示している。

註

（1）Dempsy, P. S. and Andrew R. Goetz, *Airline Deregulation and Laissez-Faire Mythology*, Quorum Books. 1992. 邦訳は、P・S・デンプシー&A・R・ゲーツ『規制緩和の神話――米国航空輸送業の経験』（吉田邦郎・福井直祥・井手口哲生訳、日本評論社、一九九六年）

（2）この間の推移に関しては、Weidenbaum, Murray L., *Business, Government, and the Public*, 3rd edn. Englewood Cliffs : Prentice Hall, 1987.

（３）Crews Jr., Clyde Wayne, *Ten Thousand Commandments : An Annual Snapshot of the Federal Regulatory State*, Cato Institute, 2003.

（４）Kay, J. A., and D. J. Thompson, “Privatization : A Policy in Search of a Rationale,” *The Economic Journal* 96 (March 1986): 18-32.

（５）山之内秀一郎『新幹線がなかったら』東京新聞出版局、一九九六年（pp. 247-248)

（６）U.S. Department of Defense, Office of the Under Secretary of Defense (Controller), *National Defense Budget Estimates FY 2004* (March), Washington D. C., 2003.

# 第六章　破綻

## 第1節　国際金融市場での「破裂」

### 累積債務危機の構図

貿易の不均衡だけではなく、対外債務の累積という不均衡も、一九八〇年代の世界経済に大きな問題をもたらした。一般に途上国は国内貯蓄率が低く経常収支赤字が大きいため、どうしても資本輸入が必要になり、対外債務が累積しがちになる。一九七〇年代中頃までは、これら対外債務は、外国政府やIMF・世界銀行などの国際機関からの借り入れが主であり、その目的もほとんどが国内の開発投資プロジェクト向きのものであった。

しかし一九七〇年代後半から一九八〇年代前半にかけて、国際的な民間銀行がOPECのオイル・マネーを用いて途上国や中進国への一般目的の貸し出しを行い始める。借り手の途上国はそれによって国際収支バランスを維持し、自国内の輸出部門の拡張を図ろうとしたのである。資本流入は途上国にとって大きな便益をもたらすがコストも大きい。最大のコストは、借り入れ期間が満期に達したときの償還とそれまでの利子支払いの負担である。元本の償還と利子支払いは外貨でなされなければならない。ところが外貨は輸出の振興と輸入の縮小でまかなわれない限り、さらなる対外借り入れを重ねるという悪循環に陥らざるを得ない。したがって重い対外債務の泥沼から抜け出すためには、輸出を増加させることによって外貨を得るというのが一番確実な方法となる。しかし輸出不振が起これぱこの方法も当てにはできない。投資の限界収益率が期待していたよりも低いという事情で、外国からの借り入れ額を返済することが困難になるのである。おまけに利子率が上昇し、輸入が膨張すれば「絶望的状況」に陥らざるを得ない。こうした状況が一九八〇年代の途上国の債務危機の基本的な構図であった。

世界銀行の統計からも明らかなように、一九七〇年から一九八九年の二〇年間で、途上国の対外債務（長期債務、短期債務、ＩＭＦ信用使用の総計）は六〇〇億ドルから約一兆二〇〇〇億ドルへと二〇倍近くに膨張している。これらの対外債務は、主としてブラジル、メキシコ、アルゼンチン、ベネズエラのラテン四ヵ国に集中している[1]。民間銀行の利子率が少しでも上昇すれば、利子支払いの額が大きくハネ上がることは、この負債額の大きさを考えれば容易に想像がつく。

一九八〇年代の債務危機の到来を早めた遠因として、七三年の第一次石油危機がある。メキシコ、ブラジル、ベネズエラ、アルゼンチンなどの新興工業国（NICs）は、六〇年代末から、資本財、石油、食糧の輸入を拡大すると同時に、輸出を大幅に増加させ高い成長率を示し始めた。その過程の真っ只中で石油価格の急上昇が起こり、輸入総額が膨張し、先進工業国も石油危機を境に成長率を二・七％程度へと半減させたため、これらの国々の輸出も収縮した。その結果、メキシコをはじめとする新興工業国は、従来の成長率を維持しようとして対外債務を増加させる。IMFをはじめとする国際機関からの借り入れは「構造調整」と呼ばれる政策選択を義務付けられるため、これらの国々はできる限り自由な民間銀行からの借り入れに頼る方向の選択を行う。一方、これら民間銀行はOPECの余剰資金を大量に保持していたため、競ってこれらの新興工業国への貸し付けに走った。

この構図を簡略化すれば次のようになる。中東からの石油輸出代金は、米国とヨーロッパの銀行に蓄積され、これらオイル・マネーは第三世界の公的・私的部門へと流れた（一部はユーロ・ダラー市場へも流入した）。しかしオイル・マネーは第三世界へ「一方向に」流入したわけではない。重要なのは、これらの債務の元本償還と利払いとして第三世界から多量のドルが流出し始めたことである。推定では、一九七六年から一九八二年の間で、三五〇〇億ドルがOPECと第三世界の間を循環したといわれる。その結果、一九七〇年代後半の五年間で途上国の対外債務は一八〇〇億ドルから四〇〇〇億ドルへと未曾有の膨張を記録することになる。一九七九年時点では、これらの債務の八割近くは、短期で、利率は市場レートで特に低利にはしない「非譲許的（non-concessional）借り入れ」であった。

一九八〇年代に入るまではこれらの対外債務から発生する元本償還と利払いは、新興工業国にとってそれほど大きな負担とはならなかった。インフレーションの進行が債務者の負担を軽くし、輸出の増加もあったので、巨額の借り入れを続けながらも経済成長を達成できたのである。

しかしこの循環も長くは続かなかった。一九七九年に第二次石油危機が起こると、循環をかろうじて支えていた条件が一挙に崩れてしまう。途上国の石油輸入代金は急上昇し、発展のための投資としての工業品の輸入が難しくなり始めた。さらに先に述べたように先進工業国の不況によって途上国からの輸出も減少し、対外債務の利払いのみが重くのしかかるようになったのである。途上国の経済不振は、多くの民間資本の逃避を引き起こし、不況のスパイラルを生み出した。このワナから抜け出すには、輸入を切りつめて国内的には緊縮政策を採るか、さらに外国からの借り入れを行うかのいずれかの方法しかない。多くの新興工業国や途上国は、後者の道を選び、さらに多くの対外借り入れを行うようになった。その結果、八〇年代中葉には利払いさえも不可能になるという状況に追い込まれた。こうした実態をいくつかの国について見ておこう。

### ラテン四ヵ国

メキシコは対外債務の元利払いの停止を一九八二年に発表した。その後、アルゼンチン、ブラジルなどの「中進国」の累積債務問題が表面化した。メキシコ経済は、財政赤字、経常収支の悪化、先進国経済（特に米国）の停滞、世界的な石油の供給過剰、対外債務の膨張と外貨不足、とまさに「満身創痍」の状態になり、政府は緊縮とペソの切り下げ政策をとった。しかしペソの信用は回復せず、メキシコ人投資家が資本を海外に逃避させる。IMFもメキシコの対外債務の返還スケジュールを変更するなどの救済措置を採ったが、一九八八年時点でラテン・アメリカ諸国の中で（ブラジルに次いで）第二位の一〇〇八億ドルの対外債務を抱えることになる。この債務返還のためには外貨が使われたため、開発のための資本財を外国から購入できない状況に陥った。

アルゼンチンも事情は似ていた。一九八五年半ばにインフレ率が（年）一〇〇〇％に達したため、アルフォンシン政権はアウストラロ・プランによって緊縮財政の実施と賃金と物価の統制を行い、翌八六年にはインフレ率を八六％へと低下させた。しかしその後も一〇〇％から三〇〇％の高いインフレ率に苦しむ年が続く。一九八八年時点の対外債務は六四七億ドルに達し、アルゼンチン政府は、利子支払いを延期しなければならなくなった。一九八九年の経済政策（プリマベーラ・プラン）によってインフレーションは月率六％以内に低下したが、為替は一〇分の一に切り下がった。それでも一九九〇年末時点で滞納の対外債務は七〇億ドルに達した。

ブラジルは、一九八八年時点で一一五〇億ドルの対外債務に達し、その額は第三世界最高を示した。この時期のインフレ率は年一七六五％であるから、まさに「泣きツラに蜂」の様相である（この高インフレ率は、主として連邦・州政府の公企業の赤字による）。外国への利子支払いと資本逃避（年約一〇〇億ドル）は、外国からの投資と援助のフローの総額を大きく上回った。

ＯＰＥＣの創設メンバーでもあり、世界の石油市場で重要な役割を演じてきたベネズエラは、名実ともに世界の石油大国である。一九八八年時点で全輸出額の九割が石油、政府収入の六割、そしてＧＤＰの四分の一が石油産業の生産が占めるという産業構造であった。政府が一九七六年に石油産業を国有化して以来、石油産業の雇用と所得は急増したが、原油産出量は大きく低下した。ピーク時の一九七〇年には日産三七〇万バレルであったのが、一九八八年時点では一七〇万バレルにまで減少している。一九八〇年代初頭は、原油価格の低下に加えて、米国が省エネルギー政策を展開させたこともあって、ベネズエラの国際収支は大幅に悪化した。その結果、一九八八年時点で対外債務三五五億ドルを計上するに至る。他の債務危機に苦しむ途上国同様、ベネズエラはＩＭＦの救済措置を受け、インフレの制御、経常収支の改善、財政赤字の是正、金融の自由化などの「安定化政策（stabilization policies）」のコンディショナリティー（conditionality）を受け入れることによって国際収支問題の解決を迫られた。コンディショナリティーには、（1）外国為替と輸入についての規制の廃止、（2）公的な為替レートの切り下げ、（3）国内的な反インフレ策（金融の引き締め、緊縮財政、インフレ率以下の賃金を統制、物価統制の撤廃など）、（4）外国資本の導入と国際市場に経済を開放することが含まれる。

### ＩＭＦへの批判

これらの国々以外でも、一九八〇年代には新興工業国や途上国の中で対外債務の膨張に苦しむ国が多く出た。戦後の四半世紀の先進国からの資本流入は、主にＯＤＡと直接投資であった。しかし七〇年代に入ると民間の開発融資が盛んになり始める。外国の民間商業銀行からの借り入れの返済計画を延長するためには、法定のＩＭＦ割り当て以上の資金を得る条件としてＩＭＦのコンディショナリティーを受け入れなければならない。このコンディショナリティーを満たす努力は、債務国の国際収支改善の努力の「証し」と考えられる。

一九八〇年代には、先にふれたメキシコ、ブラジル、アルゼンチン、ベネズエラ、そしてフィリピンもこのＩＭＦの「安定化政策」を受け入れ、対外債務にまみれ疲弊した経済の再建作業に取り組んだ。これらの政策は、対外債務危機に落ち込んだ国々の国際収支の改善には役立ったが、低所得層や一部の中間層の経済状況を改善するよりも悪化する方向へ作用したため、政治的にはきわめて不人気な政策となった。特に、レーガン政権下で、米国は世界最大の国際純債務国となっていたから、「米国に対してはなぜこうした安定化政策を強制しないのか」という途上国からの不満の声が上がった。

さらに世界経済の「従属理論」を展開する学者（いわゆるdependency school）から、「第三世界の貧困と先進国への従属を維持するための方策」だとして批判された。この批判は一面の真理を突いている。というのは、ＩＭＦのコンディショナリティーは、主として短期の国際収支の赤字問題の解決に向けられたものであって、多くのＮＩＣｓや途上国が抱え持つ、国際収支の長期的問題に対する根本的解決を供するものではないからだ。それどころか、ＩＭＦの短期的方策の累積が結果として、長期的問題の解決を阻むという危険性も持っていた。実際、一九八二年から八八年までの間で、ＩＭＦの戦略は、ラテン・アメリカとカリブ海諸国の三二ヵ国のうち二八ヵ国で試みられたが、いずれも経済の停滞と失業の増加を見ただけで、大きな成果をあげることはできなかった。

一九八〇年代の債務危機は、こうして国際金融システムの脆さと不安定性を露呈することになった。債務国と先進国との密な貸借関係は、裏返せば、これらの債務国が「破産」すれば先進国への影響は測り知れないということである。この種の臆測は、世界の投機家をドル買いに走らせた。特に一九八三―八四年にはこのドル買いがドルの市場価値を騰貴させたため、ドル建ての債務を抱え込んだ途上国はますます苦しい立場に追い込まれた。途上国が多くの対外債務を抱え込んだこと自体は債務国の責任であるが、経済危機は、これら途上国のコントロール外の要因によっても影響を受けた。先進国が自ら緊縮的な安定化政策を採ることによってドルの利子率を上昇させたこと、そして途上国への製品需要を低迷させたことである。加うるに、途上国の主要輸出品であった一次産品の価格が下落し、途上国の交易条件が極端に悪化したことも致命的であった。

## アジアの通貨危機

第五章で述べたように、成長を続けるアジア経済は、世界の投資家にとってきわめて有望なビジネス・チャンスを提供してきた。特にシンガポール、マレーシア、インドネシア、韓国、タイなどの一九九四年、九五年あたりまでの実質経済成長率はいずれも八%から一〇%を記録している。こうした高い成長率は、基本的に投資の高い収益率をも意味したから、世界の投資資金の多くが債権や株式の購入という形でアジア諸国に流れ込んだのは自然なことであった。特に先進国の景気が悪化し、金利が低下傾向にあったため、機関投資家たちがハイリスク・ハイリターンの投資機会を求めて、途上国へ大量の短期資本を流入させるようになった。さらに投資国側でも投資の規制緩和を断行しただけでなく、受け入れ国であった途上国でも外国人投資家に対する規制緩和が進み、資本の国際移動の自由度が増していた。

一九九三年は、途上国への資本流入の九〇年代の第一のピークをなした。九四年末にはメキシコに通貨危機が起こり、九五年にはラテン・アメリカ諸国（アルゼンチン、チリ、ブラジル等）からも大量の証券投資が逃避するという事態が発生した。一方、アジアの方は、一九九七年七月一日に香港が返還され、世界の目は中国経済の方へ向けられていた。ところが六月頃までは、アジア各国の通貨は一線に並んでいたが、七月に入るや否やタイ・バーツが急激に下落し、それを追いかけるようにインドネシア・ルピア、フィリピン・ペソ、マレーシア・リンギット、韓国・ウォンが下落し始めた。タイで起こった通貨危機が周りの国々に伝染病のごとく伝播したのである。

こうしたアジアの通貨危機の原因はいくつか考えられるが、ひとつはドル・ペッグ（純粋なドル・ペッグではなかったが、ドルのウェイトが八〇％以上）という為替システム自体が持っていた問題点である。ドルにリンクしていれば為替リスクはなくなり、短期資本は流入しやすい。さらに一九九五年あたりから二年間、円安（ドル高）が進む中で、バーツがドルにリンクしていたため、バーツが高くなり、タイの国際競争力は大きく低下してしまったのである。労働集約型の輸出が中心で、輸入が先進国の機械類という貿易構造から見ても、中国とタイが強力なライバル関係にあることは否定できない。その中国との競争が激しくなり、タイ経済の立場が従来ほど安定したものではなくなるという不安材料を抱えていたため、経済全体が減速していたということがある。減速する経済から短期資本が逃避するということは十分予想される。インドネシアについても、同じような関係が認められる。こうした競争関係にあるアジア諸国の中で、一九八〇年代後半以降ASEAN諸国の経済成長を支えてきた日本の直接投資が、一九九二―九三年以降大きく中国へシフトしたことも無視できない。直接投資は債務性が低く、安定的な資本の移動であったが、それにかわって、不安定な短期資本がタイに多量に流入したという事情もあった。

このようなタイの通貨危機に対して、IMFや日本はそれぞれ四〇億ドル、世界銀行・オーストラリアなどを含めると、総額一七二億ドルの支援策のパッケージをまとめた。タイ経済のバブルがはじけて多くの金融機関が不良債権問題を抱えたが、IMFの指導でこのパッケージは、流動性の確保、外貨準備の積み上げに使われた。その他IMF発表の経済調整プログラムとして、付加価値税の引き上げ、予算カット、金融機関の整理・統合などが示唆された。

インドネシアに対しても、一九九七年十一月に総額四三〇億ドルのIMFのパッケージ援助が決まった。コンディショナリティー（改革の「処方箋」）をIMF側が示唆したが、スハルト大統領とIMF側とに意見の対立があり、紆余曲折の後、九八年五月のインドネシアの政変でスハルトが辞任、スハルト・ファミリー全員が追放され、ユスフ・ハビビ副大統領が大統領となり、IMFとインドネシア政府との間の対立が一応解決した。

韓国の場合の一九九七年末の経済危機はやや性格を異にしていた。韓国では「官治経済」と呼ばれるように、経済の運営に政府が深くかかわりすぎてきたという経緯がある。加うるに、一九九六年にOECDに加盟したこともあって、強引な「国際化」政策に走らざるを得なかったという実情も無視できない。九〇年代に入ってからは、九三年を除いて、一貫して貿易収支・経常収支の赤字が続き、九六年、九七年になって急激に対外債務が増加し、九七年末の一五八〇億ドルの外債のうち約六割が短期というきわめて不安定な状態になった。

韓国企業の海外投資が九〇年代に入って急激に増え、九七年には四五億ドルの海外投資が行われた。また韓国の海外現地法人が海外で借りている資金も大きく膨らみ、その資金繰りがつかないという事情も強く作用した。ところが韓国の場合は、多くの債券に「政府保証」がついていた。政府が最終的なリスクを取る債務が四〇％を超えても買い手がつかないという事態に立ち至った。まさに「国家破産」とまで呼ばれる事態に陥ったのである。

結局、韓国にもＩＭＦの援助パッケージが差し出され、九九年一月からはＢＩＳ比率算定をＩＭＦ方式に変更し、金融機関を整理すること、財政構造の改善、経営責任の強化、チャエボルと呼ばれる「財閥」の多角化を是正し産業を再編、公企業民営化といった大改革事業に乗り出した。こうした緊縮財政と金融引き締め（金利の引き上げと信用の圧縮）というＩＭＦの処方箋が、アジアの国々すべてに一様に適正な処置となったかどうかには疑問が残る。

最後に、累積債務問題と通貨危機にかかわる経済行動の「道徳的側面」にふれておきたい。問題は、民間銀行がなぜリスクを無視して、途上国への貸し出しを続けたのか、という点に集約できる。この問いは、直近に起こった米国の「サブプライム・ローン」に端を発するバブルの破裂現象にも共通して向けられる。「あれほどリスクの高い金融商品であったにもかかわらず、なぜリスクの低い安全商品のごとく売買されていたのか」という問いである。一九七〇年代から八〇年代にかけて、途上国が低いプレミアムで資金を借り出せた背景には「モラル・ハザード」の問題が伏在していた。先進国の預金者は、主力銀行は政府の保護を受けているから倒産しないものと考えていたため、預金金利は低く抑えられていた。主力銀行は倒産することはないため、収益率が高いと期待する途上国向けの貸し出しは増加する。これはリスクが大きい方を選び取る「モラル・ハザード」による投機の拡大行動であった。

こうした融資の多くは、政府ないし政府系機関に向けられていただけでなく、民間への貸し出しにも政府保証がついていたため、銀行は個々のリスクを無視して債務国の支払い能力だけを勘案しながら貸し出しを続けることになったのである。

以上、八〇年代以降の累積債務問題と通貨危機の特質を概観した。通貨危機は戦後世界経済において幾度となく起こっている。一九五〇—六〇年代には英国はたびたび通貨危機に陥り、平価切り下げを余儀なくされた。旧西ドイツは第二章第3節で説明したように平価を切り上げている。日本の通貨危機としては、一九七一年の円切り上げがある。こうした世界的な規模の通貨危機によってブレトン・ウッズ体制は崩壊したといえよう。一九九〇年代初頭以降も、欧州通貨危機、メキシコの通貨危機、そして先に見た東アジアの通貨危機と、変動相場制のもとでも多くの国が通貨危機に見舞われている。一九九八年から世紀末にかけては、ロシア・ブラジル・アルゼンチン・トルコなど、新興市場諸国でも起こった。こうした危機の発生メカニズムついて、実用性のある定まった理論はまだない。投機行為一般を悪者にして問題の解決が得られるわけでもない。この問題は、市場システムだけに固有の問題なのか、貿易赤字、対外債務、資本移動、為替投機、為替リスク、ヘッジングなどに関する包括的な研究が待たれるのが現状である。

註

(1) The World Bank, *World Debt Tables 1990–91*, Vol. 2.

## 第2節　社会主義経済の帰結

ソ連型の計画指令経済が理論通りに進まないことは、すでにスターリン時代から問題にされ始めていた。ソ連では自由競争による市場というものが存在せず、中央計画当局が国民経済全体の資源配分を計画し、行政的生産単位に対して義務（ノルマ）となる生産目標を与えることによって生産がスタートする。このノルマの決定が、企業運営の能率を左右する重要な鍵となる。このシステムの「おかしさ」を説明する旧ソ連時代の興味深いエピソードを紹介しよう[1]。

在モスクワ日本大使館で浴室の器具の取り替えを頼んだところ、西側から取り寄せた最新式の器具取り付け作業には（従来のソ連製の場合とは違って）新たに特別の「ノルマ」の計測と設定が必要だという。ある日、朝から夕方まで、大使館の浴室の作業場に帳面を抱えたノルマ決定権者の女性が立ち、一種のテイラー流の「モーション・スタディー」で、作業者の仕事の進め具合を見つめ、標準労働量を計測・記録している。その間の作業者の手の動かし方はスローモーション撮影顔負けの緩慢さであった。ところが「ノルマ」が決定された後、次の日から実際の作業が行われたときの同じ作業者の動きは全く普通のスピードに戻っていたという。労働者のこうした「計算ずくの行動」はある意味で合理的である。問題は、この「合理性」が社会全体のパイを大きくすることにはつながらず、小さなパイを奪い合うことだけに終始したことにある。社会主義計画経済には、個人的な「働きがい」というものが全く考慮されていなかった。努力を評価し報酬に結び付ける「非人格的な」市場のような装置が欠落していることが最大の、そして致命的な欠陥なのだ。この点について、多くの人が気付きながら、「平等」という大儀のためにその致命的欠陥を意図的に無視してきたのである。

この「働きがい」を引き出す装置の欠如は、製造業の現場で深刻な問題をもたらしたが、サービス業が産業構造の中で大きなウェィトを占め始めると、問題はさらに深刻になった。また経済全体のインフラが、社会主義経済では意外にも貧弱だったことも、生産の効率を阻害した。社会主義国の鉄道、下水設備、上水道供給、電信電話サービスの劣悪さは、旅行経験のある者は誰しも苦労したはずである。公共財や公共サービスの供給の質の悪さは、自由経済圏よりも著しい。環境問題の深刻さもそのひとつの例であろう。

ソ連型経済の企業は、費用感覚を持たずに生産拡張一辺倒になるような誘因構造を持っていただけでなく、計画が作成されても、資源不足のため実行はそもそも不可能になるケースが多かった。つまり企業が事前に報告する数量は虚構にすぎず、資源自体が実在しないのだ。そして時には、計画目標を達成しようとして産出物の質を低下させるということも起こった。不足がもとでこうした計画未達成に陥らないために、労働、設備の予備部品や原材料の在庫をむやみに多くする一方、産出物在庫はきわめて少ないという事態が生まれた。また、費用感覚がないため、新投資による生産能力の拡張が、経営や労働側の努力を全く必要としないで産出量を増大させる基本手段となる。したがって「投資せよ、投資せよ」が至上命令と化し[2]、投資に関する超過需要が常に存在する一方、企業はますます投資プロジェクト案の費用を過少に見積もり、その成果を過大に計算してきたのである。

一九六〇年代初頭、オランダの経済学者ヤン・ティンベルゲンは、「共産主義経済と自由経済は収斂パターンを示すか」という論文を書き、その肯定的な結論は広く専門家たちの注目を集めた。ティンベルゲンは後にノーベル経済学賞を受けるほどの立派な業績を残した経済学者であったが、彼の「収斂理論」に対して歴史は一応、逆の裁断を下したといえる。ティンベルゲンの「収斂論」の誤りの根本は、次の二点にあったと思われる。オタ・シクが指摘しているように、ひとつは混合体制下の公有・国有制の機能に対する楽観的期待があったこと、もうひとつは政治改革と経済発展との間の強い依存関係を過小評価していたことである。[3]

まず、公有の領域が広がれば、体制は自由経済と計画経済の双方の要素を持つ中間点に落ち着くというティンベルゲンの予想は、公有・公営が露呈したさまざまな浪費や非効率ゆえ根本的な見直しを迫られたこと、先に見たように、規制緩和、補助金の削減、民営化などが八〇年代に入って米・日・欧で急速に進展したこと、などを見れば正鵠《せいこく》を射たものではなかったことがわかる。むしろ、民営・自由企業体制の下での従業員の参加、産業民主主義の進展こそ、戦後五〇年の先進工業諸国の主な動きだったといえる。もうひとつは、経済システムの変革自体、いかなる体制の国家であれ必ず政治的抵抗があり、体制の歩み寄りがそう容易に起こり得ないという厳しい認識が「収斂論」には欠如していたことである。社会の制度的改革が経済的な勢いで動かされたとしても、政治システムの変革、革命がまずあり、その後で経済システムが変わるのが常である。この点は、わが国の明治維新や戦後改革などにおける政治の変化と経済の変化の「時間的順序」を考えれば納得できよう。

米国CIAが収集した一九八六年から一九九〇年までのソ連経済の主なマクロ経済変数の年成長率を見ると、ゴルバチョフの「ペレストロイカ」から五年間のソ連経済の苦境が読み取れる。[4]「ペレストロイカ」から後の二年間は、多少持ち直した感があるものの、それ以後の状況の悪化は明白だ。一九九〇年ははっきりした転換点であった。この一九九〇年に、「改革」ではなく、「変革」が「五〇〇日計画」という形で実行を余儀なくされ、価格と私有の分野での「市場化」への根本的なシフトが提言される。ここに計画から市場への歴史的「転換」が実現する。

一九九一年八月十九日のクーデターに続いて、八月二十四日、ゴルバチョフは共産党書記長の座を辞職し共産党の一党独裁が終焉する。これが政治的自由の芽生えであり、市場という自由の経済装置の誕生となるのである。

## ドイツの混乱

ソ連共産党の末期的ともいえる弱体化は、すでに東ヨーロッパにも伝わっていた。ソ連の東欧への統制力の喪失は八〇年代末に明らかになっていた。政治的・経済的不自由の象徴的存在であった「ベルリンの壁」も、一九八九年十一月に崩れ、堰を切ったように旧東独地域からドイツ人が西へと移動し、そのおよそ一年後の一九九〇年十月三日、ドイツの政治的統一が達成された。このスピードは、いかなる専門家の予想をも上回るほどで、まさに思考が現実に追い越されたような速さであった。しかし実際の東西ドイツ通貨の統一が予想されたほどの混乱もなく終わると、ドイツが政治と経済両面で再び強大になるという予想が支配的になり始めた。産業技術や資本設備に大きな後れを取っていた東ドイツ地域に、旧西ドイツだけでなく多くの外国資本がこぞって進出し、市場化と工業化が着々と進行すると予想されたからである。

ところが実際はこのシナリオ通りには進まなかった。インフレは旧東ドイツ地域では、ほとんど進行しなかったものの、投資は全くといっていいほど進まなかったのである。その理由としては、一般に運輸（特に道路）・電信電話等のインフラストラクチュアの劣悪さ、公害・環境汚染のひどさなどが挙げられた。しかし問題はもっと根本的なところにあった。投資をしようにも、旧東ドイツ地域の土地や建物や設備が公有化される以前、法的に誰の所有物であったのか確定できないのである。特に土地や建物の所有権問題は、設備投資にとって決定的であった。誰の所有物か確定していないところで、設備投資をし、操業することはできないからだ。この点は今少し立ち入った説明が必要であろう。

ドイツでは一九三三年一月三十日から一九四五年五月八日までのヒットラー支配時代、人種的・政治的・宗教的あるいは思想上の理由から、ユダヤ人はじめ多くの人々が財産を没収され、国外に追放されたり殺戮されたりした。これらの人々およびその家族の権利回復問題は戦後ドイツ最大の法的・政治的な問題となった。問題をさらに複雑かつ大規模にしたのは、一九四五年五月から一九四九年十月までのソ連占領時代に断行されたいわゆる国有化である。

一九四五年夏からソ連占領地域では、大地主、戦争犯罪者等の土地所有を解体し、翌年夏には工業農業両部門における「人民所有」や協同組合方式への移行が順次進められた。この時期、あるいはドイツ民主共和国成立後、土地・建物・資本設備の国有化によって財産を失った人々に、財産権をどう回復させるかは、再統一されたドイツが直面する最大の難問のひとつとなったわけである。特にソ連占領下では、土地台帳が破壊されたため、正確な復元は不可能な状態にあったといわれる。

そこでボン政府は、一九九〇年八月から早速この問題に対処するために、ドイツ内外のドイツ人およびその相続人たる家族に文書で、財産権の回復を請求する者は一九九一年三月三十一日までに申請手続きを取るよう通知した。筆者が一九九一年二月にドイツに滞在した折に、この請求件数が百数十万件にものぼっているという新聞報道を読んだ。同じ土地に対しても複数の所有権の主張があり得るため、この百数十万件の所有権確定問題が（何らかの優先順位をもって処理されるとはいえ）、かなりの時間的・人的コストを要したことは言うまでもない。

## 移行過程の困難

計画経済から市場経済への移行期には、東欧、ソ連を問わず、いずれの国でも厳しい経済の低迷と高率のインフレが発生した。インフレの原因は、ひとつは供給側の低迷に対して通貨の増発と強い需要が物価を上昇させたこと、また、物価の統制が取れたため、それまで不自然なほど低価格に押さえられていた財・サービスの価格が国際水準へと跳ね上がったという面もあった。旧ソ連圏でインフレが収まりだしたのは、一九九四年あたりからである。それまでは、アルメニア、グルジア、ウクライナ、タジキスタンなどでは年率一万%近い物価の上昇を見たのである。

中央の計画当局からの指令がなくなったため、現場での混乱は避けられなかった。国民経済はいずれの経済体制であっても、地域間、産業間の相互依存から成り立っている。それが「管制高地（Commanding Heights）」を失っただけでなく、価格体系自体にショックが加わり、国際水準に収斂しようとするため、これまでの生産体系を維持することはほとんど不可能になった。社会主義国家間の貿易秩序を形成していたコメコンも、一九九一年六月に解体され、ソ連と東欧諸国の経済はまさに「裸の状態で」世界の市場経済の荒波に放り出されたことになる。これまで資源やエネルギーを安価に輸入して重工業部門の生産に集中してきた社会主義諸国は、多くの製品の世界市場で競争力を失ったまま、自国の国民生活を支えていくという無理を強いられることになった。

市場を支える法制度や商慣習を学ぶのには時間がかかる。この学習過程も、政治の安定と社会秩序が維持されてこそ可能だということをこの体制の移行過程は明確に示した。旧社会主義国にとってさらに重要な学習と適応の問題は、新しい為替制度の導入過程にも現れている。例えば、旧ソ連の一五の共和国は、ソ連解体後、それぞれ独自の通貨を導入し、独自の金融政策が展開できるようにし、基本的に管理フロート制を採用した。バルト三国はカレンシーボード制（中央銀行の資産項目に国内信用を算入しない制度）で、金融政策の自由度を放棄することによって、通貨の安定に対する市場の信頼度を高める努力がなされた。こうした為替制度の工夫によって旧社会主義国のインフレは何とか収まったのである。

以上のような移行過程が東欧諸国ではどのように進んだのか、ポーランド、ハンガリー、チェコの三ヵ国についてその概略を少し具体的に述べておこう。

ポーランドでは一九八九年から価格の統制は廃止され、配給制度もなくなった。一九九〇年一月の改革プログラムが公式にスタートした段階で、貨幣賃金の上昇が制御できなくなり、財政赤字も肥大化し、ハイパーインフレの兆候が現れ始めた。応急の処置として、財政バランスの回復、信用膨張を抑える、賃金上昇を食い止める、ズローチの交換可能性の回復（および切り下げ）などの政策が打ち出された。ポーランドのような貿易依存度の高い小国では、貿易政策が移行過程における中心課題のひとつとなった。貿易に関する規制をはずし、ハード・カレンシーの売買も自由化された。ズローチの完全交換可能性の回復は特に重要であった。米ドルに九五〇〇のレートでペッグされ、インフレにも強い「クローリング・ペグ」という政策は、適切な選択となった。その結果、輸出が増え、直接投資も徐々に増加を記録する。

一九九〇年の半ば、民有化法が成立した。大きな国営企業については株式の発行が何段階かに分けて徐々に行われたが、小企業はすぐに競売にかけられ私的所有となった。新たな企業参入も徐々に増え始めた。ただし、金融市場が未発達であったこと、個人貯蓄が量的に不足していたこともあって、私有化は円滑には進行しなかった。国有企業の多額の負債をいかに処理するのかも定まった方針がすぐには打ち出されなかった。ここでも、戦後の国有化前の所有者に資産が返還されるか否かについて激しい議論が戦わされた。

社会主義体制下でも、一九八〇年代末の時点で、耕作地の八割近くが私有地であった。しかし農業政策が特に農業技術面で遅れていたため、私有地においても農業の生産性は不安定で上昇傾向は見られなかった。

結局、ポーランドはインフレを食い止め、なんとか移行期を乗り越える。しかしこの過程で多くのコストを払ったことも事実である。苦しい転換の年の一九九〇年には、推定GDPはマイナス一一・六%と報告されている。GDPは一九九二年からプラスに転じ、一九九五年以降は六、七％を記録するまでに回復した。しかし一九九〇年代の失業率は一五％前後を推移したままであった。

ハンガリーの移行過程は、他の東欧諸国とは多少異なっていた。すでに第四章第２節で述べたように、ハンガリーでは過去に市場化の試みがあった。したがって移行過程そのものに体制の「大転換」という劇的要素が他の東欧諸国に比べると少なく、漸進的なものであった。すでに八〇年代中葉から国有企業の管理者の選抜は、企業内の選考を経て決まるようになっていた。この改革の実質的な効果は大きかった。企業内の意思決定が上（国）から来るのではなく、企業ごとに下から行われ分権化が進んだことを意味するからだ。

私有化の過程も、ハンガリーは他の社会主義国とは異なっていた。資産の民間への変換（買取）は緩慢で、マネージャーや従業員による買取はハンガリーの金融市場を通してではなく、外国資本が関与する形で進んだ。政府は補助金を削減し、所得維持政策を打ち出した。

ＧＤＰは一九九一年には一一％以上下落したが、一九九四年頃から勢いは弱いものの、プラスの成長に転じた。九〇年代を通してインフレはハンガリー経済の最大の悩みであった。ただし、外国からの直接投資の流入が東欧で一番多いということが、ハンガリー経済の強みとなった。この外国からの投資がハンガリーの輸出を増やし、経常収支を改善し、民営化のプロセスを金融面で支えたのである。

チェコ・スロヴァキアは体制の移行過程で、チェコ共和国とスロヴァキア共和国に分かれた。チェコは戦後社会主義化された段階では、工業の技術水準が東欧では東ドイツに次いで高い国であった。一九九一年一月に価格統制が撤廃され、通貨コルーナが切り下げられ、西側の五つの通貨にペッグされた。輸入に対しては課徴金がかけられ、賃金の上昇に対しては統制が施された。

私有化は、所有権の返還、小規模企業資産の競売、大規模資産はバウチャーによる私有化という形で進行した。個人が購入したバウチャーで、私有化計画リストにある企業を競争で購入するという方式である。金融市場が未発達であったチェコの私有化のプロセスで、このバウチャー・システムが果たした役割は大きい。ただし、チェコとスロヴァキアに国が分裂したとき、このシステムは大きな混乱をきたした。政治の転換が市場システムにとっていかに大きな影響を及ぼすかを示す事例である。

チェコの経済は他の東欧諸国と同じく、一九九一年は二桁のマイナス成長を記録し、インフレにも苦しんだ。一九九〇年代半ばから失業率は三％前後、物価上昇率は一〇％程度という、優等生とはいえないにしても西欧諸国と比べて遜色のない経済パフォーマンスを示している。輸出は増えたものの、輸入がそれ以上に増加し、国際収支のバランスが問題となった程度である。

以上、九〇年代の東欧三ヵ国の移行過程を簡単に振り返った。移行過程にはほぼ同種の問題が存在していた。違いはそのスピードであろう。ポーランドはいわゆる「ビッグ・バン」型の急激な改革であったのに対して、ハンガリーとチェコは漸進的な手法を取った。

社会主義の計画経済システムの破綻は何を意味していたのだろうか。ひとつは、経済社会の中に公有・公営・公共的消費といった公的領域は確かに存在するが、使用・収益・処分を自己責任の原則で行う「私的所有」の機能が根本的に重要だということが再認識されたこと、競争をベースにした労働への報酬制度と勤労意欲の関係が生産システムを作り上げる場合きわめて重要なこと、言い換えれば、労働には「励み」となる適度の報酬が必要なこと、そして計画経済がさまざまな経済環境の変化に対応する能力において著しく劣っていたことが明らかになった。さらに社会主義体制は変化への対応能力の鈍い膨大な官僚群を生み出しただけでなく、党エリートたちの特権にからむネポティズム・不正・腐敗が抜き差しならないところまで進展していた。

「理性による社会の計画」は、経済的側面に限っても、次のような理由で富の創造と平等な分配という所期の目的を達成することができなかった。生産財が私的に所有されず、生産財の市場が存在しないところでは、中央計画当局はあらゆる財の社会的価値、すなわち市場価格を知ることができない。市場価格と、それを決定する自己利益についての計算がないところでは、人は経済的に合理的な（例えば一定の支出で最大の満足を得るとか、一定の費用で最大の利潤を得るという）行動をとることはできない。市場価格がないということは、その行動が本質的に非合理的・非経済的にならざるを得ない。つまり経済が巨大なロスを生み出すことを回避できないのである。

註

（1）重光晶『ソ連の国民経済』東洋経済新報社、一九八九年

（2）Tinbergen, Jan, "Do Communist and Free Economies Show a Converging Pattern ?," *Soviet Studies*, Vol. 12, 1960-61.

（3）Sik, Ota, "Socialism-Theory and Practice," *Socialism Today? -The Changing Meaning of Socialism*, edited by Ota Sik, Macmillan, 1991.

（4）Central Intelligence Agency, *Handbook of Economic Statistics 1990*, Washington D. C. CIA, 1991.

## 第3節　経済統合とグローバリズム

一九八〇年代末、急激に表面化した社会主義諸国の分離解体は、西ヨーロッパ諸国の間で強まってきた国家統合の動きと強いコントラストをなすものであった。もっとも、少し細かに見ていくと、西ヨーロッパ内部でも、統合だけでなく、英国（イングランド、スコットランド、ウェールズの関係）、ベルギー（フラマンとワロン）などに見られるような分離の動きが同時に進んでいることがわかる。統合（integration）、ボーダレス、グローバリズムという言葉に対して、リージョナリズム、ローカリゼーション、ブロック化といった概念が地理学・政治学・経済学の専門家だけでなく、二〇世紀の流れを解釈する歴史家にとっても、有益な対立概念として使われるようになった。確かに統合と分離は対立的であるが、「あれかこれか」の関係にあるのではなく、併存的ないしは同時進行的な動きでもある。

## 経済の「ボーダレス化」の進行

こと経済面に限っても、相互依存という関係は一筋縄ではいかない。相互依存は戦略的・意図的につくり出される場合もあれば、自然の成り行きでゆっくり生まれ出る場合もある。したがって相互依存関係は、各主体にとって大きな便益となることもあれば、強力な制約要素として負の効果をもたらすこともある。それだけではない。経済面での相互依存関係は迅速に生まれるかと思えば、たちまち消え去るという不安定性を持つ。日米や日豪の貿易・直接投資の関係からエピソードを拾ってみよう。

米国のあるNC工作機械メーカーは、八〇年代初頭、日本からの工作機械の輸入攻勢に歯止めをかけるべく日本がダンピング販売をしているとの申し立てを行った。それが却下されると、日本製機械を輸入する米国企業には投資税控除（investment tax credit）を適用しないよう政府に働きかけた。それも挫折すると、ペンタゴンや議会に対して、「自社の安定利益が脅かされると、米国の安全保障上重大な支障をきたす」と喧伝し始めた。こうした試みがすべて失敗に終わると、同社は数年後、日本の著名な工作機械メーカーとの合併にふみ切り、「相手を叩くことができない以上、手を組むよりほかはない」と語ったという。

もうひとつのエピソードは、自由貿易・保護主義というグループ分けも、以前と比べますます小グループ間の離合集散の様相を呈するようになり、各々のグループはより短期的な行動をとる利益集団と化してきたことを示す。形の上では「米国企業」や「オーストラリア企業」だが、実際には日本企業と製品供給あるいは合弁の形で密接な関係を持つ企業が増えてきた。自動車工業を例にとると、一九九〇年時点でフォード社はマツダ株式の四分の一を所有し、クライスラー社も三菱自動車の四分の一を取得していた。オーストラリアのフォード・シドニー工場では、小型のマツダ車（ファミリア）の組み立てを行っていた。またオーストラリアの三菱は、一九八〇年に元来技術面で縁の深かった赤字のクライスラーを買収し、一挙に黒字企業に転換させた（その後はオーストラリア経済の影響もあって撤退したが）。こうした企業の実質上の「国籍喪失」現象は、それまで国際市場で旗色が悪く保護主義の筆頭と考えられていた企業群を、自由貿易支持勢力へ向かわせるようになった。米国議会の選挙区を見ても、日本企業の進出先ではオハイオ、テネシー、ノースカロライナ、カリフォルニア、オレゴンなど自由貿易州が多くなった。そして労働者・労働組合も「雇用確保」という点から、日本との合弁に反対どころか、強い熱意を示すようになった。

先に述べた米国の工作機械メーカーのエピソードのような「戦略的に選び取られた相互依存」の関係は、その必然性の根が浅いため、国内的にも対外的にも不安定なものになる。自社の工作機械製造技術の蓄積を放棄したわけであるから、「特化（ある業種を捨てて他業種に専念すること)」によるリスクを国内的には増大させたことになる。そして対外的に見ても、合併という解決策は両国の利益を長期にわたって安定的に実現するとは限らないから、日本がこの契約に魅力を感じなくなった時点で、相互依存は解消される可能性もある。

第二の「多国籍化」エピソードは、経済の統合は、「外政」「公法・国内政治」「社会・文化」のどれよりも進行しやすい領域であることを示す恰好の例となっている(例外は「通貨の統合」であるが、通貨の通用力は基本的には国家権力とかかわっているから経済の次元以上の意味を持つ)。つまり経済的な損得勘定で、短期的であれプラスがはっきりすれば、経済統合は多くの困難を乗り越えながらも現実には進行するのである。

### ヨーロッパの統合

一九八〇年代は、経済の国際化が進んだだけでなく、リージョナリズムも加速した。その例をEUの通貨統合について見ておこう。

英国以外の国々は、過去の政治的経緯からしてEUに強い期待をかける理由があった。第二次大戦後のフランスとドイツには、過去一世紀の間に三度にわたる「兄弟殺し(fratricide)」を行ったことへの痛恨の念が強く、なんとかして両国の協力関係を打ち立てる枠組みを模索する意欲が高まっていた。フランスにはドイツの政治行動を掣肘《せいちゅう》しようとする強い意志もあり、ドイツもヨーロッパの中で再び政治経済的に対等の立場にたてる契機を求めていた。経済的二重構造と政治的不安に苦しむイタリアは、強い産業国家へ成長するための経済的枠組みを探していた。また、自由の喪失という政治的悪夢からの脱却はドイツだけの問題ではなかった。スペインもギリシャも、そしてポルトガルもイタリアも、一九三〇年代以降独裁政治の苦汁をなめてきた。これらの国がEC統合を「独裁の可能性との訣別」の契機にしたいと期待したのも不思議はない。これらの国々はすべて、ヨーロッパの新たな政治的枠組みを模索していたのである。

一方英国は、第三章で論じたように、EUの理念には共鳴し得ても、EU統合によって受ける政治的経済的利益はプラス、マイナスの両面にわたる。EUの統治組織に国家主権の一部を移譲することによって、英国の伝統的自由が浸蝕されることを警戒する声も強かった。こうしてみるとEUは、まず何よりも政治的組織として考案されたものであること、にもかかわらず政治的には「同床異夢」の構造にあったことは否定できない。EUは、欧州石炭鉄鋼共同体（ECSC、一九五一年）として出発する以前から、英国やスカンジナヴィア諸国のような「政府間協力」を想定する国と（これらの国々がもともとEUに対抗するためにEFTA—European Free Trade Association—を結成した）、連邦主義的政治統合をまともに推進しようとする独仏伊ベネルックスの諸国との間に、統治構造の目標面での対立があった。だからこそ、第三章第3節で述べたように「政治から」ではなく「経済から」という形で、欧州石炭鉄鋼共同体をもってスタートせざるを得なかった。その後も欧州防衛共同体構想が現れたにもかかわらず、紆余曲折の末実現しなかったことからも推測できるように、政治統合を求める動きは何度も議論の俎上《そじょう》にのぼった。そして政治統合の足並みが現在でもなかなかそろわなかったことは、一九九二年二月、通貨・政治統合を約したマーストリヒト・サミットでのヨーロッパ連合条約で、英国が一部オプト・アウトしたことや、デンマークがこの「マーストリヒト条約」の批准そのものを一九九二年六月に国民投票で否決したことにもあらわれた。

経済は、外政、公法・国内政治、社会・文化のどれよりも、統合や相互依存が一番進行しやすい領域であるが、一番不安定な統合の形態でもある。経済的な損得勘定でプラス効果がはっきりすれば、統合は確実に進行する。しかし、この損得勘定が逆転してマイナス効果がどちらかあるいは双方に発生すれば、ただちに分離が起こることもまた確かである。経済取引やコミュニケーションの量、人の移動が激しくなると、国家間の相互依存関係はもちろん強くなる。しかしこうした経済的取引が生み出す秩序形成は、二つの点で脆弱な側面を持つ。ひとつは、損得計算の符号をプラスからマイナスへ変えてしまうような外的経済条件の変化が起こった場合、もうひとつは、そうした経済秩序をトータルに破壊するような政治的力が発現する場合である。このような不安定要因の動きを最小限に食い止めるには、やはり共通のオピニオンという楔《くさび》、共通価値の形成、あるいは文化というセメントがどうしても必要になる。

近年のＩＴ技術を核とするコミュニケーション手段の進歩は、世界のいかなる国の孤立(isolation)をももはや不可能なものにした。厳しい情報管制と言論統制を敷いてきた旧社会主義国も、電波情報を隔絶することはできず、その結果、体制崩壊へとつながる大変動が起こったのである。一九八九年の「天安門事件」に見られたような中国の「自由化」への傾きも、メディアが推進する情報散布の技術革新と無関係ではあるまい。世界で何が起こっているのかを、世界各地の多くの人々が知ろうと欲すれば、かなりの程度正確に知ることができるようになったのである。ヨーロッパのどの国も、そして世界のどの地域も、「孤立」はもはや不可能である。どこにいても、他国の情報は流入してくる。そのような時代に、「孤立」を主張することはもはや現実的ではない。

この点で、文化・政治面での統合はきわめて重要なポイントとなる。そして文化・政治の変化には時間がかかることを考えれば、ＥＵの統合問題も百年、二百年といった時間単位が必要なのかもしれない。

## 共通通貨「ユーロ」の導入

一九五七年に六ヵ国が参加し、「ローマ条約」で欧州経済共同体（EEC）が生まれた時点では、西欧諸国の輸出総額のうち他の西欧諸国に向けられた輸出は三五％程度であった。しかし、五〇年代末には五六％に急増し、一九八〇年には六七％にまで跳ね上がる。EC域内の貿易が、いかに関税同盟の成立によって増加したのかがわかる数字である。ヨーロッパ域内での資本移動もそれ以上のスピードで増加した。ただし、労働力の移動は、理論通りには進まない。不熟練労働者、あるいは音楽家・技術者などの専門職種を除くと、生活の基盤を国民的（national）な領土に置く中間層はEUメンバー国のボーダーを超えて移動することはないからだ。

欧州統合への現実の動きは、政策担当者の想像をはるかに超えるものがあった。事実を後から論理が追認するような様相を呈したという面が強い。したがって単に関税面での共同体ではなく、さまざまな財・サービスの移動に関してもメンバー諸国が相互に調和的な内容の規制（ルール）を持つ必要が認識され始めた。一九八六年に結ばれたSEA（Single European Act）は、「ローマ条約」で宣言された財・生産要素の自由な移動を妨げる障壁を取り除くことを改めて約するものであった。SEAは他にも、国民所得水準の比較的低いメンバー国のインフラを整備するための「構造基金」を拡張することも謳っている。この「構造基金」は、メンバー諸国間の「一体感」を増すうえでの効果は大きかった。

しかしこのSEAの中で重要な事項は、「通貨統合」を早期に実現することに言及している点であろう。理念の表明に終わりがちなこうした内容に、実ある結果をもたらそうとしたのは欧州委員会の委員長ジャック・ドロールであった。欧州理事会が一九八八年六月、ドロールを委員長とする通貨問題専門委員会を立ち上げ、その報告書が一九八九年四月に発表された。この報告書がEMU設立の基本的な枠組みを形作ることになる。

こうした欧州内の自由化の動きが、当時のドイツ政府が取り組んでいた電信電話や郵政の規制緩和とも両立するという事情もあり、ドイツの首脳陣もSEAの言及する「通貨統合」に協力的な姿勢を示した。為替制度で過去に苦しい立場に追い込まれたフランスにとっても、「通貨統合」は米国への対抗力として重要だという認識があった。この種の政治的な配慮は、ドイツをヨーロッパ内でコントロールするための方策のひとつとしても、「通貨統合」が意味を持つという考えと合致した。

この通貨統合問題のもつ複雑さは、英国民の姿勢からもうかがい知れる。ユーロに対する評価と賛否は、社会階層、社会的グループによって異なり、意見の分裂は複雑な利害関係に依存している。(1)「一般紙」を読む高学歴者の方が、「タブロイド紙」を読む低学歴者よりもユーロに対する評価が高いこと、イングランド銀行をはじめ金融界のエコノミストは、概してユーロには懐疑的であり、学界の経済学者は幾分好意的であること、財界（CBI）と労働界（TUC）はともにユーロ導入には賛成であるが、それぞれ内部は深く分裂しており、技術者組合はユーロに好意的であるのに対して、公共部門の組合は反対の立場をとっている。

産業界の反応は、まさにそれぞれの利害関係を直接的に反映しているという意味ではわかりやすい。ユニリーバやシーメンスあるいは英国のニッサンやトヨタなど、全欧の市場に向けた経済活動を展開している大企業は、これまでEU内の為替レートの変化に悩まされ続けてきたこともあって、単一通貨（つまり完全な固定為替制度）には大歓迎であった。「国内」のオペレーションを中心とする地方企業は、ユーロ転換はコストのみで便益はなく、他のメンバー諸国から安価な競争品が流入する可能性が高いので大反対を唱えている。英国政界のユーロをめぐる意見地図も複雑だ。保守党内も労働党内も賛成派と反対派に割れている。サッチャーが猛反対の論陣を張ったことからもわかるように、保守党の指導者は概して反対なのだが、元大蔵大臣のケネス・クラーク、元副首相のマイケル・ヘーゼルタインのようにユーロを支持する保守党の大物政治家もいる。労働党は基本的にユーロ派ではあるが党内の左派は反対の意志を表明した。

このように見てくると、共通通貨ユーロを受け入れるか否かは政治信条や経済思想と直接結びつくケースもあるが、完全に経済的利害、それもきわめて短期の利害を念頭に置いた議論に終始している場合が多いことがわかる。そして経済的利害が、時として文化的な好みや「ナショナリズム」の形を偽装して現れているにすぎない。

結局、一九九一年十二月、マーストリヒトにおいて、通貨統合のプロセスを規定する歴史的文書「欧州連合条約」が調印された後、いくつかの紆余曲折と模索過程を経て、一九九九年一月に経済・通貨同盟（ＥＭＵ）が設立された。その結果、財・用役・資本すべてのＥＵ域内の移動が自由であることに加え、共通通貨「ユーロ」が導入され、欧州中央銀行（ＥＣＢ）による域内共通の金融政策が展開されることになった。

ＥＣＢは「物価の安定」を政策の第一目標にし、それを保証するために最大限の独立性が与えられている。独立性が強調されるのは、歴史的にインフレに対して比較的抵抗感の少ない欧州において、低インフレの金融政策を実現するためにはこの「独立性」の保証が必要だという認識からである。ユーロの導入によって、ＥＵメンバー国はすべてＥＣＢによるひとつの金融政策に従わねばならないことを意味する。ここに「ユーロ」とＥＣＢの設立は、「デモクラシーにとってひとつの欠損」であるといわれる理由があった。先に述べた英国内の「ユーロ」導入反対論の一部は、こうした「自由の喪失」に対する抵抗だといえよう。失業に苦しむメンバー国とインフレを恐れるメンバー国のどちらの主張がＥＣＢに届くのか、そこに民主的なチャネルは存在しないからである。

もっとも、「ユーロ」の登場によって各国の金融制度が完全に画一化されたとは言いがたい。各メンバー国の中央銀行は現在でも金融操作を行っており、完全なユーロ建て金融市場が成立しているわけではない。ユーロは今後ドルと並ぶ基軸通貨となることが期待されてはいる。しかし、二〇〇八年秋の金融危機によるユーロの大幅な下落は、ユーロの信用を低下させたことは確かである。この事実をどう捉えるか。ドルとユーロの二本立ての基軸通貨制(すなわち複本位制)がきわめて不安定な通貨制度であることを考えると、今次の金融危機によるユーロの信用の低下は、基軸通貨をめざすユーロにとって大失点ではあったが、当分ドルの力が維持されるという結果にもなった。

### 憲法のない国家

共通通貨の導入に成功したEUは、最終的にはどのような「国家」をめざすのであろうか。連邦国家という形(federal solution)を取るのだろうか、あるいは国家連合という形(confederal solution)を取るのか。前者の場合は、連邦中央から各メンバー諸国へと権力が発動される場合が多くなる。他方後者の場合、権力は問題ごとに下位から上位へと発動されるであろう。その「国」の形を決めるのは「憲法」である。しかしEU憲法が最終的な形をいまだ現していない。

二〇〇五年の春、ＥＵ憲法条約の批准がフランスとオランダの国民投票で拒否された。この結果を受けて、欧州理事会は当初「憲法」発効の予定日と定めていた二〇〇六年十一月一日という日程はもはや守れない、との見解を明らかにした。その後、ＥＵ憲法条約の、ＥＵのメンバー国による批准のプロセスが放棄されてはいないものの、一六の加盟国が批准したというニュース以外「憲法」の今後について、多くは明らかにされてこなかった。

ところが二〇〇七年六月ブリュッセルで開かれた欧州理事会（ＥＵサミット）で、憲法条約が、「ＥＵ新基本条約」あるいは「改革条約（Reform Treaty）」と名前を新たに合意され、（すでに存在する国歌や国旗に関する規定が削除されて）ＥＵの機構改革を打ち上げる内容が示された。「改革条約」は、二〇〇九年に予定されている次のヨーロッパ議会選挙までに、全メンバー国が批准する方向をめざすという。

この「改革条約」の内容で、一番重要だと思われるのは、欧州理事会の合意文書の冒頭で、「憲法の概念は放棄された」と宣言されていることだ。政府間協議の合意文書（IGC Mandate）はGeneral Observationsとして、まず最初に次のように謳っている。The constitutional concept, which consisted in repealing all existing Treaties and replacing them by a single text called "Constitution", is abandoned. そして「改革条約」は現在効力のある諸条約に、二〇〇四年の政府間合意から生ずる改革を導入するとして、その詳細を書き込んでいるのである。

「憲法をめざさない国家」としてのEUが再出発を始めたという点では、この「新基本条約」の意味するところは大きい。筆者は、この「憲法のない国家」の意味を何人かのヨーロッパの識者に尋ねたことがある。返ってきた答えの中に意外なものがあった。「憲法がなぜそれほど重要なのだ。歴史的に見ても、憲法が重要だったのは、専制君主の権力を制約する必要があった時代だ。現代のヨーロッパには専制君主は存在しない。それに憲法があっても、独裁者が出現しないと誰が保障してくれるのだ。ヒトラーをごらん」。憲法に論理と首尾一貫性があるのは当然であり、あらゆる法律は憲法から演繹されると思い込んでいた筆者には、虚をつかれるような考えであった。

## アジアの地域統合

東アジアの経済成長の強力なエンジンとなってきたのは、貿易と直接投資を通した相互依存関係の深化にあった。アジア諸国間は、アジアの世界貿易全体の四割近くを占めるほどの密な貿易関係に入ったのである。

戦後に設立された多角的なアジア地域の国際調整機関も、すぐには有効に機能しなかったが、次第にその多くが実質的な協力と統合をめざしてさまざまな調整を行うようになり始めた。ＡＤＢ（Asian Development Bank アジア開発銀行）、ＡＰＥＣ（Asia Pacific Economic Cooperation アジア太平洋経済協力）、ＡＳＥＡＮ（Association of Southeast Asian Nations 東南アジア諸国連合）、ＥＳＣＡＰ（Economic and Social Commission for Asia and the Pacific アジア太平洋経済社会委員会）、ＰＩＦ（Pacific Islands Forum 太平洋諸島フォーラム〔South Pacific Forum を改組〕）、ＳＡＡＲＣ（South Asian Association for Regional Cooperation 南アジア地域協力連合）、ＷＴＯ（World Trade Organization）とその数は多い。準会員、会員候補、会員、オブザーバーと、その地位と資格は必ずしも同一でないケースもあるが、これらの組織が定期・臨時双方の会議を開催し、情報交換、意見交換などさまざまな調整と交渉を行う頻度は二〇世紀末の二〇年間で格段に増えた。

一九七七年に米軍がベトナムから完全撤退してから、ＡＳＥＡＮは政治よりも経済問題に議論を集中するようになった。そしてＡＳＥＡＮ内の貿易に関する特恵条項を設け、ＡＳＥＡＮ内の関税率の引き下げに取り組み始めた。一九九二年には、ＡＳＥＡＮメンバー国が、自由貿易域（ＡＦＴＡ―Asean Free Trade Area）を設立し、将来的にほとんどの製造業製品の域内関税率を低くすることに合意した。域外の国々が貿易と投資面で、中国に向いているという危機感がＡＳＥＡＮ諸国にはあるため、関税率の引き下げにも取り組む姿勢を強め、製造業製品だけでなく、農業およびその他一次産品への関税引き下げにも取り組んでいる。

こうした合意がASEANの輸出と輸入を増加させることは多くの専門家が推定した通りである。

一九八五年に設立されたSAARC（現メンバーは、バングラデシュ、ブータン、インド、ネパール、パキスタン、スリランカ、モルジブ、アフガニスタン）は当初、南アジアで頻発するテロ事件への対策を中心に、主としてアジア・太平洋地域の政治・軍事的問題に焦点が当てられていたが、一九九〇年代中葉からは自由貿易圏の問題を積極的に議論するようになった。

また、一九八九年にスタートしたAPECは、「開かれた地域主義」を謳いつつ、主としてアジア地域と米国の貿易問題の討議と調整を主たる仕事として活動してきた。一九九〇年代に入ると、米国が北米の自由貿易圏の形成に熱意を燃やし、EUも実質的に域内自由貿易圏の単一市場として機能し始めたこと、そしてGATTのウルグァイ・ラウンドの進捗もあって、東アジアの自由経済圏の結束を固めようという動きがマレーシアのマハティール首相のリーダーシップの下で強まった。SAARCにもASEANにも属さない香港、日本、台湾、韓国をも巻き込む一大貿易圏を構想するという壮大な試みではある。ただしこうした貿易圏の形成が世界経済の「ブロック化」を招くという米国側の懸念は強い。しかしAPECの自由貿易圏構想が実現すれば、メンバー国の貿易から得る利益は理論的にはかなり大きいと期待できる。もちろん現実の貿易の流れ（方向）が中長期的にはどのように切り替わるのかは理論だけでは予測できない。いずれにせよ欧州に遅れること半世紀ではあるが、貿易面での統合が進みつつあることは確かである。

貿易だけではなく直接投資の面でも、アジア諸国の間では先進的技術と人材を持つ国（例えば日本）からの投資を招きいれようとする動きも活発である。時に成長の三角形（Growth Triangle）と呼ばれるこの種のプロジェクトは、貿易ではなく直接投資の形で共同事業を展開するという形態をとるものが多い。初期のものとしてシンガポール、マレーシアのジョホール、インドネシアのリアウ諸島のパートナーシップ、シジョリ・グロース・トライアングル（Sijori Growth Triangle）が知られる。政治の壁を乗り越えた共同事業として、中国北東部、北朝鮮、韓国、日本による黄海経済圏の開発プロジェクトは政治と経済が完全に分離された提携の例となっている。

以上のように、きわめて緩やかではあるが、アジアの経済も戦後の欧州同様、統合の道を歩み始めている。欧州が（いまだすべてのメンバー国に導入されているわけではないが）単一通貨導入までに要した時間を考えると、アジアの地域統合への道はまだ遠い。しかし統合への方向へ歩み始めたことは確かである。

問題は時間であり、忍耐力であろう。拙速こそ避けるべきであって、アジアの場合は、政治体制、宗教、価値観などの差がこうした経済統合と文化の問題をいかに解決するかという難問が含まれていることを忘れてはならない。

## 環境のグローバル化

地域の統合が進み連帯感が強まりつつあることは、右に述べた通りであるが、その最終的な評価は経済面に限っても難しい。ましてや、政治や文化の世界になると、それが地球的規模でいかなる結果を生み出すのかは容易に予想できないし、評価もできない。経済と国際政治という各国が相食みあう世界における統合の平和な進め方は、ユートピアの夢想家が考えるようにはスムーズに進行しないだろう。しかし地域統合や連携の地球的規模での極限形と考えられる「宇宙船地球号」（K・ボールディング）という発想に立つと、ひとつ重要な課題が浮かび上がってくる。それはグローバルな地球環境の問題である。

地球規模での人類共通の社会的問題があるという意識は、各国家の主権の一部をより高次の超国家的機関へ委譲する傾向を強めるが、その代表的ケースは「環境問題」であろう。五〇年代、六〇年代の経済成長に伴って、工業諸国では公害や自然破壊、歴史的環境の破壊が問題となり始めた。特に経済が低成長へと転換し、開発事業が沈静化し始めた七〇年代後半からは、産業公害という限定された問題だけでなく、環境保全の問題が大きく取り上げられるようになった。

日本のケースを振り返っても、一九六〇年代末から多くの公害裁判の訴訟が始まり、「くたばれＧＮＰ」という言葉がマスメディアで多用された。公害の続発に対して、厚生省が公害課を設置し、その対策に乗り出したのは一九六四年、「公害対策基本法」が国会を通過したのは一九六七年七月になってからであった。こうしたわが国の公害は、日本を「ＧＮＰ大国」としてだけでなく一時「公害大国」としても印象づけることになった。産業の生産現場で発生する有害物質の問題だけでなく、日々の消費生活が生み続けるゴミ、自動車の排気ガスなど、人間の生活自体が地球環境を破壊し続けているという認識は日増しに強まり、単なる「公害」という視点ではなく、環境や生態系という角度からこうした問題を捉えなおそうという姿勢が一九七〇年代後半に世界的な流れとなった。特に環境や生態系は地球的規模での循環構造を持っているため、これは一国だけで解決できない共同問題（common problems）だという認識が広まったのである。「環境のグローバル化」である。

この「環境のグローバル化」という点に関して、Ｗ・Ｃ・クラークの次のような問題の整理が参考になる。[2] まず地球規模の環境の成分を考える。伝染病、温室効果ガス排出など数え切れないほど多くの要素があるが、そうした成分の環境への影響の程度やリンケージがどのようになっているのかを正確に知る必要がある。そしてそれらがグローバルに、大気、土壌、生物相といかなるつながりを持っているのかを解明しなければならない。そのためには、エネルギーのリンケージ、物質のリンケージ、生物のリンケージ、そしてこれらの相互作用に関するわれわれの知識と理解を向上させねばならない。そうした考え方から、「持続可能な開発」という考え方は生まれた。グローバルに環境管理に取り組む制度が、二〇世紀の最後の二〇年ほどの間に、急速に強化されてきた。環境の管理をグローバル化するのにも、政府レベル、民間レベル、非政府組織、多国籍企業などいくつかのレベルが存在する。各々の環境の成分の深刻度や重要性についての意見の一致が見られるような努力がさらに必要であろう。

二酸化炭素の排出量と地球温暖化の関係、あるいは地球温暖化は果たしてどれほど危機的な局面にあるのかといった点について、正確なデータに基づく論議がなされているのか、この「危機感」の根拠がいかなるデータと推論に基づいているのかを知ることは、民主国家の一般国民にとってきわめて重要な情報になる。「経済成長が環境汚染を招く」という命題は常に正しいとは限らない。政府や民間の企業や団体が環境の浄化のための行動を取れるほど経済が豊かか否かに、環境問題の深刻さは強く依存しているからだ。工業化の初期の段階では、いずれの国も深刻な環境汚染(特に空気と水)に悩まされてきたが、近年では豊かな国ほど環境の浄化が進んでいることは明らかである。

環境汚染について、企業活動のモラルが社会的に批判される場合、「利潤動機や資本主義経済に問題がある」という主張が出てくることが多い。しかしここには基本的な混同がある。例えば利潤動機に基づかない社会主義経済圏の環境汚染は、自由主義経済圏よりもひどいことが明らかにされている。むしろ経済が成長することによって環境保全活動が進むのであり、環境の悪化は経済体制の問題ではない。「環境を破壊したのは産業化であり、自由主義経済体制である」という批判には、問題の深刻な混同がある。

また「グローバル化」によって、環境汚染が途上国にシフトしているという主張がある。企業の国際化が、環境汚染の問題を含む生産部門を、規制の少ない途上国へと移転させているという。しかし環境問題に関する規制は、企業の国際競争力にそれほど強い影響力を与えてはいないという研究も多い。企業が外国の進出先を選択する場合、市場アクセスや労働コストこそ重要な決定要因であって、受け入れ国の環境規制はそれほど重要な要素にはなっていない。むしろ、貿易による成長で、環境の汚染度を低める作用を重視すべきだという主張も傾聴すべきであろう。

重要なことは、環境破壊の行き過ぎを反省し、環境への配慮不足を是正し、環境を改善させるための法的措置や政策をどう実施していくかということである。その過程で「中」に戻ることが重要であり、これこそ倫理の問題なのである。利潤動機そのものが悪いのではない。利潤動機自体は、誇るべき動機であり、人類が富を創出したのはこの利潤動機であったことを忘れてはならない。むしろ、利潤動機に「行き過ぎ」があったことが問題なのである。社会主義体制においても、政治的ネポティズムを含め、政治的な権力闘争の恐ろしい「行き過ぎ」が起こった。倫理の問題とは、基本的にそういう「行き過ぎ」を食いとめるようなシステムをいかにデザインするかということなのである。

註

(1) この点について、英国のジャーナリストによる以下の書物が参考になる。Browne, Anthony, *The Euro, Should Britain Join ?: Yes or No ?*, Icon Books, 2001.

(2) ウィリアム・C・クラーク「環境のグローバル化」(ジョセフ・ナイ、ジョン・ドナヒュー編著、嶋本恵美訳『グローバル化で世界はどう変わるか―ガバナンスへの挑戦と展望』英治出版、二〇〇四年)

## 第4節　バブルの破裂

社会主義計画経済を採用した国のほとんどが、一九九〇年を境に経済的な破綻と政治制度の転換を経験したことは、すでに概観した通りである。これを「自由主義経済の勝利」、「歴史の終わり」と呼んだ論者も多い。確かに、社会主義は、経済システムとしての致命的欠陥ゆえに崩壊した。しかし市場経済は、真に自らの完全性ゆえに勝利を手にしたわけではない。市場経済の中で主役と化した金融界の動きが実体経済を振り回す乱暴ぶりは、人々の平静な生活を根本から攪乱するようになった。本章第1節で見たような、為替市場の危機、国際資本市場での危機、国内金融の危機から生じた深い不況の波、これらすべては、市場経済が古くから抱える一大欠陥から生じたものであった。バブルの破裂、実体経済を攪乱する金融資本の力は、何らかのシステムをデザインすることによって制御されねばならない。人間の欲望そのものを否定してことが済むわけではない。人間は欲望を持つ。その欲望をコントロールし、よりよい方向へと向かわしめることが必要なのである。欲望を生かしつつ、その程度と方向を制御できる体制をデザインしなければならないのだ。八〇年前の大恐慌期と比べると、制度は確かに進歩した。しかし金融商品の種類、それを生み出す技術的知識や経済環境はそれ以上に変わった。その変化にわれわれは完全に対応できてはいない。「情に訴えるのではなく」、「知性でもって」欲望を制御できる制度を創らなければならない。

今次の金融危機が、「バブル」とその崩壊から起こったという点に異論を差しはさむものはいない。しかしそうしたバブル現象がなぜ起こったかに関して、識者の意見が一致しているわけではない。金融緩和の行き過ぎ、特に米国の銀行間貸借の短期名目金利（federal funds rate）が低すぎたことに原因を求める論者がいる。あるいは世界的な貯蓄超過による資金のダブつきが問題であったと指摘する専門家もいる。米国は貯蓄率が投資に比べて低かったから、世界の余剰資金を米国が吸収したということになる。世界の中央銀行（特に日本銀行や欧州中央銀行）が超低金利政策であったことが、米国への資金流入を刺激し続けたという側面を強調することもできる。責任は米国にだけあるのではなく、日本にもヨーロッパにも責任があるということになる。こうした議論の妥当性は、それぞれデータによる実証研究の結果によってある程度は検証されるであろう。

いまひとつの問題は、いかなる要素がバブルのメカニズムに最も「貢献したのか」という問題がある。サブプライム・ローンという低所得者向けの住宅貸付（ローン）を、金融機関が買い取って、それを他の証券と混ぜ合わせて新しい証券化された金融商品として市場で売り出す。住宅価格が高騰している間は大変な売れ行きを示した。この金融商品が市場で異様な売れ行きを示す前の段階で、こうしたリスクが大きい商品になぜ投資銀行と投資家たちは、あたかもローリスク・ハイリターンなどという不条理があり得るかのごとく群がったのか。米国政府、そして共和党、民主党を問わず後押ししたこの「持ち家政策」は、過剰な「リスク・テーキング」と低金利政策があいまってはじめて、バブルへと向かう「自動運動」が可能となった。この過程で果たした「格付け機関」の役割（罪）は大きい。証券化されたリスクの高い金融商品を、安全商品であるかのごとく格付けしたからである。それが格付け機関の間の「競争の欠如」からなのか、「責任感のなさ」あるいは、「無知」からなのか、それを証明することはできない。しかし米国政府が格付け機関との連携で、リスクの大きな証券化商品の購入をバックアップしたのは事実である。

この二〇〇七年八月に発生したサブプライム・ローンに端を発する金融危機が長びいたことについて、米国のマクロ経済学者J・B・テーラーは、「流動性不足のためなのか」あるいは「カウンターパーティー・リスクのためなのか」と問うている。この問いが重要なのは、前者であれば、上昇している貸し出しの金利の引き下げが、後者であれば、銀行のバランスシートをきれいにするための「公的資金の投入」が政策的な対応として求められるからである。テーラーはこれらの仮説を検討して、流動性ではなく、カウンターパーティー・リスクが原因であると結論付けている（Tailor〔2009〕）。こうした研究は、今回の金融危機が、八〇年前の流動性の不足に苦しんだ大恐慌期とは異なることを指摘している。したがって不況対策は、それぞれの原因にしたがって的確な対応が求められるということになる。

今回の金融危機に関する世界の政策責任者の発言や対応措置をメディアで追っていると、「経済学は過去八〇年の間に確実に進歩した」と改めて実感する。経済学は役に立たない学問だ、という荒っぽい考えがまかり通ってきたが、長いタイム・スパンで見ると、経済学も、人間社会に地味だが確かな貢献をしているのだということがわかる。経済学には思弁的、抽象的な思考実験を行う分野があるが、そうした分野の研究でも、長期的に見れば何らかの役に立っているのだ。こうした実感は、バーナンキＦＲＢ議長が、一九三〇年代の世界不況についての政治経済分析（その主要論考は *Essays on the Great Depression* に収められている）の専門家であるから、という先入観から生まれたものではない。主要諸国の政策担当者の協調姿勢に、単に「過去の経験から学んだ」ということ以上の、経済学的思考の浸透を感知するからだ。

各国の政府の財政規模も、第一章冒頭で論じたように八〇年前と比べると格段に大きくなった。したがって、政策の効果も影響力も昔を例として類推することはできない。金融市場のグローバル化は通信技術の飛躍的な向上によって進み、その波及の速度は驚異的なスピードを誇るようになった。他面、国際的な政策協調のシステムも、（もちろん不承不承という面はあるものの）首相サミット、中央銀行総裁サミット、金融財政サミットなど複数の枠組みが準備されており、一方的な「保護主義化」は何とか食い止められそうである。

八〇年前のいわゆる「世界恐慌」が長引いた原因として、政策上の失敗は大きかった。二〇世紀に入ってからの世界経済の規模と成長スピードからすると、金本位制は、まさに拘束衣のように成長制約的（デフレ的）な役目を果たしていた。にもかかわらず、経済学者や一部政策担当者は、教科書的な金本位制の自動調節機能に拘泥し、二〇年代に入ってからも、第一次大戦中に停止されていた金本位という旧体制にいかに復帰するかが論争の主要テーマとなっていたのである。

金本位制に固執しなかった国々、例えば実質的に銀本位制であった中国は別としても、近年の研究では、スペインのマイルドな不況、日本の不況からの相対的に早い回復も、金本位制へ「見切り」の早さと関係しているといわれる。英国やスカンジナヴィア諸国の早いタイミングでの金本位離脱も、国内の金融政策の自由度を高め、金融の収縮を防止することができた点は大きい。金本位制に留まった国も、金保有量が多かったフランスはまだしも、金保有量の少なかったオーストリア、ドイツ、ハンガリーなどの金融危機と不況が数段深刻であった点は、貨幣供給量の重要性を示す教訓とすべきであろう。

実際、バーナンキ議長をはじめとする米国の経済学者たちの研究では、国の数を二〇以上に増やした分析によって、(1) 金本位制から早く離脱した国ほど、不況からの回復は早かったこと、(2) 実質賃金、実質利子率などの重要なマクロ経済の変数は、金本位であるか否かによって動きが異なり、金融危機が実体経済に与えた影響から見ると、貨幣面のショックがきわめて大きかった、という結果を得ている。金本位制という固定相場の為替制度が、不況の世界的伝播に大きな役割を果たした点は無視できない。

国際通貨制度と密接に関係する国内の金融政策に関しても、八〇年前の経済学の知識はきわめて不十分であった。例えば、一九二八年初頭に、まだ米国の景気は上向きではなかったにもかかわらず、金融引き締め政策が採られたこと、FRBが米国の金がフランスへ流出することを食い止めるために米国の金融引き締め姿勢をさらに強めたことなどはその例であろう。こうした政策は、多くの銀行倒産を招き、銀行システムの崩壊へとつながる。

その後の金融政策の展開にも一貫性は見られなかった。一九三二年段階では、金融緩和に出たものの、一九三三年一月には、再び金融引き締めに転ずるなど、景気の判断と政策選択がうまく連動しなかっただけでなく、景気の判断も、政策の効果の理解も、当時の経済学では十分対応できなかったと考えざるを得ない。

この点は財政政策と通商政策に関してもいえる。財政政策に関しては、通説では、不況の終焉はルーズベルトの財政政策の登場があって実現したといわれる。ルーズベルトが大統領に就任してから、（それまでの金融引き締めを是正し）金融緩和が始まり、名目でも、実質でも貨幣ストックが大幅に増大し始めたことは確かである。しかし彼の大統領就任後ただちに財政が力強く出動し功を奏し始めたという事実はない。近年のC・ローマーなどの研究では、一九四二年以前については、財政政策が景気回復に貢献したという証拠は見つからないのだ[1]。実際、一九三〇年代半ばまでは財政は拡大的ではなかった。むしろ貨幣供給量の増加が、実質利子率を低下させ、民間投資を刺激したという効果の方が大きかったのである。ルーズベルトの採った政策の中では、財政政策よりも、一九三四年一月に彼が断行した金平価の切り下げ（金準備法）の影響の方が大きかったと思われる。「切り下げへの期待」は、世界経済にとって不安定要因になるが、切り下げ自体は、米国内と世界に対してデフレ的金融政策主導の体制の終焉を宣言するプラス効果を持ったのである。

もちろん、財政政策が全く無力であったわけではない。経済史家P・テミンが論じたように、大不況の泥沼から最終的に脱出する効果として大きかったのは、米国の世界大戦参戦による政府支出の膨張とナチス・ドイツの国家主義的な拡張的な財政政策であったからだ。

また当時の経済先進国が採った対外収支の均衡回復という発想、それも緊縮第一で自国経済をデフレ化して、国際収支のバランスを改善しようとした政策は、不況脱出にとっては強いマイナス要因であったことは疑いない。加えるに、すでに世界一の経済大国になっていた米国が、一九三〇年以降、ホゥリー＝スムート関税法などで保護主義の方向へ走るなど、経済大国としてのリーダーシップを取ろうとしなかった点も大きい。ホゥリー＝スムート関税法自体が不況の主因ではなかったとしても、他国の通貨が下落している中でドルの切り下げをただちに断行せず、米国製品の世界価格を高くしていたことに厳しく責任が問われても仕方がなかろう。

では今回の金融危機は八〇年前のそれといかに異なっているのか。経済学の進歩によって、八〇年前の過ちを避け得る知的環境ができているという点以外に、どのような特徴があるのだろうか。プラス面とマイナス面を取り上げてみたい。プラス面としては、世界の政策担当者が、「デフレ下の緊縮政策」という方向に走ることの危険を今や十分に認識していることだ。即効薬的な解決策は見つかっていないにしても、何をしてはいけないかの判断力は備わったと考えてよい。また政府の大きさがＧＤＰの一割も占めていなかった八〇年前と比べると、現代の政府規模ははるかに大きくなり、政府の行動の影響力もそれ相応に強大になった。

そして国際的に見ても、政府間の政策協調の姿勢は、八〇年前と比べれば、格段に進歩し向上している。危機直後の各国の迅速な協調利下げにも、そのことは見て取れる。独善的な保護政策の応酬で、相互依存の度合いの高い世界経済を萎縮させる方向に今後進む可能性は低いだろう。

ただマイナス要因もある。「公的資金」の投入は、その積極的対応姿勢には心理的なプラス効果が働くかもしれないが、先に述べたように、今回の金融危機が長びく原因が流動性の不足によるのか、金融機関のバランスシートの汚れによるのかによって効果は異なる。これまでの金融危機では、どこの金融機関がどのような不良債権を抱えているのかをある程度判別できた。しかし今回問題になったサブプライム・ローンの場合、低所得者向けの住宅ローン(No Income, No Job, No Assets の借り手への貸し出しであったことからNINJAローンとも呼ばれた)が債権として金融機関で証券化され、商品として販売された。種々の債権を組み合わせた証券化商品のリスクは計算が難しい複雑な商品になってしまった。しかし、専門家はその商品の質を十分知っていたはずである。そして証券の格付け機関も、銀行の希望を暗黙裡に忖度《そんたく》して、リスクを意図的に低く算定して高い評価を与えていたと思われる。そして買い手にとって正確に「質」のわからない商品を、格付け会社が与えるスタンプを目安に取引をするのが常態となっていたのである。ここには、一般の財の取引の場合には「詐術」と見紛うような、道徳的な問題が伏在している。質に関する劣悪な情報を背景とする市場取引が早晩崩壊することは、経済理論の教えるところであった。正義や正直といった徳が、実は市場そのものの存立の大前提であったことをわれわれは再認識させられたのである。しかしこれは、一部の関係者の「貪欲さ」を非難すれば済むという問題ではない。人間存在と欲望は切り離せない。行き過ぎた欲望が貪欲となり、その貪欲さが時に市場経済を通して多くの富を生み出してきたこともまた確かなのである。要は、この複雑な産業社会にあって、その貪欲さを制御する有効な「システム」をいまだデザインしていない、というところが問題なのだ。経済の危機と市場道徳の退行とが表裏一体になっていたとすれば、今次の金融危機への対応策は、単に公的資金の投入という弥縫策だけで完全に乗り切ることは難しいということになる。

註

（1）Romer, Christiana D., "What Ended the Great Depressin ?," *Journal of Economic History*, 52 (December 1992): pp.757–784.

# むすびにかえて

経済的な豊かさの源泉は、自然資源を十分保有しているか否かではなく、その国がいかなる人的な資源を育て上げ、いかなる制度を整えたかによる。自然資源がほとんど皆無のスイスやルクセンブルクの経済的な豊かさ、あるいは狭い香港と広大なロシアのコントラストを思い浮かべるだけで、この命題への特段の証明は不要であろう。その意味で、経済学者が教育や人材育成、「制度」の分析に多くのエネルギーを割き始めたことは理由なしとしない。政治的安定、私的所有権の確立、法の支配が、経済的に豊かな社会の基本的な前提となることを近年の経済史研究は明らかにしてきたのである。具体的には、法制度の問題（例えばコモンローの国であるか否か）と経済成長の関係に分析の焦点を絞ったような研究も現れ始めている。[1]

こうした基本的命題の理解には、データを包括的に観察しなくとも、近年アフリカのジンバブエで起こった変化を想起するだけで十分かもしれない。一九八〇年、英国から独立した当時、ジンバブエはアフリカで最も豊かな国であった。しかしロバート・ムガベ初代大統領の独裁政治が、自由と法を踏みにじり、「法の支配」から「人の支配」への転換を強行し、制度としての「自由」を破壊した。以来二〇年ほどの間に、一人当たり所得は半分以下になり、失業率は七割、インフレ率は年平均五〇〇〇%という悪夢のような経済社会を現出せしめた。

## 自由と平等

政治や経済の制度としての「自由」と「平等」は現代社会の基本理念として高く掲げられてきたが、この二つの理念はどのような形で両立し得るであろうか。この問いに完全な解が得られているわけではない。平等という理念の「意図」が実現されることによって、「結果」として、いかなる形で「自由」が侵蝕される可能性があるのか？　政治的平等化の進展は、ある点を過ぎると、結果として自由が損なわれ、経済発展にもはやプラスの影響をもたらさないということは、フランスやアメリカの革命後の社会を生きた人々によって問われ続けた問題であった（Tocqueville〔1835〕）。社会的条件の平等化が、ある臨界点を過ぎると、経済成長にマイナスの効果を及ぼす。この現象をどう考えればよいのか。ここには二つの段階に分けて考察すべき論理がある。

ひとつは、平等化の進展が、各人の(政治的・経済的)自由を相互に侵蝕し合うという問題である。平等の徹底としての完全な民主化の過程が社会主義独裁の形成過程でもあったというのが、何よりの歴史的証拠ではある。しかし、この種の「パラドックス」がどのような論理で起こるのかについて、われわれの理解は十分ではない。権利と機会の「平等化」が進めば、人々の権利や自由が相互に衝突する可能性は増える。したがって自由は制限されざるを得ない。しかしそれ以外にも、自由と競争のシステムが、参加者を予想以上に政治的にする、あるいはカルテル行為を利用することによって、不公正な行動を誘発しやすくなる、という経験則をどう考えればよいのか。

例として、戦前の日本の陸軍のケースを挙げよう。将校の出身階層が、陸軍士官学校、陸軍大学校で好成績をあげたエリートたちの選抜と昇進になると、つまり実力主義で民主的になり、地縁(長州閥)、血縁(華族層など)による選抜力が弱まると、陸軍内部は政治的になり、下剋上がはびこり始める。身分制などの「仕切り」がなくなり、バラバラの個人が昇進競争を展開するようになると、共謀や協調によって政治的に結託しようとする誘因が働きやすくなる。バラバラの個人が自分(たち)に「近い」、あるいは自分たちに利益をもたらす人物をリクルートしようとして結託し始めるのである。こうした例は、理念としての平等と現実の平等には本質的な乖離があることを示す。

もうひとつの局面は、自由の喪失が、経済発展を阻害するという問題である。この点は「社会主義経済」の破綻によって基本的に証明されたといえる。ただし後述するように、近年の経済学は、「人的資本のレベルによっては独裁体制が経済発展を促すことがある」という命題を支持する研究を生み出している。

平等化（特に機会の平等）が進むと、ある時点で、「自由」が侵蝕され始める、という平等化の深刻な弊害をどう捉えればよいのか（トクヴィル Volume 2 Part 3 第21章）。自由が失われると、経済学が教える通りの平等化が成長をもたらすという図式も成立せず、社会制度の安定性が維持できるとは限らなくなるのか。平等の行き着く先はいかなる社会か？ この自由と平等の相克の問題を考えないと「善き社会」のイメージは湧いてこない。

この問題の一部は、最近のデモクラシーの政治経済学で本格的に議論されるようになった。これらの分析は平等という理念と自由という理念の現実的な両立性を問題としてはいないが、問題の解決につながるような興味深い指摘が現れ始めている。市場経済の自由が保障されているところでは、所得分配の（不）平等度の違いが、その後の経済成長を大きく左右するという点に注目する研究である。韓国とフィリピンは一九六〇年あたりでは一人当たりＧＤＰ、人口、初等教育への進学率はほとんど同じであったが、その後の経済成長率は、年率六％、二％と大きく異なっている。これはなぜか。初期条件として異なっていたのは所得分配の不平等度である。この点に注目して、政治（国の意思決定制度）や資本市場の不完全性を取り込むような理論モデルと、社会的な紛争と所有権の保証を扱うモデル分析も行われている（Banabou〔1996〕)。不平等が経済成長に及ぼす影響を重視するのである。

## 人的資本の役割

平等化と自由の両立性の問題を解く鍵のひとつは、経済成長、人的・物的資本、デモクラシーの関係をどう捉えるのかという問いから得られそうである。いかに経済を成長経路に乗せるのか、いかにデモクラシーを確立するのか、という問は相互に関連しているのではないかという問いである。

ひとつの考え方は、（1）制度優先論（institutional view）で「まずデモクラシーを確立し、所有権を保証するなど、権力を制限された政府を打ち立て、そうした体制の下で次に人的資本・物的資本への投資が進み、それによって経済が成長経路に乗る」と主張する（例えば、Acemoglu、Johnson and Robinson〔2001〕, Acemoglu, Johnson and Robinson〔2002〕など)。

もうひとつは、（2）開発優先論（development view）で「まず人的・物的資本への投資が始まる、市場を重視する独裁者は私的所有を政策上認める、そして教育水準が高まり富が蓄積されるとデモクラシーはじめ他の政治制度の改良が進む」という仮説となる（例えば、Barro (1999) など）。（2）は人々は教育の浸透によって、暴力ではなく、交渉や投票行動を通して考え方の相違を解決する能力を高めやすいという点に注目している。

この二つの仮説はその因果関係が正反対になっている。（1）はデモクラシーなどの政治制度の確立から人的・物的資本への投資、そして経済成長へという因果の流れ、（2）は人的・物的資本への投資から経済成長へ、そしてデモクラシーなどの政治制度の確立、という因果関係になっている。

これら二つの対立する仮説のうち、いずれがより歴史的な動き、あるいは現代の国際政治の動きを見通すのに有効なのだろうか？　これらの仮説を満足すべき方法でテストした結論はまだ得られていない。しかし大胆な仮定に立って実証研究として妥当な方法でテストしたGlaeser, La Porta, Lopez-de-Silanes and Schleifer（2004）は、次のような暫定的な結論を得ている。

現在のところ、人的資本、すなわち人間の知的・道徳的質が、成長にも民主化にも一番重要な要因と考えられること。政治制度は経済のパフォーマンスにとって二次的な効果しか持たないこと、第一次効果は人的・物的資本であること、人的資本の乏しい国（教育や道徳水準の低い国）でのデモクラシーの実行可能性はあやしく、人的・物的資本への投資から経済成長へ、そしてデモクラシーなどの政治制度の整備・確立という方向への展開の方が因果関係として重要だということになる。言い換えれば、貧しい国は独裁のもとで、人的・物的資本を蓄積し、ある程度豊かになった段階で、政治制度を改善する可能性も現実的な政策として考えられるということになる。この暫定的結論は、慎重に取り扱われねばならない。冒頭に述べたアフリカのジンバブエの例に見られるように、その独裁が誰の、いかなる体制か、によって結果は決定的に異なってくるからだ。さらに「ある程度豊かになった段階で、政治制度を改善する」と言っても、そうした権力の移行が平和裡に行われるとは考えにくい。

しかしGlaeser, La Porta, Lopez-de-Silanes and Schleifer（2004）は平等と自由の問題について、ひとつのヒントを与えていることは確かであろう。先ほどのトクヴィルのアポリア、すなわち「平等化の進展は自由の侵蝕を生む」という問題は、人的資本の水準の低い国に起こる可能性が大きいということである。教育の普及はリプセットが考えたように、人々をよりデモクラティックな政治体制へ傾斜させるということになる。その意味では、人的資本の蓄積が不十分な（教育水準の低い）国でのデモクラシーの実行可能性はあやしい、という命題は、トクヴィルのアポリアを解く鍵を与えている。それは政治体制の安定性が、教育と知性（intellect）とさまざまな形で（ある時は体制の安定性に貢献し、別の局面では体制の不安定要因となり得るというように）結び付いていることを意味する。

## エートスの問題

平等化は近代化のひとつの側面であり、万人の「法の前の平等」、権利・義務の公正な配分は、近代社会が勝ち取った偉大な成果であった。しかしそこに奇妙な論理のすり替えが起こる可能性のあることを見逃してはならない。そもそも人間は、法の前において「平等であるべき」なのであって、事実として人間の有様が同じだということでは決してない。しかし「真」の理想に燃える「社会哲学」は、人間はその醜さや弱さ、あるいは愚かさにおいて結局のところ皆同じなのだから、平等であってしかるべきだという考えを押し広めることになった。

「平等」への情熱は一般に「自由」へのそれよりもはるかに強い。すでに手にした自由の価値は容易には理解されないが、平等の利益は多くの人々によってただちに感得される。自由の擁護とは異なり、平等の利益を享受するには努力を必要としない。平等を味わうには、「ただ生きていさえすればよい」（トクヴィル）のである。

ところが平等は自由の犠牲において実現することが多い。すべての人間が自由かつ平等であるという社会は、社会思想やユートピア文学としては語り得ても、それは夢想でありフィクションにすぎない。平等をめざす社会において自由が失われ、自由に満ち溢れた社会では平等が保障されにくいということは、過去二〇〇年の世界の歴史が明らかにしたところである。

デモクラシーの社会では、ひとつひとつの政策課題について、ひとりひとりの判断力が問われている。その中には、エネルギーや環境、あるいは生命倫理をはじめとする多くの新しい価値選択の問題が含まれている。それぞれの問は、一定の基礎的知識を前提としない限り、自由かつ適切な判断が下せないほど複雑で、高度の専門性を要求する。しかし公共の事柄の議論に参加する一般国民、最終的な判断を下す政治家が、すべての事柄について十分な知識を持っているということはフィクションに近い。このフィクションをメディアや一部の啓蒙家が補い正すことには限界がある。したがって問題に対する理解が不十分だとしたら、最終的な判断は倫理的な性格を帯びる以前に、その判断のベース自体があやしいものとなってしまう。

つまり民主国家にとって重要なのは、国民が倫理的に善い選択を行い得るためには、まず十分な知識と情報が必要だということである。いい換えれば、難問を適切に選択し処理するための倫理（モラル）を確かなものにするには、知性と情報が不可欠なのである。資源問題にしても地球温暖化問題にしても、議論の多くは、限られたデータに基づく予測であり、将来の危険に対する警告なのである。荒野に叫ぶ声なのである。われわれの日常的行動への反省を促すという意味では、この種の警告は有益だ。しかしこうした警告の姿勢は強くなりすぎると、一種の「終末論」的な色彩を帯び始める。可能性（possibility）と蓋然性（probability）は異なる。何でも可能で、何でも起こりうるが、問題はその蓋然性にある。この可能性と蓋然性の違いを、データと論理のバランスを考慮しながら判別していくことが重要になってくる。

先に述べたトクヴィルのアポリア（難問）、すなわち「平等化の進展は自由の侵蝕を生む」という問題は、人的資本の水準の低い国に起こる可能性が大きい。この場合の人的資本は、単に学校教育だけではなく、結社（association）などの中間組織を通して醸成される市民道徳を中心とした「知徳」が重要な構成要素をなす。その意味では、人的資本の蓄積が不十分な（知徳の水準が不十分な）国でのデモクラシーは、「全体による全体の支配」を生み出しやすい。

この議論は、経済的に遅れた国だけを問題にしているのではない。先の暫定的な結論を拡張解釈すれば、日本のような経済の先進国でも、市民文化や国民の教育内容が劣化してゆけば、経済のパフォーマンス自体も瞬く間に貧弱になる危険性を示唆していることになる。知育・徳育を中心とした教育問題こそがこれからの世界経済の最大の課題であることは否定すべくもない。

註

（1） Mahoney, Paul G., "The Common Law and Economic Growth : Hayek Might be Right," *Journal of Legal Studies*, 30. no. 2 (2001): 503-525.

# 謝辞

故渡辺太郎大阪大学名誉教授は、筆者の書物や論文に対して、いつも詳細なコメントを送ってくださった。今回渡辺先生のコメントを参考にしつつ、これまでの論考を改善することができた。今は亡き渡辺太郎先生に心よりの感謝を捧げたい。

参考文献と索引の作成には、松村博行氏（国際日本文化研究センター機関研究員）が自身の貴重な研究時間を割いて協力してくれた。記して感謝する。

「はしがき」でも触れたように、本書のプロジェクトは、中央公論新社・新書編集部の高橋真理子さんの慫慂によってスタートし、その熱心な導きで完成までこぎ着けることができた。ようやく債務を果たした後、自由な音楽談義が高橋さんとできることをうれしく思っている。

私事ながら、ときおり読書を楽しむ九十四歳の父に本書を贈りたい。

二〇〇九年四月　復活祭の日曜日に

著者しるす

古田元夫（1996），『ホー・チ・ミン　民族解放とドイモイ』〈現代アジアの肖像〉10　岩波書店．

古田元夫（1996），『ベトナムの現在』講談社現代新書．

法政大学比較経済研究所／川上忠雄，益田寿男編（1989），『新保守主義の経済社会政策　レーガン，サッチャー，中曽根三政権の比較研究』法政大学出版会．

細野昭雄，遅野井茂雄，田中高（1987），『中米・カリブ危機の構図』有斐閣．

堀坂浩太郎（1987），『転換期のブラジル　民主化と経済再建』サイマル出版会．

南塚信吾（1990），『ハンガリーの改革』彩流社．

室井義雄（1992），『連合アフリカ会社の歴史　1879―1979年　ナイジェリア社会経済史序説』同文舘出版．

メドヴェーヂェフ，Z．A．著，佐々木洋訳（1995），『ソヴィエト農業 1917-1991　集団化と農工複合の帰結』北海道大学出版会．

森口親司（1997），『世界経済ウォッチング　パシフィック・ダイナミズムの行方』有斐閣．

盛田常夫（1990），『ハンガリー改革史』日本評論社．

安場保吉（1997），「東南アジア発展論の検証」『大阪学院大学経済論集』第11巻第１・２号．

安場保吉（2002），『東南アジアの経済発展―経済学者の証言―』ミネルヴァ書房．

安場保吉編著（2005），『東南アジア社会経済発展論　30年の進歩と今後の課題』勁草書房．

柳原透編（1992），『アジア太平洋の経済発展と地域協力』アジア経済研究所．

山田三郎（1992），『アジア農業発展の比較研究』東京大学出版会．

山中一郎編（1988），『南アジア諸国の経済開発計画』アジア経済研究所．

山之内秀一郎（1996），『新幹線がなかったら』東京新聞出版局．

唯是康彦，斎藤優編（1981），『世界の食糧問題と日本の農業』有斐閣．

ラテン・アメリカ協会編（1996），『ラテン・アメリカ事典』（1996年版）．

若林正丈（1992），『台湾』東京大学出版会．

渡部忠世（1995），『農業を考える時代　生活と生産の文化を探る』農山漁村文化協会．

出水宏一（1978），『戦後ドイツ経済史』東洋経済新報社.
デンプシー，P．S.，A・R・ゲーツ著，吉田邦郎・福井直祥・井手口哲生訳（1996），『規制緩和の神話』日本評論社.
戸原四郎，加藤栄一編（1992），『現代のドイツ経済　統一への経済過程』有斐閣.
ドプチェク，A．著，森泉淳訳（1993），『希望は死なず　ドプチェク自伝』講談社.
ドライデン，S．著，塩飽二郎・石井勇人訳（1996），『通商戦士米通商代表部（USTR）の世界戦略』共同通信社.
ナイ，J.，ジョン・ドナヒュー編著，嶋本恵美訳（2004），『グローバル化で世界はどう変わるか―ガバナンスへの挑戦と展望』英治出版.
中兼和津次（1992），『中国経済論　農工関係の政治経済学』東京大学出版会.
中兼和津次，石原享一（1992），『中国：経済』アジア経済研究所.
ナザレンコ，V．I．著，吉原平二郎ほか訳（1993），『ロシアの農業・食料事情』食料・農業政策研究センター.
西村文夫，吉田靖彦編（1976），『現代ソ連の経済と産業』〈現代ソ連論〉1　日本国際問題研究所.
西村可明編著（1992），『市場経済化と体制転換　ソ連・東欧・中国』日本貿易振興会.
西村可明（1995），『社会主義から資本主義へ　ソ連・東欧における市場化政策の展開』日本評論社.
野尻武敏（1995），「社会的市場経済：その理念と実際」『大坂学院大学経済論集』第9巻第3号.
朴宇熙，渡辺利夫編（1983），『韓国の経済発展』文眞堂.
鉢野正樹（1989），『現代ドイツ経済思想の源流』文眞堂.
服部民夫，佐藤幸人編（1996），『韓国・台湾の発展メカニズム』アジア経済研究所.
速水佑次郎（1995），『開発経済学』創文社.
平泉公雄編訳（1992），『計画から市場へ　ハンガリー経済改革思想史1954-1988』アジア経済研究所.
福田敏浩（1993），「新自由主義と社会的市場経済」『彦根論集』第285号・286号.
藤田幸一（1993），『バングラデシュ農業発展論序説　技術選択に及ぼす農業構造の影響を中心に』農業総合研究所.
古城佳子（1996），『経済的相互依存と国家　国際収支不均衡是正の政治経済学』木鐸社.

のすべて』時事通信社.
斎藤一夫（1991),『アジアの農業と経済　戦後四十五年の発展の軌跡』勁草書房.
塩見治人，堀一郎（1998),『日米関係経営史　高度成長から現在まで』名古屋大学出版会.
重光晶（1989),『ソ連の国民経済』東洋経済新報社.
篠原三代平（2006),『成長と循環で読み解く日本とアジア』日本経済新聞社.
下川耿史，家庭総合研究会編（1997),『昭和・平成家庭史年表 1926-1995　改訂版』河出書房新社.
ジャンセン，M. 著，加藤幹雄訳（1999),『日本と東アジアの隣人』岩波書店.
末原達郎（1990),『赤道アフリカの食糧生産』同朋社出版.
末廣昭（1993),『タイ　開発と民主主義』岩波新書.
杉原薫著，大阪大学創立70周年記念出版実行委員会編（2003),『アジア太平洋経済圏の興隆』大阪大学出版会.
世界銀行著，白鳥正喜監訳（1994),『東アジアの奇跡　経済成長と政府の役割』東洋経済新報社.
席宣，金春明著，岸田吾郎ほか訳（1998),『「文化大革命」簡史』中央公論社.
宋永毅編，松田州二訳（2006),『毛沢東の文革大虐殺―封印された現代中国の闇を検証』原書房.
高中公男（1998),『世界経済の戦後構造』時潮社.
滝川勉（1994),『東南アジア農業問題論　序説的・歴史的考察』勁草書房.
陳振雄（2002),「戦後の台湾の経済発展における農地改革の役割について」高崎経済大学地域政策学会『地域政策研究』第5巻第1号.
通商産業省・資源エネルギー庁（1993),『エネルギー政策の歩みと展望』通商産業調査会.
津田直則ほか（1981),『計画と市場』勁草書房.
丁抒（1999),「恨みを呑んで死んだ二百万人―文革死望者の統計」『開放雑誌』.
ティファニー，ポール・A. 著，加藤幹雄・鈴木峻・佐藤昌章・藪下義文・山田恭暉訳（1989),『巨大産業と闘う指導者――アメリカ鉄鋼業の興亡』日本経済評論社.（*The Decline of American Steel : How Management Labor, and Government Went Wrong*, by Paul A. Tiffany, Oxford University Press, 1988)

社.
オイケン，W．著，大野忠男訳（1967)，『経済政策原理』勁草書房.
大塚啓二郎，園部哲史（2003)，「教育の役割：産業発展の視点から」大塚啓二郎，黒崎卓（編著）『教育と経済発展：途上国における貧困削減に向けて』東洋経済新報社.
大野喜久之輔（1993)，『ロシア市場経済への遠い道 経済改革から体制転換へ』神戸大学研究双書刊行会.
小田英郎（1989)，『アフリカ現代政治』東京大学出版会.
小田英郎編（1996)，『国際情勢ベーシックシリーズ　アフリカ』自由国民社.
勝俣誠（1991)，『現代アフリカ入門』岩波新書.
金井雄一（2004)，『ポンドの苦闘　金本位制とは何だったのか』名古屋大学出版会.
規制緩和・民営化研究会（南部鶴彦・江藤勝編著）(1994)，『欧米の規制緩和と民営化　動向と成果』大蔵省印刷局.
木戸蓊（1990)，『激動の東欧史　戦後政権崩壊の背景』中公新書.
木村雅昭（1996)，『インド現代政治　その光と影』世界思想社.
木村光彦（1999)，『北朝鮮の経済―起源・形成・崩壊』創文社.
行天豊雄，Ｐ・ボルカー著，江澤雄一監訳（1992)，『富の興亡』東洋経済新報社.
倉持和雄（1985)，「韓国における農地改革とその後の小作問題」『アジア研究』第32巻第２号，昭和60年７月，pp.1-33.
クルーグマン・Ｐ．ほか著，竹下興喜監訳（1995)，『アジア成功への課題「フォーリン・アフェアーズ」アンソロジー』中央公論社.
厳家祺，高皋著，辻康吾監訳（1996)，『文化大革命十年史』上・下岩波書店.
厳善平（1992)，『中国経済の成長と構造』勁草書房.
小池洋一，西島章次（1993)，『ラテンアメリカの経済』新評論.
黄葦町著，鈴木満子ほか訳（1996)，『中国的隠形経済』毎日新聞社.
国立社会保障・人口問題研究所編（1998)，『人口の動向：日本と世界』厚生統計協会.
小坂允雄，丸谷吉男編（1985)，『変動するラテンアメリカの政治・経済』アジア経済研究所.
小宮隆太郎（1999)，『日本の産業・貿易の経済分析』東洋経済新報社.
小宮隆太郎（2006)，「通貨危機と為替投機―概観と若干の論評―」『日本学士院紀要』第60巻第３号.
小山茂樹（1998)，『石油はいつなくなるのか　検証エネルギー問題

*Journal of the Japanese and International Economies,* Vol. 20, 50–76.
Wagner, Helmut (1993), "Reconstruction of the Financial System in East Germany," *Journal of Banking and Finance* 17 (1993), 1001–1029.
Wallis, John Joseph (2000), "American Government Finance in the Long Run," *Journal of Economics Perspectives*, 14 (Winter), 61–82.
Wegren, Stepen K. (1997), "Land Reform and the Land Market in Russia : Operation, Constraints, and Prospects," *Europe–Asia Studies* 49, 6 (September 1997), 959–987.
Whiting, A.S. (1987), "The Sino-Soviet Split", *The Cambridge History of China*, vol.14
Winston, Clifford (1993), "Economic Deregulation : Days of Reckoning for Microeconomists," *Journal of Economic Literature* 31, 3 (September 1993), 1263–1289.
Zank, Wolfgang (1984), "Wirtschaftsplanung und Bewirtschaftung in der 1949", *Vierteljahrschrift für Sozial-und Wirtschaftsgeschichte*, Bd. 71.

**日本語文献**

アイリフ，Ｊ．著，北川勝彦訳（1989），『アフリカ資本主義の形成』昭和堂.
岩尾裕純編（1974），『日本のエネルギー問題』時事通信社.
岩崎育夫（1996），『リー・クアンユー　西洋とアジアのはざまで』〈現代アジアの肖像〉15　岩波書店.
猪木武徳，高木保興編（1993），『アジアの経済発展』同文舘出版.
猪木武徳（1998），「戦後世界経済における米国の技術的優位：変化の素描」東京大学出版会科学研究所編『二十世紀システム』３，東京大学出版会.
猪木武徳（2008），「人的資源論から見た近代経済成長――労働経済学と開発経済学からの知見――」『社会経済史学』73–6.
猪木正道（1969），『冷戦と共存』文藝春秋『大世界史』25.
ヴィニェツキ，ヤン著，福田亘ほか訳（1991），『ソ連型経済はなぜ破綻したか　東欧に見るその「歪んだ世界」』多賀出版.
絵所秀紀（1987），『現代インド経済研究』法政大学出版局.
江橋正彦（1996），「ドイ・モイの成果と課題」西原正，Ｊ・Ｗ・モーリー編著『台頭するベトナム　日米はどう関わるか』中央公論

Nickell, Stephen (2003), "Labour Marker Institutions and Unemployment in OECD Countries," *CESifo DICE Report* 2 : 1326.
Ó Grāda, Cormac and Kevin O'Rourke (1996), "Irish Economic Growth, 1945-88," in Nicholas Crafts and Gianni Toniolo (eds.), *Economic Growth in Europe since 1945*, Cambridge University Press, 388-426.
Pautola, N. (1996), "Trends in EU-Russia Trade, Aid, and Cooperation," *Review of Economies in Transition* 4 (1996), 5-20.
Perkins, D. H. (1991), "The Impact of the Cultural Revolution on the Chinese Economy," *The Cambridge History of China*, vol. 15.
Perkins, Dwight H. (1994), "Completing China's Move to a Market Economy," *Journal of Economic Perspective* 8 (Spring 1994), 23-46.
Rodric, Dani (1995), "Getting Inventions Right : How South Korea and Taiwan Grew Rich," *Economic Policy* 20 (April 1995), 55-107.
Roesler, Jörg (1991), "The Rise and Fall of the Planned Economy in the German Democratic Republic, 1945-89," *German History*, vol. 9, 46-61.
Svejnar, Jan and Miroslav Singer (1994), "Using Vouchers to Privatize an Economy : The Czech and Slovakia Case," *Economics of Transition* 2, 1 (March, 1994), 43-70.
Swamy, Subramanian (1973), "The Economic Growth in China and India, 1952-1970 : A Comparative Appraisal," *Economic Development and Cultural Change* 21 (July 1973), 1-84.
Taylor, John B. (2009), "The Financial Crisis and the Policy Responses : An Emprical Analysis of What Went Wrong," *NBER Working Paper* 14631 (January 2009), 1-19.
Temin, Peter (1995), "The 'Koreaboom' in West Germany : Fact or Fiction?," *Economic History Review* 48 (second ser.), 737-753.
Tinbergen, Jan (1961), "Do Communist and Free Economies show A Converging Pattern?," *Soviet Studies*, Vol. 12, 333-341.
Ueshima, Y., T. Funada and T. Inoki (2006), "New Technology and Demand for Educated Workers : The Experience of Japanese Manufacturing in the Era of High-Speed Growth,"

1, 75-147.
Maddison, Angus (1987), "Growth and Slowdown in Advanced Capitalist Economies," *Journal of Economic Literature* 25 (June 1987), 649-698.
Mahoney, Paul G. (2001), "The Common Law and Economic Growth : Hayek Might be Right," *Journal of Legal Studies*, 30. no.2 (2000), 503-525.
Malenbaum, Wilfred (1982), "Modern Economic Growth in India and China : The Comparison Revisited," *Economic Development and Cultural Change* 31 (October 1982), 45-84.
Mauro, Paulo (1995), "Corruption and Growth," *Quarterly Journal of Economics* 110, (1995), 681-712.
Mcintyre, R. J. (1992), "The Phantom of Transition : Privatization of Agriculture in the Former Soviet Union and Eastern Europe," *Comparative Economic Studies* 34, 3-4 (Fall-Winter 1992), 81-95.
McKinnon, Ronald I. (1991), "Financial Control in the Transition from Classical Socialism to a Market Economy," *Journal of Economic Perspective* 5 (Fall 1991), 107-122.
Moffitt, Robert (1992), "Incentive Effects of the U.S. Welfare System : A Review," *Journal of Economic Literature* 30, 1 (March 1992), 1-61.
Murrell, Peter and Mancur Olson (1991), "The Devolution of Centrally Planned Economies," *Journal of Comparative Economics* 15 (June 1991), 239-265.
Murrell, Peter, et al. (1991), "Symposium on Economic Transition in the Soviet Union and Eastern Europe," *Journal of Economic Perspectives* 5, 4 (Fall 1991), 3-16.
Nelson, Lynn D. and Irina Y. Kuzes (1994), "Evaluating the Russian Voucher Privatization Program," *Comparative Economic Studies* 36 (Spring 1994), 55-68.
Neves, João (1996), "Portuguese Postwar Growth : A Global Approach," in Nicholas Crafts and Gianni Toniolo (eds.), *Economic Growth in Europe since 1945*, Cambridge University Press, 329-354.
Newberry, D. M. (1990), "Tax Reform, Trade Liberalization and Industrial Restructuring in Hungary," *European Economy* 43 (March 1990), 67-96.

on Socialist Enterprises in Transition: Structure, Conduct, and Performance in Chinese Industry," *Journal of Comparative Economics* 15 (January 1991), 45-54.

Jefferson, Gray H. and Thomas G. Rawski (1994), "Enterprise Reform in Chinese Industry," *Journal of Economic Perspectives* 8 (Spring 1994), 47-70.

Kay, J. A. and D. J. Thompson (1986), "Privatization: A Policy in Search of a Rationale," *The Economic Journal* 96 (March 1986), 18-32.

Kontorovich, Vladimir (1986), "Soviet Growth Slowdown: Econometric vs. Direct Evidence," *American Economic Review Papers and Proceedings* 76 (May 1986), 181-185.

Kornai, J. (1986), "The Hungarian Reform Process: Visions, Hopes, and Reality," *Journal of Economic Literature*, 24 (December 1986), 1687-1737.

Kravis, Irving B. (1984), "Comparative Studies of National Incomes and Prices," *Journal of Economic Literature* 22 (March 1984), 1-39.

Krugman, Paul (1994), "The Myth of Asia's Miracle," *Foreign Affairs* 73 (November-December 1994), 62-78.

Lacksman, Conway L. (1978), "Fiscal and Monetary Policies in Postbellum German Recovery," *The Journal of European Economic History*, Vol. 7, No.2/3, 379-406.

Lardy, N. R. (1994), "The Chinese Economy Under Stress: 1958-1965", *The Cambridge History of China,* vol.14.

Leeds, Eva Marikova (1993), "Voucher Privatization in Czechoslovakia," *Comparative Economic Studies* 35,3 (Fall 1993), 19-38.

Levy, Frank and Peter Temin (2007), "Inequality and Institutions in 20th Century America," Working Paper 07-17, May 1, 2007, Massachusetts Institute of Technology, Department of Economics.

Lin, Justin Yifu (1990), "Collectivization and China's Agricultural Crisis in 1959-1961," *Journal of Political Economy* 98 (December 1990), 1228-1252.

Lindbeck, Assar (1997), "The Swedish Experiment," *Journal of Economic Literature* XXXV, 3 (September 1997), 1273-1319.

Lipton, David and Jeffrey Sachs (1990), "Creating a Market Economy in Poland," *Brookings Papers on Economic Activity*,

and Microeconomics Adjustment in Poland : A Cross Sectoral Approach," *Comparative Economic Studies* 35, 4 (Winter 1993), 1-19.

Furubotn, Eirik and Svetozar Pejovic (1970), "Property Right and the Behavior of the Firm in a Socialist State : The Example of Yugoslavia," *Zeitschrift fuer Nationaloekonomie* 30, 431-454.

Glaeser, E. L., R. La Porta, F. Lopez-de-Silances and A. Shleifer (2004), "Do Institutions Cause Growth ?," *Journal of Economic Growth,* Vol.9, 271-303.

Godo, Y. and Y. Hayami (2002), "Catching Up in Education in the Economic Catch-up of Japan with the United States, 1890-1990," *Economic Development and Cultural Change,* Vol. 50, 961-978.

Gomulka, Stanislaw (1986), "Soviet Growth Slowdown : Duality, Maturity and Innovation," *American Economic Review Papers and Proceedings* 76 (May 1986), 170-174.

Goodman, John B. and Gray W. Loveman (1992), "Does Privatization Serve the Public Interest?," *Harvard Business Review* (November / December 1992), 26-38.

Gramer, Regina Ursula (2004), "From Decartelization to Reconstruction : The Mixed Legacy of American-Led Corporate Reconstruction on Germany," in Detlef Junker (ed.), *The United States and Germany in the Era of the Cold War, 1945-1990*, volume 1, Cambridge University Press, 286-292.

Gregory, Paul and Gert Leptin (1977), "Similar Societies Under Differing Economic Systems : The Case of the Two Germanys," *Soviet Studies* 29, 4 (October 1977), 519-544.

Haines, Michael, "Fertility and Mortality in the United States," in Robert Whaples (ed.), *EH.Net Encyclopedia.*

Hanel, Petr (1992), "Trade Liberalization in Czechoslovakia, Hungary, and Poland Through 1991 : A Survey," *Comparative Economic Studies* 34, 3-4 (Fall-Winter 1992), 34-53.

Harrison, M. (1994), "The Second World War," in Davies, R.W., Harrison, M. and Wheatcroft, S. G. (eds.), *The Economic Transformation of the Soviet Union, 1913-1945*, Cambridge University Press.

Jefferson, Gary H. and Wenyi Yu (1991), "The Impact of Reform

30, 429-456.

Bolton, P. and G. Ronald (1992), "Privatization Policies in Central and Eastern Europe," *Economic Policy* 15, 276-309.

Bonin, John P. (1993), "On the Way to Privatizing Commercial Banks : Poland and Hungry Take Different Roads," *Comparative Economic Studies* 35, 4 (Winter 1993), 103-20.

Brada, Josef C. (1991), "The Economic Transition of Czechoslovakia from Plan to Market," *Journal of Economic Perspectives* 5, 4 (Fall 1991), 171-177.

Buchheim, Christof (1993), "Marshall Plan and Currency Reform," in Jeffry A. Diefendorf, Axel Frohn, and Hermann-Josef (eds.), *American Policy and the Reconstruction of West Germany, 1945-1955*, Cambridge University Press, 69-83

Buck, Trevor, Igor Filatotchev, and Mike Wright (1994), "Employee Buyouts and the Transformation of Russian Industry," *Comparative Economic Studies* 36 (Summer 1994), 1-16.

Cameron, Norman E. (1981), "Economic Growth in the USSR, Hungry, and East and West Germany," *Journal of Comparative Economics* 5 (March 1981), 24-42.

Canova, Timothy A. (1994), "The Swedish Model Betrayed," *Challenge* 37 (May-June 1994), 36-40.

Cazes, Bernard (1990), "Indicative Planning in France," *Journal of Comparative Economics* 14 (December 1990), 607-619.

Chapman, Janet (1989), "Income Distribution and Social Justice in the Soviet Union," *Comparative Economics Studies* 31 (1989), 14-45.

Desai, Padma and Ricardo Martin (1983), "Efficiency Loss from Resource Misallocation in Soviet Industry," *Quarterly Journal of Economics* 98 (August 1983), 441-456.

Dornbusch, Rudiger and Holger Wolf (1994), "East German Economic Reconstruction," in Oliver Blanchard, Kenneth Froot and Jeffrey Sachs (eds.), *The Transition in Eastern Europe*, Volume 1 : Country Studies. University of Chicago Press, 155-190.

Easterly, William and Stanley Fischer. (1995), "The Soviet Economic Decline," *The World Bank Economic Review* 9, 3 (September 1995), 341-371.

Estrin, Saul and Xavier Richet (1993), "Industrial Restructuring

外国語論文


Acemoglu, D., S. Johnson and J. A. Robinson (2001), "The Colonial Origins of Comparative Development : An Empirical Investigation," *American Economic Review*, Vol. 91, 1369-1401.

Acemoglu, D., S. Johnson and J. A. Robinson (2002), "Reversal of Fortune : Geography and Institutions in the Making of the Modern World Income Distribution," *Quarterly Journal of Economics*, Vol. 117, 1231-1294.

Adam, Jan (1989), "Work Teams : A New Phenomenon in Income Distribution in Hungary," *Comparative Economic Studies* 31 (Spring 1989), 46-65.

Alesina, Alberto and Beatrice Weder (2002), "Do Corrupt Governments Receive Less Foreign Aid?," *American Economic Review* 92(4)(September 2002), 1126-1137.

Angresano, James (1996), "Poland After the Shock," *Comparative Economic Studies* 38, 2/3 (Summer-Fall 1996), 87-111.

Barro, R. (1999), "Determinants of Democracy," *The Journal of Political Economy*, Vol. 107, No.6, S158-S183.

Benabou, R. (1996), "Inequality and Growth," in B. Bernanke and J. J. Rotenberg (eds.), *NBER Macroeconomics Annual 1996*, The MIT Press, 11-74.

Berger, Helge, and Albrecht Ritschl (1995), "Germany and the Political Economy of the Marshall Plan : A Re-Revisionist View," in Barry Eichengreen (ed.) *Europe's Postwar Recovery*, Cambridge University Press, 199-245.

Bergson, Abram (1983), "Technological Progress," in Abram Bergson and Herbert S. Levine (eds.), *The Soviet Economy Toward the Year 2000*, Allen & Unwin, 34-78.

Bergson, Abram (1987), "Income Inequality under Soviet Socialism," *Journal of Economic Literature* 22 (September 1987), 1052-1099.

Bergson, Abram (1991), "The U.S.S.R. Before the Fall : How Poor and Why?," *Journal of Economic Perspective* 5, 4 (Fall 1991), 27-44.

Blanchard, Oliver (2000), "The Economic Future of Europe," *Journal of Economic Perspectives* 18, 3-26.

Boltho, Andrea (2001), "Reconstruction after Two World Wars : Why the Difference?," *Journal of European Economic History*

Varble, Derek (2003), *The Suez Crisis 1956*, Osprey Publishing.
Victor, R. H. K. (1984), *Energy Policy in America since 1945 : A study in Business-Government Relations*, Cambridge University Press.
Wallich, Henry (1955), *Mainsprings of German Revival*, Yale University Press.
Wei, Lim and Arnold Chao (eds.) (1983), *China's Economic Reforms*, University of Pennsylvania Press.
Weidenbaum, Murray L. (1987), *Business, Government, and the Public*, 3rd edn., Prentice Hall.
Weitz, Reanan (1971), *From Peasant to Farmer : a revolutionary strategy for development*, Columbia University Press.
The World Bank (1990), *World Tables 1990-91 : External Debt of Developing Countries*, 2 vols., The World Bank.
The World Bank (1990), *World Debt Tables 1990-91*, Vol. 2., The World Bank.
The World Bank (1993), *The East Asian Miracle : Economic Growth and Public Policy*, The World Bank.
The World Bank (1993), *Russia : The Banking System During Transition*, The World Bank.
The World Bank (1993), *Historically Planned Economies 1993 : A Guide to the Data*, The World Bank.
The World Bank (2009), *Atlas of Global Development*, second edition, HarperCollins Publishers.
Yabuki, Susumu (1995), *China's New Political Economy : The Giant Awakes*, Westview Press.
Yanowitch, Murray (1977), *Social and Economic Inequality in the Soviet Union*, Martin Robertson.
Yeager, L. B. (1976), *International Monetary Relations*, 2nd edition, Harper and Row.
Zauberman, Alfred (1964), *Industrial Progress in Poland, Czechoslovakia and East Germany, 1937-1962*, Oxford University Press.

Publications.
Schnitzer, Martin (1974), *Income Distribution : A Comparative Study of the United States, Sweden, West Germany, East Germany, the United Kingdom, and Japan*, Praeger.
Seibert, Horst (ed.)(1992), *Privatization : A Symposium in Honor of Herbert Giersch*, Institut fur weltwirtschaft an der Universitat Kiel.
Sik, Ota (1991), *Socialism Today? - The Changing Meaning of Socialism*, Palgrave MacMillan.
Smith, Alan H. (1983), *The Planned Economies of Eastern Europe*, Croom Helm.
Smith, Simon C. (1998), *British Imperialism 1750-1970*, Cambridge University Press.
Somjee, A. H. and Geeta Somjee (1995), *Development Success in Asia Pacific*, St. Martin's.
Stuart, Robert C. (ed.) (1983), *The Soviet Rural Economy*, Roman and Allenheld.
Suny, Ronald Grigor (1998), *The Soviet Experiment : Russia, the USSR, and the Successor States*, Oxford University Press.
Tisdell, Clement (1993), *Economic Development in The Context of China*, St. Martin's Press.
Tocqueville, A. de (1835, 1840), *Democracy in America, translated, edited and with an introduction by H. C. Mansfield and D. Winthrop*, Chicago University Press, 2000.
Todaro, M. P. (1997), *Economics for a Developing World*, Longman.
United Nations, *Demographic Yearbook*, various issues.
U.S. Department of Defense, Office of the Under Secretary of Defense (Conptroller) (2003), *National Defense Budget Estimates FY 2004.*
U.S. Department of Labor, Bureau of Labor Statistics (1992), *Career Guide to Industries.*
U.S. Department of State (1947), *Occupation of Germany : Policy and Progress*, Government Printing Office, 1945 - 46.
Van der Wee, H. (1986), *Prosperity and Upheaval : The World Economy, 1945-1980*, University of California Press.
van Zanden, Jan L. (1998), *The Economic History of the Netherlands, 1914-1995*, Routledge.

*1945-51*, London Methuen.
Monnet, Jean (1978), *Memories*, Garden City N.Y.
Murray, C. (1984), *Losing Ground : American Social Policy 1950-1980*, Basic Books.
Mushkat, Miron (1990), *The Economic Future of Hong Kong*, Hong Kong University Press.
Myrdal, G. (1968), *Asian Drama : An Inquiry into the Poverty of Nations*, 3 vols., Pantheon.
Neville, Peter (1995), *France 1914-69 : The Three Republics*, Hodder & Stoughton.
New York State Department of Labor (1988), *Bethlehem Steel : Impact Study.*
Nove, Alec (1982), *An Economic History of the U.S.S.R.*, rev. ed., Penguin Books.
OECD (1993), *Methods of Privatising Large Enterprises*, OECD.
OECD (1994), *Unemployment in Transition Economies : Transient or Persistent?*, OECD.
OECD (1995), *Mass Privatisation : An Initial Assessment*, OECD.
OECD (1997), *Historical Statistics 1960-1995*, OECD.
Organization for Economic Co-operation and Development (2004), *Benefit and Wages : OECD Indicators*, OECD.
Palmowski, J. (1997), *Dictionary of Twentieth-Century World History*, Oxford University Press.
Podbielski, Gisèle (1974), *Italy : Development and Crisis in the Post-War Economy*, Clarendon Press.
Porter, Bernard (1996), *The Lion's Share : a short history of British imperialism, 1850-1995*, 3rd edn., Longman.
Ratner, S., J. H. Soltow and R. Sylla (1993), *The Evolution of the American Economy Growth , Welfare, and Decision Making*, Macmillan.
Röpke, Wilhelm (1960), *A Humane Economy : The Social Framework of the Free Market*, Gateway Edition.
Röpke, Wilhelm (1979), *Civitas humano*, 4, Auflage.
Ross, Steart Halsey (2003), *Strategic Bombing by the United States in World War II*, McFarland Company.
Sanderson, Michael (1999), *Education and economic decline in Britain, 1870 to the 1990s*, Cambridge University Press.
Schnitzer, Martin (1970), *The Economy of Sweden*, Praeger

Hughes, Jonathan (1987), *American Economic History*, second edition, Scott, Foresman and Company.
Hughes, J. (1991), The *Governmental Habit Redux : Economic Controls from Colonial Times to the Present*, Princeton University Press.
International Monetary Fund (1997), *World Economic Outlook.*
Islam, Shafiqul and Michael Mandelbaum (eds.) (1993), *Making Markets : Economic Transformation in Eastern Europe and Post-Soviet States*, Council on Foreign Relations.
James, Harold (1996), *International Monetary Cooperation Since Bretton Woods*, International Monetary Fund and Oxford University Press.
Jeremy, David J. (1998), *A Business History of Britain, 1990-1990s*, Oxford University Press.
Kao, Shirley W. Y., Gustav Ranis and John C. H. Fei (1981), *The Taiwan Success Story : Rapid Growth with Improved Distribution in the Republic of China, 1952-1979*, Westvies.
Kindleberger, Charles P.(1967), *Europe's Postwar Growth*, Oxford University Press.
Kornai, Jãnos (1990), *The Road to a Free Economy : Shifting from a Socialist System-The Example of Hungary*, Norton.
Kornai, Jãnos (1997), *Struggle and Hope : Essays on Stabilization and Reform in the Post-Socialist Economy*, Edward Elgar.
Layard, R., S. Nickell and R. Jackman (1994), *The Unemployment Crisis*, Oxford University Press.
London, Kurt (1966), *Eastern Europe in Transition*, The Johns Hopkins Press.
Maddison, Angus (1991), *Dynamic Forces in Capitalist Development : A Long-Run Comparative View*, Oxford University Press.
McCauley, Martin (1995), *The Khrushchov Era 1953-1964*, Longman.
McLinden, Michael (1996), *Privatization and Capital Market Development : Strategies to Promote Economic Growth*, Praeger.
Mierzejewski, Alfred C. (2004), *Ludwig Erhard : A Biography*, University of North Carolina Press.
Milward, Alan S. (1984), *The Reconstruction of Western Europe,*

*Soviet Economic Structure and Performance*, 5th edn., Harper-Collins.

Gregory, Paul R. and Robert C. Stuart (1998), *Russia and Soviet Economic Structure and Performance,* 6th edn., Addison Wesley Longman.

Gregory, Paul R. and Robert C. Stuart (1999), *Comparative Economic System*, sixth edition, Houghton Mifflin Company.

Greider, W. (1987), *Secrets of the Temple : How the Federal Reserve Runs the Country*, Simon and Schuster.

Hall, Peter A. and David Soskice (eds.) (2001), *Varieties of Capitalism : The Institutional Foundations of Comparative Advantage*, Oxford University Press.

Hansen, Bent (1969), *Fiscal Policy in Seven Countries, 1955-1965*, OECD.

Hargreaves, John D. (1996), *Decolonization in Africa*, 2nd edn., Longman.

Harold, James (1996), *International Monetary Cooperation since Bretton Woods*, IMF, Oxford Uviversity Press.

Harrington, M. (1962), *The Other America : Poverty in the United States*, Macmillan.

Harrison, Joseph, and David Corkill (2004), *Spain : A Modern European Economy*, Ashgate.

Hatton, Timothy J. and Jeffrey G. Williamson (2005), *Global Migration and the World Economy : Two Centuries of Policy and Performance*, The MIT Press.

Henning, Friedrich-Wilhelm (1996), *Das Industrialisierte Deutschland 1914 bis 1992*, 8, Auflage, Schoningh.

Herrigel, G. (1996), *Industrial Constructions : The Sources of German Industrial Power*, Structural Analysis in the Social Science 9, Cambridge University Press.

Hochman, S. and E. Hochman (1997), *The Penguin Dictionary of American History : 1945 to The present*, 3rd ed., Penguin Books U.S.A..

Hogan, Michael J. (1987), *The Marshall Plan : America, Britain, and the Reconstruction of Western Europe, 1947-1952*, Cambridge University Press.

Howlett, Peter (ed.) (1995), *Fighting with Figures : A Statistical Digest of the Second World War*, H.M.S.O.

Fairbank, J. K. (1983), *The United States and China*, Harvard University Press.
Fairbank, J. K. (1987), *The Great Chinese Revolution 1800-1985*, Perennial Library, Harper & Row.
Federal Reserve Bank of Dallas (1996), *America's Economic Regulation Burden*, Fall 1996.
Fishback, Price et al. (2007), *Government and the American Economy ; A New History*, The University of Chicago Press.
Freeman, Richard, Birgitta Swedenborg and Robert Topel (eds.) (1997), *Reforming the Welfare State : The Swedish Model in Transition,* University of Chicago Press.
Friedman, B. M. (1988), *Day Reckoning : The Consequences of American Economic Policymaking Under Regan*, Random House.
Fulbrook, M. (1992), *The two Germanies, 1945-1990, Problems of Interpretation*, Macmillan.
Furtado, C. (1970), *Economic Development in Latin America*, Cambridge University Press.
Galbraith, J. K.(1991), *The Affluent Society*, Fourth edition with a new introduction, Penguin Books. (originally by Hounghton Mifflin, 1958)
Gamble, Andrew (1995), *Britain in Decline*, St. Martin's.
Gardner, H. Stephen (1998), *Comparative Economic Society*, Second Edition, The Dryden Press.
Giersch, Herbert, Karl-Heinz Paque, and Holger Schmieding (1992), *The Fading Miracle : Four Decades of Market Economy in Germany*, Cambridge University Press.
Gillingham, John (1991), *Coal, Steel and the Rebirth of Europe, 1945-1955 : The Germans and French from Ruhr Conflict to Economic Community*, Cambridge University Press.
Ginzberg, E. and R. M. Solow (eds.) (1974), *The Great Society : Lessons for the Future*, Basic Books.
Goldstein, M. (1998), *The Asian Financial Crisis : Causes, Cures, and Systematic Implications*, Institute for International Economics.
Gregory, Paul R. (1990), *The Soviet Economic Bureaucracy*, Cambridge University Press.
Gregory, Paul R. and Robert C. Stuart (1994), *Soviet and Post-*

*Britain*, Duckworth.
Caves, Richard E. and Lawrence B. Krause (eds.) (1980), *Britain's Economic Performance*, Brookngs.
Chater, Juny and Brian Jenkins (1996), *France : From the Cold War to the New World Order*, St. Martin's Press.
Chow, Gregory (1984), *The Chinese Economy*, Harper & Row.
Crafts, N. F. R. and N. Woodward (1991), *The British Economy since 1945*, Clarendon Press.
Crafts, Nicolas and Gianni Toniolo (eds.) (1996), *Economic Growth in Europe since 1945*, Cambridge University Press.
Crews Jr., Clyde Wayne (2003), *Ten Thousand Commandments : An Annual Snapshot of the Federal Regulatory State*, Cato Institute.
Curwen, Peter (ed.) (1997), *Understanding the UK Economy*, forth edition, Macmillan.
Davies, R. W. (1998), *Soviet Economic Development from Lenin to Khrushchov*, Cambridge University Press.
Desai, Padma (ed.) (1997), *Going Global : Transition from Plan to Market in the World Economy*, The MIT Press.
Dethloff, Henry C., Gerald D. Nash and Richard W. Etulain (1997), *The United States and the Global Economy since 1945*, Harcourt Brace College Publishers.
Donahue, John B. (1989), *The Privatization Decision*, Basic Books.
Dunlop, J. T. et al. (eds.) (1978), *The Lessons of Wage and Price Controls*, Harvard University Press.
Eckstein, Alexander (1977), *China's Economic Revolution*, Cambridge University Press.
Edgerton, David (1996), *Science, technology and the British industrial 'decline', 1870-1970*, Cambridge University Press.
Eichengreen, B. and P. Lindert (eds.) (1989), *The International Debt Crisis in Historical Perspective*, MIT Press.
Eichengreen, Barry (2007), *The European Economy since 1945 : Coordinated Capitalism and Beyond*, Princeton University Press.
Erhard, L. (1949), *Germany's Comeback in the World Market*, Dr. H. Gloss ed., tr. by W. H. Johnstone, Farrar, Straus & Co.
Estrin, Saul, and Peter Holmes (1983), *French Planning in Theory and Practice*, Allen & Unwin.

Almquist & Wicksell.
Berliner, Joseph S. (1983), *The Innovation Decision in Soviet Industry*, Cambridge University Press.
Berstein, Serge and Jean-Pierre Rioux (2000), *The Pompidou Years, 1969-74*, Cambridge University Press.
Bhagwati, Jagdish (2004), *In Defense of Globalization,* Oxford University Press.
Bishop, Matthew, John Kay, and Colin Mayer (eds.) (1994), *Privatization and Economic Performance*, Oxford University Press.
Blanchard, O. Jean, Kenneth A. Froot and Jeffrey D. Sachs (eds.) (1994), *The Transition in Eastern Europe*, Vol. 1 and 2, University of Chicago Press.
Blinder, A. (1979), *Economic Policy and the Great Stagflation*, Academic Press.
Blinder, A. (1991), *Growing Together : An Alternative Economic Strategy for the 1990s*, Whittle Direct Books.
Boxer, Andrew (1996), *The Conservative Governments 1951-1964*, Longman.
Boycko, Maxim, Andrei Schleifer, and Robert Vishny (1995), *Privatizing Russia*, The MIT Press.
Brown, William A. Jr. and Redvers Opie (1953) 1953, *American Foreign Assistance*, Washington D. C., Brookings Institution.
Browne, Anthony (2001), *The Euro, Should Britain Join? : Yes or No?* Icon Books.
Bruno, Michael, and Jeffrey Sachs (1985), *The Economics of Worldwide Stagflation*, Harvard University Press.
Byrd, William A. (ed.) (1992), *Chinese Industrial Firms Under Reform*, Oxford University Press.
Cairncross, Alec (1995), *The British Economy since 1945*, second edition, Blackwell Publishers.
Cairncross, Alec (1996), *Managing the British Economy in the 1960s*, Macmillan.
Cameron, R. (1997), *A Concise Economic History of the World*, Oxford University Press.
Caron, François (1979), *An Economic History of Modern France*, Columbia University Press.
Cash, W. (1991), *Against a Federal Europe : The Battle for*

# 参考文献


**外国語書籍**

Abelschauser, Werner (1975), *Wirtschaft in Westdeutschland, 1945-1948*, Deutsche Verlags-Anstalt.

Adams, W. and J. Brock (1989), *Dangerous Pursuits : Mergers and Acquisitions in the Age of Wall Street*, Pantheon Books.

Alford, B. W. E. (1993), *British Economic Performance 1945-1975*, Cambridge University Press.

Allais, M. (1991), *L'Europe Face à son Avenir : Que faire?*, Robert Laffont / Clément Juglar.

Allen, Kevin and Andrew Stevenson (1974), *An Introduction to the Italian Economy*, Barnes and Nobles.

Anderson, J. E. and J. E. Hazelton (1986), *Managing Macro-economic Policy : The Johnson Presidency*, University of Texas.

Archer, Clive and Fiona Butler (1996), *The European Union : Structure and Process*, 2nd edn., St. Martin's.

Art, Bart van and Nicholas Crafts (eds.) (1996), *Quantitative Aspect of Post-War European Economic Growth*, Cambridge University Press.

Atkinson, B. and John Micklewright (1993), *Economic Transformation on Eastern Europe and the Distribution of Income*, Cambridge University Press.

Bairoch, P. (1993), *Economics and World History*, The University of Chicago Press.

Bered, Ivan and Gyorgy Ranki (1986), *The Hungarian Economy in the Twentieth Century*, Croom Helm.

Berghahn, V. R. (1987), *Modern Germany : Society, Economy, and Politics in the Twentieth Century*, Cambridge University Press.

Berghahn, V. R. (1996), *Quest for Economic Empire*, Berghahn Books.

Bergson, A., H. S. Levine (eds.) (1983), *The Soviet Economy : Toward the Year 2000*, George Allen & Unwin.

Bergson, Abram (1974), *Soviet Post-War Economic Development*,

## な行



## は行



## ま行



## や行



## ら行



## わ行

# 人名索引

## あ行



## か行



## さ行



## た行

## わ行



## 略称

## ま行



## や行



## ら行

## な行



## は行

## た行

## さ行

# 事項索引

## あ行



## か行

猪木武徳（いのき・たけのり）

1945年滋賀県生まれ．京都大学経済学部卒業．マサチューセッツ工科大学大学院博士課程修了．大阪大学経済学部教授，同学部長，国際日本文化研究センター教授，同所長などを経て，大阪大学名誉教授．

著書『経済思想』（岩波書店，1987，日経経済図書文化賞，サントリー学芸賞）
『自由と秩序』（中央公論新社，2001，読売・吉野作造賞，中公文庫，2015）
『文芸にあらわれた日本の近代』（有斐閣，2004，桑原武夫学芸賞）
『大学の反省』（ＮＴＴ出版，2009）
『経済学に何ができるか』（中公新書，2012）
『自由の思想史』（新潮選書，2016）
『自由の条件』（ミネルヴァ書房，2016）
『デモクラシーの宿命』（中央公論新社，2019）
など多数

戦《せん》後《ご》世《せ》界《かい》経《けい》済《ざい》史《し》
中公新書 2000

2009年５月25日初版
2021年５月10日16版

著　者　猪木武徳
発行者　松田陽三

本文印刷　暁　印　刷
カバー印刷　大熊整美堂
製　　本　小泉製本

発行所　中央公論新社
〒100-8152
東京都千代田区大手町1-7-1
電話　販売　03-5299-1730
　　　編集　03-5299-1830
URL　http://www.chuko.co.jp/


Published by CHUOKORON-SHINSHA, INC.
Printed in Japan　ISBN978-4-12-102000-0 C1222

# 中公新書刊行のことば

一九六二年一一月

いまからちょうど五世紀まえ、グーテンベルクが近代印刷術を発明したとき、書物の大量生産は潜在的可能性を獲得し、いまからちょうど一世紀まえ、世界のおもな文明国で義務教育制度が採用されたとき、書物の大量需要の潜在性が形成された。この二つの潜在性がはげしく現実化したのが現代である。

いまや、書物によって視野を拡大し、変りゆく世界に豊かに対応しようとする強い要求を私たちは抑えることができない。この要求にこたえる義務を、今日の書物は背負っている。だが、その義務は、たんに専門的知識の通俗化をはかることによって果たされるものでもなく、通俗的好奇心にうったえて、いたずらに発行部数の巨大さを誇ることによって果たされるものでもない。現代を真摯に生きようとする読者に、真に知るに価いする知識だけを選びだして提供すること、これが中公新書の最大の目標である。

私たちは、知識として錯覚しているものによってしばしば動かされ、裏切られる。私たちは、作為によってあたえられた知識のうえに生きることがあまりに多く、ゆるぎない事実を通して思索することがあまりにすくない。中公新書が、その一貫した特色として自らに課すものは、この事実のみの持つ無条件の説得力を発揮させることである。現代にあらたな意味を投げかけるべく待機している過去の歴史的事実もまた、中公新書によって数多く発掘されるであろう。

中公新書は、現代を自らの眼で見つめようとする、逞しい知的な読者の活力となることを欲している。

中公新書

## 世界史



2253 禁欲のヨーロッパ 佐藤彰一
2409 贖罪のヨーロッパ 佐藤彰一
2467 剣と清貧のヨーロッパ 佐藤彰一
2516 宣教のヨーロッパ 佐藤彰一
2567 歴史探究のヨーロッパ 佐藤彰一
1045 物語 イタリアの歴史 藤沢道郎
1771 物語 イタリアの歴史 II 藤沢道郎
2508 貨幣が語る ローマ帝国史 比佐 篤
2413 ガリバルディ 藤澤房俊
2595 ビザンツ帝国 中谷功治
2152 物語 近現代ギリシャの歴史 村田奈々子
2440 バルカン―「ヨーロッパの火薬庫」の歴史 M・マゾワー 井上廣美訳
1635 物語 スペインの歴史 岩根圀和
1750 物語 スペインの歴史 人物篇 岩根圀和
1564 物語 カタルーニャの歴史(増補版) 田澤 耕

2582 百年戦争 佐藤 猛
1963 物語 フランス革命 安達正勝
2286 マリー・アントワネット 安達正勝
2466 ナポレオン時代 A・ホーン 大久保庸子訳
2529 ナポレオン四代 野村啓介
2318
2319 物語 イギリスの歴史(上下) 君塚直隆
2167 イギリス帝国の歴史 秋田 茂
1916 ヴィクトリア女王 君塚直隆
1215 物語 アイルランドの歴史 波多野裕造
1420 物語 ドイツの歴史 阿部謹也
2304 ビスマルク 飯田洋介
2490 ヴィルヘルム2世 竹中 亨
2583 鉄道のドイツ史 鴋澤 歩
2546 物語 オーストリアの歴史 山之内克子
2434 物語 オランダの歴史 桜田美津夫
2279 物語 ベルギーの歴史 松尾秀哉
1838 物語 チェコの歴史 薩摩秀登

2445 物語 ポーランドの歴史 渡辺克義
1131 物語 北欧の歴史 武田龍夫
2456 物語 フィンランドの歴史 石野裕子
1758 物語 バルト三国の歴史 志摩園子
1655 物語 ウクライナの歴史 黒川祐次
1042 物語 アメリカの歴史 猿谷 要
2209 アメリカ黒人の歴史 上杉 忍
2623 古代マヤ文明 鈴木真太郎
1437 物語 ラテン・アメリカの歴史 増田義郎
1935 物語 メキシコの歴史 大垣貴志郎
1547 物語 オーストラリアの歴史 竹田いさみ
2545 物語 ナイジェリアの歴史 島田周平
1644 ハワイの歴史と文化 矢口祐人
2561 キリスト教と死 指 昭博
2442 海賊の世界史 桃井治郎
518 刑吏の社会史 阿部謹也

中公新書

## 現代史



2105 昭和天皇　古川隆久
2309 朝鮮王公族―帝国日本の準皇族　新城道彦
2482 日本統治下の朝鮮　木村光彦
632 海軍と日本　池田清
2192 政友会と民政党　井上寿一
1138 キメラ―満洲国の肖像（増補版）　山室信一
2348 日本陸軍とモンゴル　楊海英
2144 昭和陸軍の軌跡　川田稔
2587 五・一五事件　小山俊樹
76 二・二六事件（増補改版）　高橋正衛
2059 外務省革新派　戸部良一
1951 広田弘毅　服部龍二
795 南京事件（増補版）　秦郁彦
84 90 太平洋戦争（上下）　児島襄
2465 日本軍兵士―アジア・太平洋戦争の現実　吉田裕

2387 戦艦武蔵　一ノ瀬俊也
2525 硫《い》黄《おう》島《とう》　石原俊
2337 特攻―戦争と日本人　栗原俊雄
244 248 東京裁判（上下）　児島襄
2015 「大日本帝国」崩壊　加藤聖文
2296 日本占領史 1945-1952　福永文夫
2411 シベリア抑留　富田武
2471 戦前日本のポピュリズム　筒井清忠
2171 治安維持法　中澤俊輔
1759 言論統制　佐藤卓己
828 清沢《きよさわ》洌《きよし》（増補版）　北岡伸一
2638 幣原喜重郎　熊本史雄
1243 石橋湛山　増田弘
2515 小泉信三―天皇の師として、自由主義者として　小川原正道

中公新書

## 現代史

f2

| | | |
|---|---|---|
| 2570 | 佐藤栄作 | 村井良太 |
| 2186 | 田中角栄 | 早野透 |
| 1976 | 大平正芳 | 福永文夫 |
| 2351 | 中曽根康弘 | 服部龍二 |
| 2512 | 高坂正堯—戦後日本と現実主義 | 服部龍二 |
| 1574 | 海の友情 | 阿川尚之 |
| 1875 | 「国語」の近代史 | 安田敏朗 |
| 2075 | 歌う国民 | 渡辺裕 |
| 2332 | 「歴史認識」とは何か | 大沼保昭 江川紹子 |
| 1804 | 戦後和解 | 小菅信子 |
| 2406 | 毛沢東の対日戦犯裁判 | 大澤武司 |
| 1900 | 「慰安婦」問題とは何だったのか | 大沼保昭 |
| 2624 | 「徴用工」問題とは何か | 波多野澄雄 |
| 2359 | 竹島—もうひとつの日韓関係史 | 池内敏 |
| 1820 | 丸山眞男の時代 | 竹内洋 |
| 2237 | 四大公害病 | 政野淳子 |
| 1821 | 安田講堂 1968-1969 | 島泰三 |
| 2110 | 日中国交正常化 | 服部龍二 |
| 2150 | 近現代日本史と歴史学 | 成田龍一 |
| 2196 | 大原孫三郎—善意と戦略の経営者 | 兼田麗子 |
| 2317 | 歴史と私 | 伊藤隆 |
| 2301 | 核と日本人 | 山本昭宏 |
| 2627 | 戦後民主主義 | 山本昭宏 |
| 2342 | 沖縄現代史 | 櫻澤誠 |
| 2543 | 日米地位協定 | 山本章子 |